Ce roman a remporté l'édition 2016 du Prix du Meilleur Roman des lecteurs de Points.

Pendant un an, un jury composé de 40 lecteurs et de 20 libraires a lu 12 romans récemment publiés par les éditions Points et a voté pour élire le meilleur d'entre eux. Le jury était présidé par l'écrivain Philippe Delerm.

Plus d'information sur
www.prixdumeilleurroman.com

Michel Moutot est reporter à l'Agence France Presse, spécialiste des questions de terrorisme international. Lauréat du prix Albert-Londres en 1999, correspondant à New York en 2001, il reçoit le prix Louis-Hachette pour sa couverture des attentats du 11 Septembre.

Ciel d'acier est son premier roman.

DU MÊME AUTEUR

Aventurier des glaces
(avec Nicolas Dubreuil)
La Martinière, 2012
et « Points », n° P3358

Michel Moutot

CIEL D'ACIER

ROMAN

Arléa

TEXTE INTÉGRAL

ISBN 978-2-7578-5971-1
(ISBN 978-2-36308-071-4, 1re publication)

À Sophie, Pierre et Félix.
À mon père. Le voici, enfin.

Dear my love, you know, you had a father:
let your son say so.

SHAKESPEARE, *Sonnet XIII*

1

New York City

12 septembre 2001

La sueur me brûle les yeux. Je ne supporte plus ces lunettes de soudeur, ce masque, j'étouffe. Mais si je les enlève Dieu sait ce que je vais avaler. Cette poussière, ces fumées sont toxiques. Elles étaient farcies d'amiante et de saloperies ces tours. Mon oncle disait que les structures d'acier étaient recouvertes de flocage et de peinture au plomb. Il y avait des cabinets de dentistes dans les étages, des stocks de produits chimiques dans les sous-sols du World Trade Center, le gaz fréon des climatiseurs géants, le kérosène des avions. On respire du poison.

Mais s'il y a des survivants dans ce magma, ce mikado d'enfer, c'est le seul moyen de les trouver. Découper l'acier, sectionner les poutres, ouvrir des passages, faire des voies, des tunnels pour avancer, explorer les cavités, peut-être des refuges. Encore cinq minutes. Cinq minutes et j'aurai fini de brûler cette section de métal. Je pourrai accrocher le câble et la grue la soulèvera. Attention aux éboulements. Où est le crochet ?

Les fumées s'épaississent, l'odeur est atroce, je vois à peine mes mains. Les rampes d'éclairages lèvent un halo de poussière lumineuse. La poutre sur laquelle je suis en équilibre tremble, elle est chaude, je sens la chaleur à travers mes chaussures, les semelles fondent. Il faut bouger de là. Andy devrait être sur ma droite mais dans ce brouillard je ne le vois plus. Je l'entends. Le souffle du chalumeau, là derrière, les étincelles, ce doit être lui. Merde ! La flamme de ma torche à découper faiblit… Plus d'oxygène !… Bon, j'enlève le masque. Le ciel pâlit sur l'Hudson, c'est bientôt l'aube.

Hier matin, je suis arrivé tôt sur le chantier d'un hôtel à la pointe sud de Manhattan. Pour nous, les *ironworkers* – les Québécois disent monteurs d'acier –, qui connectons entre elles les structures des gratte-ciel, le travail était presque terminé. Quelques poutres à boulonner et souder, les dernières, tout en haut, et, dans une semaine, ce devait être la cérémonie d'achèvement du squelette de l'immeuble, le *topping-out.* Un autre gratte-ciel sur la ligne d'horizon à Manhattan.

Et sur celui-ci, comme sur tous les géants de la ville, nous sommes là. Indiens mohawks : Canadiens ou Américains, descendus de nos réserves près de Montréal ou sur la frontière avec les États-Unis. New York est monté à l'assaut du ciel grâce à la sueur et au sang de nos pères. Pas un chantier en hauteur, pas un pont métallique ou un grand building sans que ne résonnent, là-haut, ordres, consignes ou jurons dans notre langue. Pour leur bravoure, leur expérience, leur fiabilité, les charpentiers du fer mohawks sont réputés dans toute l'Amérique du Nord et au-delà.

À quarante-trois ans je suis la sixième génération de monteurs d'acier. Je m'appelle John LaLiberté, dit Cat. Mon vrai nom : *O-ron-ia-ke-te*, « Il porte le ciel ».

Aussi loin que je me souvienne, j'ai voulu marcher sur les pas de mes ancêtres, en équilibre sur des poutres de trente centimètres de large au-dessus des grandes villes. C'est pour ça qu'on nous surnomme *skywalkers*, « marcheurs de ciel ». Mon père était Jack LaLiberté, surnommé Tool. Il est mort en novembre 1970, le seul charpentier du fer à avoir perdu la vie en construisant les tours jumelles du World Trade Center. Je dois être à quelques mètres de l'endroit où il est tombé.

À 08 h 45 nous étions assis, Andy et moi, sur une plateforme de bois au trente-cinquième étage. Andy les pieds dans le vide, moi sur une caisse un peu en retrait. La légende veut que nous n'ayons pas le vertige ; pour moi, c'est un peu plus compliqué. L'apprenti était descendu chercher les cafés pour la première pause de la matinée. Grand soleil, petite brise, pas un nuage, belle journée de fin d'été. En me penchant sur la droite, je pouvais voir le port jusqu'au New Jersey, la statue de la Liberté, les piliers du pont de Verrazano sur lequel mon oncle Joe a laissé deux doigts de la main gauche.

Nous avons entendu derrière nous un ronflement lointain qui s'est vite rapproché. Le Boeing est passé en rugissant au-dessus de nos têtes. Si près, si bas, que j'ai pu lire son immatriculation, voir les rivets sur les ailes, les hublots, presque les visages à l'intérieur, le logo American Airlines. Nous nous sommes regardés, bouche bée, et nous avons tourné la tête pour le voir s'encastrer dans la tour Nord du World Trade Center ; d'un coup, avalé par la façade de verre, disparu à l'intérieur. Une scène de film, un effet spécial. Presque pas de flammes. Juste, penchée sur la gauche, la silhouette de l'appareil découpée dans le haut de l'immeuble. Les ailes bien visibles, comme dans une bande dessinée. « Andy, on reste pas là. Toi, pose ces cafés. Venez. »

Les ascenseurs de chantier, à l'extérieur de l'immeuble, sont pris d'assaut. Les ouvriers, ahuris, ont lâché les outils. Personne ne sait pourquoi, mais cet accident est si étrange, si énorme, qu'il n'est pas question de regarder la tour fumer, à cinq cents mètres, ni de travailler comme si rien ne s'était passé.

Bousculade dans les escaliers, jurons, cris, vingt-cinq étages : nous sommes sur le trottoir. Deux engins de pompiers dévalent en trombe la rue Greenwich, d'autres sirènes descendent la voie rapide le long de l'Hudson. Eddie Falcone, le chef de chantier : « Ne restez pas au milieu ! Laissez passer ! La moitié des camions rouges de New York va rappliquer… OK, une heure de pause. Mais personne ne se tire, hein ! Ils vont éteindre ça. Ensuite on reprend le boulot. Et vous me rattraperez le temps perdu. L'acier qui devait être connecté aujourd'hui le sera avant ce soir ! »

Nous avons enlevé les casques de chantier, les avons accrochés aux mousquetons des ceintures. Les mains sur les hanches, têtes en l'air, par petits groupes. « Pas possible que le pilote se soit planté, même s'il a eu un malaise ou une crise cardiaque… Ils sont toujours deux dans les cockpits, non ? Comment peux-tu te payer une tour avec toute la place qu'il y a autour ? Il ne l'a pas vue ? »

Je compte les étages qui séparent le point d'impact du sommet. Une dizaine. L'incendie est bien visible maintenant. Le kérosène en feu s'est sans doute répandu comme du napalm dans les bureaux, sur les meubles, les réserves de papier. Un panache de fumée monte de la cicatrice géante. Nom de Dieu ! Ces petites choses qui bougent, là, au bord du gouffre, ce sont des gens ! Un homme en chemise blanche, une femme en robe sombre. Comment vont-ils sortir de là ?

Le quartier résonne de sirènes. Les pompiers arrivent, garent les camions à l'ombre des tours, sur l'esplanade. Comment éteint-on un incendie si haut dans un gratte-ciel ? L'avion a dû tout détruire sur son passage, le système d'arroseurs automatiques n'a pas pu résister. Où vont-ils trouver de l'eau ? Je ne crois pas qu'il y avait des réservoirs au sommet des *twin towers*. Mon oncle m'en aurait parlé, il a passé des années à les construire. Comme chaque Mohawk de mon âge, j'ai grandi bercé par l'histoire de l'édification des tours jumelles, la signature, la fierté d'une génération d'*ironworkers*.

Sans baisser les yeux je marche jusqu'à la cantine à roulettes d'Afzal, mon copain pakistanais. Trois mois que, debout dix heures par jour devant sa remorque en inox, il nous sert son café trop cuit dans des tasses en carton bleu décorées de motifs grecs. Lui aussi fixe la tour, sert à peine les clients qui ont tous le nez en l'air. « Pas croyable un truc pareil ! » Je verse le lait, le sucre, en regardant à peine ce que je fais, touille avec la cuillère en plastique quand soudain la tour Sud explose.

La boule de feu grossit, avale plusieurs étages, catapulte dans le ciel des nuages de papier et des morceaux de métal gros comme des voitures. Autour de moi les gens pleurent, hurlent, jurent, se sauvent en courant. Que s'est-il passé ? Les flammes de la tour Nord ont provoqué ça ? Comment est-ce possible ?

D'où je suis je n'ai pas vu le deuxième Boeing. Un homme crie : « C'est un avion, un autre avion ! Mon Dieu, on nous attaque ! C'est la guerre ! Fuyez ! Fuyez ! »

Je jette le gobelet de café, cherche Andy : au milieu de la rue, il a pris l'apprenti par les épaules et marche à reculons, tête en l'air, bouche ouverte, vers le portail du chantier. Des cathédrales de fumée s'échappent des deux immeubles. Le long des palissades, des dizaines d'*ironworkers*, d'ouvriers, de charpentiers se serrent les uns contre les autres comme pour se rassurer. Ils appellent leurs familles : « Allume la télé, vite. Rappelle-moi s'ils expliquent ce qui se passe. »

Eddie Falcone raccroche son téléphone, met ses mains en porte-voix : « C'est bon, tout le monde se tire. La journée est terminée. Ne restez pas là, on ne peut pas bosser dans ces conditions. Rentrez chez vous, rendez-vous demain matin… peut-être ! Va savoir combien de temps il leur faudra pour éteindre ce merdier. »

Nous posons outils et casques au vestiaire, changeons de chaussures. Dans les rues, des groupes de badauds, immobiles sur la chaussée, ne s'écartent que pour laisser passer pompiers, policiers ou ambulances. Plus de trafic civil, les accès doivent être fermés.

Pas question de rentrer à Brooklyn. Je veux voir comment ils vont s'y prendre pour attaquer deux incendies pareils. Peut-être des hélicoptères… Les policiers garent, en faisant crisser les pneus, leurs voitures en travers des carrefours, posent des barrières de bois, demandent aux piétons d'évacuer.

Avec une autre équipe de Mohawks nous marchons deux pâtés de maisons, vers l'hôtel de ville, et entrons dans le Highlands Sports Bar. C'est là que nous nous retrouvons, les après-midi après le boulot, pour boire des bières et commenter la journée avant de rentrer à Brooklyn. Depuis le début du chantier, le patron a compris qu'il ferait de meilleures affaires s'il proposait la Boréale de Montréal, qu'il sert à la pression. Le comptoir est vide, la salle aussi, les huit écrans de télé diffusent CNN et New York One. Plans fixes sur les tours en feu, images aériennes, travellings sur les camions de pompiers. On parle d'une attaque sur le Pentagone, d'un autre avion détourné, de l'ordre donné à tous les appareils dans le ciel américain de se poser d'urgence. Combien y en a-t-il encore aux mains de pirates, potentiels missiles ? Quelles pourraient être les cibles ? La Maison-Blanche ? Le Capitole ? La CIA ? Le siège de l'ONU, ici ?

Même filmés de loin, on distingue maintenant de petits points noirs qui se jettent dans le vide. Ils sautent ? L'apprenti, qui était retourné au chantier chercher des clefs oubliées dans son casier, entre en courant dans le bar, blême : « Ils sautent, les gens sautent des tours ! Je les ai vus, c'est affreux ! Il y a un qui était en feu. Quand ils s'écrasent au sol, ça fait un bruit atroce. »

Le présentateur confirme que des dizaines de personnes se jettent dans le vide pour échapper aux flammes, mais que sa chaîne ne diffusera pas ces images en gros plans. Rick, le patron du bar, ne sait pas s'il doit fermer ou rester ouvert, incapable, comme nous, de lâcher les écrans des yeux. « Le feu, il n'y a rien de pire pour un gratte-ciel », dit Andy qui a passé, quand il était jeune, des mois à enduire des structures métalliques de revêtements ignifugés. « À une certaine température, plus rien ne résiste. L'acier fond. Et au-delà d'une certaine hauteur, sans eau, les pompiers ne peuvent rien faire. Si des poutres porteuses ramollissent et lâchent, avec le poids qu'il y a au-dessus, tout s'écroule. Moi, je vous le dis, elles vont tomber.

– C'est pas possible ! Les ingénieurs ont dû prévoir le feu en construisant ces tours, non ?

– Elles vont tomber, je te dis. »

Certains décident de rentrer à Brooklyn. Pas moi. Le World Trade Center, il est un peu à moi, à ma famille. Mon père y a perdu la vie ; un oncle, des cousins ont construit ces tours. Des dizaines de Mohawks y ont passé des années. C'était le plus grand, le plus beau chantier des années 1970. « Ici, tout le monde vit à l'ombre des *twin towers* », avait coutume de dire un frère de ma mère, représentant, dans sa réserve sur la frontière entre le Canada et les États-Unis, du syndicat des monteurs d'acier. Quand leurs longues silhouettes apparaissaient dans un film ou une émission, ma mère disait : « Regarde les tours de ton père. »

Quand j'étais gamin, elle m'emmenait lorsque nous descendions à New York prendre le petit déjeuner à Windows on the World, le restaurant panoramique du cent sixième étage. Le nez collé aux baies, je regardais le trafic dans le port, les ferries de Staten Island, le soleil au-dessus de Jersey City, les voitures, comme des fourmis sur la West Side Highway. J'étais pilote à la barre d'un cargo géant, l'île de Manhattan. Par grand vent, on les sentait bouger, doucement osciller.

Je ne peux pas rentrer chez moi à Bay Ridge, allumer la télé et ne rien faire. Je retourne sur Greenwich Street. Andy, qui a changé d'avis à mi-chemin de la station de métro, me rejoint. Au barrage de flics, nous sortons les cartes du syndicat, expliquons que nous devons en vitesse retourner sur le chantier. « OK, faites gaffe. » Depuis le petit parc, à un angle de rue sur Broadway, je vois les tours cernées de gyrophares. La fumée est plus dense, plus sombre. Nous apercevons les flammes ardentes, rouges, intenses. La couleur de la flamme de nos chalumeaux quand elle est à la bonne température pour commencer à découper.

Soudain, le sommet de la tour Sud tremble, oscille, puis, comme un boxeur saoulé de coups qui plie les genoux, elle s'affaisse. Les étages supérieurs d'abord, qui s'empilent les uns sur les autres ; le poids des vingt-cinq étages au-dessus du brasier emporte tout, en cascade, comme un accordéon qu'on ferme. En dix secondes il ne reste de l'immeuble que son fantôme de poussière dans le ciel. La nuée se rue vers nous, énormes volutes grises qui sèment la panique. Je n'en crois pas mes yeux. Je n'ai vu ça qu'au cinéma. Les gens crient, jurent, fuient en courant. Certains s'arrêtent, se retournent, repartent, le visage déformé par l'effroi. Je reste assez loin, mais je suis le mouvement, reflue avec la foule vers le nord sans savoir où elle m'entraîne.

Une demi-heure plus tard, la tour jumelle s'effondre dans le même roulement de tonnerre, la même explosion de cendres et de béton qui obscurcit le ciel, avale la pointe de l'île, mange les eaux du port, recouvre tout sur son passage, dévore les trottoirs, terrifie les piétons. Je me retourne et vois l'avenue disparaître dans le nuage. J'ai perdu Andy. Accrochée à un lampadaire, comme pour ne pas glisser sur le sol, une jeune fille tremble de tous ses membres. Deux femmes en tailleur lui posent les mains sur les épaules, tentent de lui parler. Hoquetant, bouche ouverte, elle ne dit rien, tombe à genoux. Les larmes creusent des sillons dans la couche grise qui recouvre ses joues. À un feu rouge, le conducteur d'un pickup tente de dissuader quatre jeunes gens de sauter sur sa plateforme arrière. Il renonce, leur demande où ils vont, démarre. Une femme sort en courant d'une station de métro, hurle : « On a trouvé trois bombes dans une école du Bronx ! Des bombes ! »

Un homme crie : « Oh mon Dieu, mes enfants ! », et il part en courant, zigzaguant entre les voitures.

Je marche vers l'est, vers le pont de Brooklyn. Nous sommes des milliers, hagards, silencieux, rapides, sur les trottoirs et la chaussée. Certains, couverts de poussière, ressemblent à des spectres blancs. On leur tend des bouteilles d'eau pour boire et se laver les yeux. La passerelle disparaît sous une marée humaine. Je ne les suis pas. Je sais où aller : le hall du syndicat des monteurs d'aciers. *New York Ironworkers, Local 40.* Quand la tour Sud s'est effondrée, j'ai compris. Dans la ville, nous sommes des centaines de charpentiers de fer à avoir compris.

Le World Trade Center, c'était un squelette de milliers de tonnes de métal. Je ne sais pas ce qu'il en reste, mais je sais que, pour avancer dans les décombres à la recherche des survivants, pompiers et secouristes vont avoir besoin de nous. Car, si depuis plus d'un siècle nous édifions ponts et gratte-ciel, nous construisons l'Amérique, c'est aussi nous qui les démontons, les découpons. Quand ils doivent disparaître pour faire place à autre chose dans une ville et un pays qui se réinventent sans cesse, les règlements prescrivent que c'est à nous, monteurs d'acier, qu'il faut faire appel. Dans les cités américaines ou canadiennes, pas question de faire sauter des tours à l'explosif. C'est au chalumeau et à la torche à plasma que nous sectionnons l'acier en tronçons que les grues déposent sur des camions. C'est un travail dur et dangereux ; plus difficile et plus pénible, à cause des décombres, de la saleté, que d'assembler des poutres neuves. Monteurs, mais aussi démonteurs d'acier.

Je tente d'appeler le syndicat : plus de lignes, les réseaux doivent être saturés. Au coin d'une rue, à l'entrée de Chinatown, un taxi qui s'est arrêté pour acheter à boire reste paralysé, fasciné par l'écran de télé de l'épicerie. « Vous me conduiriez sur la 15e ? »

Nous filons en silence dans les rues livrées aux piétons, qui s'écartent sur notre passage. À certains carrefours, comme ceux menant à l'immeuble des Nations unies, des camions-bennes remplis de sable garés en travers de la chaussée barrent le passage à d'éventuelles voitures-béliers. Il faut faire un détour. À l'angle des rues, les passants se regroupent autour de postes de radio posés sur les capots des voitures. Certains ont installé des téléviseurs sur des distributeurs de journaux, sur le trottoir.

Le taxi me laisse au coin de la 6e avenue, refuse mon billet. Devant le local syndical ils sont déjà là, en tenue de travail, casque à la ceinture, gants dans la poche arrière. Des voitures conduites par des femmes s'arrêtent et déposent d'autres volontaires. À l'intérieur du hall, la cohue empêche d'approcher des téléviseurs. On se tape sur l'épaule. Pas besoin de parler. Andy a eu la même idée, il est là, me fait signe. Il y a quelques Mohawks, des amis, un lointain cousin que je n'ai pas vu depuis des années – nos familles sont fâchées pour une vieille querelle de terrain, là-haut, dans la réserve. Aujourd'hui je le salue.

Le *business agent*, responsable local, a été contacté par les pompiers : il faut constituer des équipes et se tenir prêts. Sur un bloc de papier jaune, il aligne des noms. Trois pickups sont garés devant la porte, chargés de bouteilles d'oxygène-acétylène, chalumeaux, torches à plasma et caisses à outils. Il y a déjà trop de volontaires, on demande aux derniers arrivés de revenir le lendemain. « Ne vous inquiétez pas, un truc pareil il y en a pour des mois… »

La nuit est tombée quand deux camions bâchés de la Garde nationale arrivent. « On vous conduit sur la 38e et West Side Highway. Le matériel est en route. De là, vous descendrez au World Trade Center. » Nous sautons à l'arrière, descendons à pleine vitesse les avenues désertes. Sur d'anciens quais de la rivière Hudson, le NYPD et le FBI installent des bureaux provisoires dans des caravanes. Cinq kilomètres au nord de ce qu'on appellera bientôt Ground Zero, des centaines de voitures, de camions portant les sigles de toutes les agences locales et fédérales sont garés sur les terre-pleins, les trottoirs, les parkings.

Des rampes d'éclairages géantes, pour chantiers et stades, sont remorquées par dizaines. Les soldats en treillis et casques, fusil automatique à l'épaule, posent des barrières. Des milliers d'uniformes et de civils se croisent en tous sens. Certains sont affairés. D'autres, plus nombreux, tournent en rond, commentent le cataclysme, s'agglutinent devant les écrans, colportent des rumeurs, racontent leur journée au téléphone. S'engueulent, crient des ordres contradictoires, rigoleraient presque mais se retiennent, partent pour chercher du matériel dont personne ne sait à quoi il servira ; reviennent les mains vides.

Le grondement rauque d'avions à réaction déchire l'air du soir. Deux points lumineux fusent au-dessus de nos têtes, des jets de l'armée. « Nom de Dieu, j'espère que ce sont bien les nôtres… », murmure un policier.

Nous patientons, en rang devant la remorque du FBI où l'on prend nos noms avant de nous tendre un badge marqué *City of New York – World Trade Center Emergency*. Il faut encore attendre, assis par terre ou sur des caisses. On distribue des sandwichs, des bouteilles. Je quitte le groupe, marche sur la berge, vers le sud, en direction du nuage. Aux premiers policiers qui m'arrêtent je montre le badge, mon casque. « Je suis *ironworker*. Ils ont besoin de nous, là-bas.

– OK mon pote, fais gaffe. »

Un pickup s'arrête, je saute à l'arrière. Sur Canal Street, dernier barrage, nous n'irons pas plus loin. Il faut continuer à pied. À partir d'ici, la chaussée, les trottoirs, les voitures, les arbustes, les lampadaires, les panneaux, les poubelles, tout disparaît sous dix centimètres de cendres grises, fines comme du talc. Un paysage d'hiver nucléaire, un film de science-fiction. Un Pompéi moderne. Comme les jours de neige sur New York, la rumeur de la ville a disparu. Le silence est si profond qu'il bourdonne dans mes oreilles. Je n'entends pas le bruit de mes pas ; le mélange de poussière, de cendres, de feuilles de papier et de béton pulvérisé étouffe tout. Sur un pare-brise un doigt a écrit : « Bombardez le Moyen-Orient. » Plus loin : « Vengeance ! » Et « Tuez tous les musulmans » ou « Nous n'avons pas peur. »

Nous marchons à quatre de front, en silence. Je m'accroche à l'idée que je vais pouvoir faire quelque chose, que le matériel, les chalumeaux arrivent. Sauver des vies, peut-être. En tout cas, devenir acteur, ne pas rester spectateur de ce cataclysme incompréhensible. Qui peut nous haïr à ce point ? Je me souviens de la bombe, placée en 1993 dans un parking souterrain du World Trade Center, qui avait fait quelques morts et des centaines de blessés à cause des éclats de verre. Je n'ai jamais compris qui avait fait ça ni pourquoi. Ce sont les mêmes ?

Assis sur une bouche d'incendie, la tête dans les mains, un pompier sanglote, tremble comme une feuille. Sa tenue disparaît sous trois centimètres de poussière, ses cheveux lui font comme un casque blanc. Un des hommes qui m'accompagnent lui tend une bouteille d'eau. Il la prend sans nous regarder et, sans un mot, la vide sur son visage, boit les dernières gouttes. Nous croisons un policier, fantôme pâle. Il marche à petits pas d'automate, bras ballants, les yeux dans le vide, traînant les pieds. Ne répond pas à nos questions. Partout, des chaussures, surtout de femmes, hauts talons abandonnés pour courir plus vite.

Un homme bien peigné, en costume noir sans une tache, ramasse une feuille de papier parmi les milliers qui jonchent le sol, la lit, la repose délicatement par terre, en prend une autre.

Nous tournons à droite dans West Broadway. Là, au bout de l'avenue, des deux tours de cent dix étages que l'on voyait de tous les coins de New York, qui servaient de repère quand on se perdait au fin fond du Bronx ou dans une zone industrielle du New Jersey qui, éclairées la nuit, étaient comme des vigies les soirs de brume, il ne reste que ça. Un chaos fumant, dont j'ai du mal à cerner les contours. Nid de dragons blessés, forge monstrueuse. Les éclairages d'urgence illuminent par en dessous des colonnes de fumées. Les flammes rouges, jaunes, s'échappent de l'enchevêtrement de métal, poutres tordues, pans de murs effondrés, structures broyées, monceaux de gravats. Les seules choses reconnaissables sont des colonnes de métal à demi-brisées, pans de l'armature extérieure caractéristique du World Trade Center, hautes d'une soixantaine de mètres, plantées dans le sol à la base de ce qui devait être la tour Sud. Le Millenium Hilton Hotel, splendeur de verre et d'acier, est une coquille vide et fumante.

Nous passons devant un taxi cloué sur l'asphalte par une flèche de métal, l'arrière écrasé par une grosse pièce qui ressemble à un moteur de camion. Deux traînées de sang maculent une portière. Plus loin, des voitures semblent avoir fondu sur place, transformés en carcasses noircies de soixante centimètres d'épaisseur. Les lances des camions rouges projettent des rideaux d'eau qui par endroits s'évaporent avant de toucher leur cible. Ailleurs, ils transforment la poussière en une boue blanchâtre qui colle aux semelles.

Pour estimer la hauteur de la pile, je compte les étages d'un immeuble voisin, blessé mais encore debout : sept. Sept étages de décombres, des millions de tonnes fumantes. La « pile » : c'est ainsi que nous baptisons ce monstrueux amoncellement faute d'un autre mot ; un mot qui n'existe pas. Alors la « pile », pourquoi pas ? Dessous, sans doute des centaines, peut-être des milliers de victimes qui n'ont pu sortir à temps. Combien ? Des survivants ? Comment les trouver, leur venir en aide ? Par où commencer ?

Les sauveteurs montent à l'assaut du monstre, fourmis sur une carcasse géante. Ils creusent au hasard avec des pelles ou des pioches récupérées dans les véhicules, avec des morceaux de débris, à mains nues. Par endroits, éclairées comme en plein jour, des chaînes se sont formées. Des centaines de seaux de plastique blanc, sortis on ne sait d'où, passent de mains en mains, pleins de gravats que l'on vide un peu plus loin. Les trois hommes qui m'accompagnent les rejoignent.

Je regarde les structures, les poutres d'acier effondrées en tous sens. Les plus grosses font plus d'un mètre de section. Certaines ont été tordues, vrillées, pliées, coupées comme du fil de fer. Elles sont reliées entre elles, attachées, entortillées par des kilomètres de gros câbles d'acier : ceux des dizaines d'ascenseurs. Sous dix mètres de ferraille, je devine la carcasse d'un camion : seul le sigle FDNY – *Fire Department New York* – reste visible sur une portière. Il a été réduit à quatre-vingts centimètres de hauteur. Autour de moi résonnent des dizaines de bips stridents. Je croise un policier : « C'est quoi, ces bruits ?

– Les balises individuelles des pompiers. Elles se déclenchent quand ils sont ensevelis. On les entend mais on ne peut pas les voir. Je ne sais pas comment on va les sortir de là. S'il y a des survivants… Vous avez vu tout ça ? Ça m'étonnerait. »

Je longe ce qui devait être l'esplanade sur laquelle s'élevaient les tours, la World Trade Center Plaza, sans rien reconnaître. Trébuche sur des morceaux de métal. Mes pas soulèvent des volumes de feuilles blanches, formulaires, factures, rapports, mêlés aux cendres et à la poudre de béton. Au milieu d'une rue, comme posée par la main d'un géant, énorme, une roue de train d'atterrissage. Un couple en fait le tour, prend des photos, tente de toucher le pneu ; un policier les éloigne : « Putain ! C'est une scène de crime ici ! Dégagez ! »

Les ordres sont d'évacuer la pointe de Manhattan, au sud de Canal Street, y compris les riverains. Une fois partis, certains avec des valises, interdiction de revenir jusqu'à nouvel ordre. Plus loin je reconnais ce qui devait être la passerelle piétonne couverte enjambant la West Side Highway. Effondrée, elle obstrue les quatre voies. Quand les grues arriveront, elles devront passer par là. J'ai l'expérience des chantiers de démolition : tout dépend des grues. Où les monter, où les placer, comment les utiliser avec le moins de risques possible ? Il va en falloir des dizaines pour soulever tout ça. D'abord dégager leurs emplacements.

Je grimpe sur des carcasses de voitures enchevêtrées. Sur l'autoroute, au loin, j'aperçois des camions-plateaux, des gyrophares. La première grue. Je m'approche. Une Manitowoc de six cents tonnes sur chenilles, venue du New Jersey en quatre morceaux sur des remorques. Les poids lourds se garent sur un terre-plein. Descendant d'une cabine, je reconnais Frank Abramo. Petit, presque maigre dans un débardeur tâché de cambouis, une ancre de marine tatouée sur l'épaule, c'est l'un des meilleurs conducteurs de grues de la côte est. J'ai bossé avec lui il y a deux ans sur un chantier de démolition près de Boston. « Frankie, tu veux un coup de main pour la monter ?

– Cat ! Pour sûr, tu tombes bien. Tu es tout seul ? Où sont les autres ? Il faut faire vite.

– Ils vont arriver. Commençons. »

Trois heures pour assembler les flèches, boulonner les pièces, monter le contrepoids, passer en allers-retours les six longueurs de câbles dans les treuils et les poulies grâce à une plateforme élévatrice que nous appelons un *cherry picker*, cueilleur de cerises. Frank démarre le moteur, assez puissant pour propulser un navire, teste les commandes. Le monstre peut avancer. Quand on aura commencé à découper en morceaux la carcasse de la passerelle, il pourra les soulever et les déposer sur le côté ou les charger sur des camions. La voie sera ouverte pour accéder à la pile avec des équipements lourds.

Par où passer ? Nous choisissons une rue assez large pour les chenilles. Mais elle est pleine de décombres, de dizaines de véhicules, de voitures écrasées sous les morceaux des *twin towers*. Avec de gros 4×4 on tente d'en remorquer certains, d'en pousser d'autres, de les écarter sur les trottoirs. Mais il y en a trop, certains sont trop lourds. Je dis à quatre *ironworkers*, dont l'un, Thomas, est un Mohawk ami d'un de mes oncles : « Les gars, prenez des barres de fer. Cassez les pare-brise, à l'arrière ou sur les côtés. Assurez-vous qu'il n'y a personne dans les bagnoles, des gens qui dorment, ou des victimes. »

Dans une Ford blanche ils découvrent le corps d'une jeune femme. Les pompiers découpent l'habitacle pour l'extraire. Thomas est livide. Il s'assied sur le rebord du trottoir, s'essuie les yeux. Se lève, s'en va. Je ne le reverrai que des mois plus tard, dans la réserve.

Entre nous et la passerelle effondrée, cinq corps sont sortis de leurs pièges de métal. On tourne la tête, regarde ailleurs quand les secouristes du FDNY les portent et les posent sur des brancards. Chez les charpentiers du fer, nombreux ont été soldats, souvent dans les Marines. J'ai été scout dans le 1er bataillon d'US Rangers pendant la guerre du Golfe. Des morts et des blessés, en zones de guerre, on en a déjà vu. Mais là, c'est chez nous, dans Manhattan, ça change tout.

« Frankie, tu es prêt ? Il faut avancer la grue à portée de la passerelle effondrée, là-bas. Je suis devant toi avec les deux drapeaux orange. Si je les lève, tu t'arrêtes. Si tu ne les vois pas, avance. Quoi qu'il se passe, tu avances...

– OK, commençons le travail. »

Il baisse la flèche de l'engin. Les échappements crachent leur fumée noire. Les chenilles mordent l'asphalte, les trottoirs, écrasent les morceaux de métal qui ont été projetés à des centaines de mètres des tours. Elles passent sur le capot d'une première voiture. Crack ! Une autre, Crack ! Une autre encore, Crack ! Bousculent une camionnette, aplatissent l'épave d'un van. Un civil, casquette et blouson du FBI, se précipite vers moi. « Arrêtez ! Arrêtez ! Arrêtez cette grue ! Ne touchez à rien ! C'est une scène de crime tout ça. Il ne faut rien bouger !

– Écoute mon gars, ici, c'est pas la télé. C'est du terrorisme. Alors occupez-vous de trouver les pirates qui ont détourné ces avions et laissez-nous faire notre boulot. Sans cette grue pour dégager la voie express, les blessés vont mourir là-dessous, et vite. Alors écartez-vous. »

Un officier de pompiers le prend par les épaules, l'éloigne.

Comme un monstre préhistorique, la Manitowoc avance, pousse ou écrase tout sur son passage. Elle parvient à un espace dégagé, à deux cents mètres de la passerelle. Frankie pose les vérins au sol, déploie sa flèche et soulève deux camions écrasés, qu'il dépose sur la berge de l'Hudson. Heureux d'avoir quelque chose à faire, les volontaires affluent. Des camions apportent des chalumeaux, des dizaines de bouteilles d'oxygène que l'on dépose sur les trottoirs. Des cartons de bouteilles d'eau, de boissons pour sportifs Gatorade et de sandwichs. Du matériel est aussi débarqué d'une barge qui a accosté un des quais voisins.

Deux équipes de monteurs d'acier font jaillir les premières gerbes d'étincelles. Je reconnais Andy de dos. Ils attaquent les fixations de la passerelle et des poutres métalliques tombées d'un immeuble voisin. La grue est en place, je les rejoins. Les tuyaux d'oxygène sont trop courts, il faut des adaptateurs pour les raccorder entre eux. Il n'y en a pas. J'envoie un apprenti – on les appelle *punks* – en chercher. Dans les ronflements des générateurs, à la lumière de dizaines de projecteurs, des ouvriers attaquent à la scie électrique des pans de béton. Les meuleuses mordent des enchevêtrements de tôles. Au milieu de la nuit, une vingtaine d'*ironworkers* arrivent, à l'arrière de deux pickups, drapeaux américains attachés aux quatre coins. Un officier de pompiers est venu les accueillir : ils ont besoin d'aide pour dégager ce qui pourrait être l'entrée d'escaliers qu'ils ont repérés sous les décombres. Ils espèrent que par endroits les sous-sols ont résisté et que peut-être il y aura là des survivants. Nous le suivons, traînant, portant les bouteilles d'oxygène et les chalumeaux. On nous distribue les premiers masques à poussière. Ils sont trop légers, du matériel de bricolage, mais c'est mieux que rien.

Plus on approche de la pile, plus on étouffe. Le monstre lâche des bouffées de fumées grises, certaines plus âcres que d'autres. Sans grue au-dessus de nos têtes, nous découpons les poutres d'aciers en tronçons assez petits pour tenter, en tirant à plusieurs sur des câbles, de les faire bouger et d'ouvrir des passages. Parfois on utilise les treuils montés à l'avant des 4×4. Chaque geste soulève des nuages de cendres et de poussière. La chaleur est insupportable, mes vêtements sont trempés, mes gants déjà troués. Ça brûle devant moi, sur les côtés. Il faut enlever les masques pour crier, on n'entend rien, on voit à peine ce qu'on fait. Les bip-bip stridents des balises de pompiers nous obsèdent. Les sauveteurs tentent de s'en servir pour les repérer. Mais ils viennent de partout.

Les secouristes creusent des tunnels sous les éboulis, tapent sur le métal, crient, font des signaux lumineux, disparaissent en rampant dans des cavités, ressortent pour nous demander de sectionner une poutre. Certaines sont si épaisses qu'il faut une heure pour en venir à bout. La brûlure incandescente, à deux mille degrés, avance millimètre par millimètre. Une fois coupé, en attendant les grues que l'on monte tout autour de Ground Zero, le morceau d'acier est encore tellement lourd qu'il est souvent impossible de le déplacer, même en tirant à six sur le câble. Et quand il bouge, il provoque des éboulements qui menacent d'ensevelir les sauveteurs.

« Cat ! Cat ! Par ici ! On a entendu des coups frappés là-dessous. Il faut dégager un passage. Prends le gros chalumeau. »

Les structures de métal sont tellement enchevêtrées qu'on dirait un plat de spaghettis géant, avec des angles et des morceaux coupants partout. Je ne le dis pas aux pompiers, mais il va falloir des heures et des dizaines de bouteilles d'oxygène pour ouvrir une voie dans ce magma de décombres et d'acier. Je sectionne les premières poutres, les plus minces. Dès que les morceaux ont refroidi, je les fais passer derrière moi. Au bout d'une demi-heure, creusant dans le mélange de cendres et de poussière, le pompier sur ma droite crie : « J'ai quelque chose ! Une main, c'est une main ! »

Ongles peints en rouge, bracelet d'argent : une main de femme. Il la dégage, son téléphone est tout à côté. J'ai reculé de deux mètres, ils sont trois à déblayer, à chercher le corps, à genoux dans les cendres. Mais, en larmes, ils n'extraient qu'un bras.

Nous sortons de la pile. Les pompiers enveloppent le membre dans une couverture de survie, le déposent sur un brancard et regagnent les ambulances. Je m'assieds sur le bord d'un trottoir, m'essuie la tête, avale d'un trait le contenu d'une petite bouteille d'eau, me rince les yeux avec une autre. J'aperçois au bout de la rue le nuage de poussière qui glisse sur les eaux du port, enveloppe la statue de la Liberté. Un *ironworker*, jeune gars tout en muscles, torse nu sous sa combinaison Carhartt encore propre, ramasse ma lance à oxygène et, sans un mot, tirant le chariot portant les deux bouteilles, va prendre ma place dans la pile. Il a l'autocollant du drapeau confédéré à l'arrière de son casque. Je n'ai pas eu le temps de lui dire de se couvrir : torse nu dans cet enfer, ce n'est pas possible, il va se blesser. Lacérés par plusieurs entailles, mes deux avant-bras saignent. Sur une palissade, une main a inscrit au marqueur noir : « Dieu bénisse l'Amérique ! », puis, à côté : « Nos larmes seront leur sang. »

Au bout de ce qui a dû être une rue, je vois des hommes et des femmes en combinaisons blanches installer des projecteurs, des tréteaux, des tables, déplier des fauteuils, déballer des cartons. La Croix-Rouge américaine. Je n'ai pas faim mais je meurs de soif. Un jeune homme me tend une bouteille de boisson énergétique bleue, des barres de chocolat. « Vous voulez manger quelque chose ? Il faut soigner vos bras. Venez. »

Pendant une demi-heure, assis sur un pliant, je tente de leur sourire, incapable de prononcer un mot. Mes yeux sont pleins de sable, brûlent quand je les ferme. J'ai enlevé mes bottes de cuir ; les semelles sont à moitié fondues. Une jeune femme me tend une paire de chaussettes blanches. Je la remercie d'un battement de paupières. J'ai si mal aux mains qu'elle s'agenouille et m'aide à les enfiler. « Ne bougez pas, je vais voir si je trouve une paire de Timberland à votre taille. On vient d'en recevoir un carton. »

Un responsable du syndicat, Art Leary, descendant d'une lignée d'*ironworkers* irlandais venus de Terre-Neuve presque aussi ancienne que les lignées mohawks, arrive avec ses deux frères. Il a plus de cinquante ans, les cheveux blancs, est depuis longtemps à l'écart des chantiers. Il a remis les vêtements renforcés et les chaussures montantes Redwing, casque à la main. « Salut, Cat, c'est comment là-dedans ?

– Venez, je vous montre. Vous avez des gants ? Mais attention, vous allez voir des choses que vous ne pourrez jamais oublier. »

Un membre de la Croix-Rouge nous donne des masques à poussière plus sérieux, en silicone, avec deux filtres-cartouche qu'il faudra, selon lui, changer toutes les deux heures. Repassez, on a tout ce qu'il faut.

Nous rejoignons Andy, le visage en feu, qui brûle l'acier depuis trois heures, refuse de s'interrompre, a enlevé son masque. « J'étouffe avec ça, c'est pas possible. » J'envoie un punk rouquin lui chercher un des nouveaux masques. Il ne le mettra pas davantage. Peu après, il commence à tousser ; il toussera jusqu'à la fin. Les premières sections de métal sont soulevées par les grues, déposées sur les plateaux de camions. Un camionneur crie : « L'acier est encore tellement chaud qu'il brûle le bois du plateau ! » On demande par gestes au grutier de le soulever ; aux pompiers de l'asperger encore. Une équipe de sauveteurs a besoin d'aide pour progresser vers l'intérieur du monstre. Nous grimpons sur des pièces de métal après les avoir testées du pied. Comme tout est connecté, il faut éviter de faire s'écrouler un amas qui pourrait ensevelir les dix gars que l'on entend creuser de l'autre côté mais que l'on ne voit pas.

Tordues comme des trombones, des poutres de telles sections accumulent de l'énergie : difficile de deviner ce qui va se passer quand tu en coupes un morceau, libérant cette énergie. Ça peut sauter en l'air, s'effondrer, tout ravager sur son passage. Il faut y aller doucement et être prêt à filer en vitesse si la réaction du tronçon que tu découpes n'est pas celle que tu avais anticipée.

Le mélange de poussière et de fumées laisse un goût métallique et amer dans la bouche. Nous avons l'habitude des fumées ; les *ironworkers* jouent du chalumeau toute la journée ; mais là, c'est différent. Sans doute est-ce dû à tout ce qui brûle en dessous : papiers, plastique, meubles, produits de toutes sortes. Et corps humains. Je ne peux m'empêcher d'y penser. On y pense tous. Personne n'en parle.

J'attaque une poutre de grosse section, loin dans la pile. Si nous parvenons à ouvrir un passage, ça donnera peut-être accès à l'un des sous-sols. « Vite, je crois avoir entendu du bruit là-dessous », dit un policier. Il soulève une tôle, ravive le feu qui couvait. Les flammes montent à un mètre, la chaleur me cuit le visage. Les yeux fermés, je me jette en arrière en criant. Les pompiers se précipitent, noient le foyer avec deux lances, et moi avec.

Une fois ma bouteille d'oxygène vidée, aux premières lueurs du jour, un apprenti a filé raccorder mon tuyau à une autre. Je reprends mon souffle, écarte le respirateur pour avaler une gorgée d'eau. L'oxygène siffle à nouveau. Je sors mon Zippo, allume le chalumeau, achève de brûler les derniers centimètres. Au moment où le morceau d'acier cède, sous la pression des autres il bascule en arrière, s'enfonce dans le magma, provoque un éboulement. Tout s'effondre autour de moi, le sol se dérobe. Je tombe. Tout est noir.

2
Kahnawake (Canada)

juin 1886

Pour les enfants de Kahnawake, qui jouent et plongent sur les rives du Saint-Laurent, rien n'est plus excitant que l'arrivée des radeaux de bois flotté à l'entrée des rapides de Lachine.

Le premier à les apercevoir pousse des cris, part en courant le long de la berge pour prévenir le village, alerte les écoliers qui désertent en piaillant les salles de classe de la mission catholique. Bientôt ils sont des dizaines, massés sur le rivage, grimpés dans les arbres, à tenter d'apercevoir celui qui, debout à l'arrière de l'embarcation de rondins géants reliés entre eux, pilote, agrippé des deux bras au gouvernail, le radeau de tête. Premier à passer les rapides, à entrer dans Montréal ; et à revenir en héros, le lendemain ou plus tard, dans la réserve.

Dans le haut pays, tous les ans, vers la mi-mai, commence la drave. Avec leurs perches, leurs pioches et des bâtons de dynamite, les hommes dégagent de leurs prisons de glace les troncs coupés l'été précédent et jetés dans les rivières. Les billes de bois dévalent les cours d'eau, forment des bouchons qu'il faut faire sauter, s'assemblent dans les fleuves et les lacs. Sur les rives du lac Ontario, à cinq cents kilomètres à l'ouest, des millions de mètres cubes de chênes et de pins Douglas sont assemblés, attachés en d'immenses radeaux, destination Montréal, et parfois même Québec. Sur ces villes flottantes, les hommes campent dans de grandes tentes, dorment, mangent, rament, tirent, poussent pendant des semaines. Il faut déjouer les sortilèges du fleuve, utiliser la force du courant sans se laisser emporter, éviter les bras morts d'où il est difficile de s'extirper. En équilibre sur les rondins, surtout ne pas glisser, ne pas tomber entre deux troncs qui vont vous broyer. À ce jeu, les émigrants venus du nord de l'Europe, Norvégiens, Danois, Allemands sont de première force. Ils sont *draveurs*, passent leur vie au fil du fleuve, en savent tous les détours, meurent en quelques minutes quand un faux-pas les précipite dans l'écume.

Mais à l'approche des rapides de Lachine, juste en amont de Montréal, ils accostent et font monter à bord, en échange de pièces d'argent à l'effigie de la reine Victoria, des pilotes mohawks. Tous ou presque sont de Kahnawake. Le mot signifie « Près des rapides ». Ils ont baigné dans le Saint-Laurent avant de savoir marcher, dormi au fond des barques, dompté sur des esquifs, à peine sortis de l'enfance, les fureurs de Lachine. Ils en connaissent les remous, les rochers, les pièges. Depuis des siècles, avant et après l'arrivée au Nouveau Monde des premiers trappeurs français, leurs ancêtres ont régné sur *Kaniatarowanenneh* – « La grande voie d'eau ».

Ils l'ont utilisée pour aller à la chasse ou à la guerre, puis ont transporté dans des convois de canoës les cargaisons de fourrures, peaux de castors et de loutres serrées en balles, depuis les hautes terres vers Montréal et Québec. Jusqu'à ce que la quasi-disparition des bêtes à poils brillants, exterminées en quelques décennies dans les forêts du Nouveau Monde, ne les oblige à trouver un autre moyen de nourrir leurs familles.

Malgré les encouragements des jésuites, peu de Mohawks sont devenus paysans. Se pencher sur la terre, cultiver le maïs, le tabac, la courge et le potiron, c'est un travail de femme. En été, pendant qu'elles cultivent les champs, ils pêchent dans le Saint-Laurent, les rivières et les lacs. En automne et en hiver, ils partent pour de longues expéditions de chasse. Sillonnant leur pays et au-delà, experts à la pagaie, certains se sont faits guides d'expéditions, au service de la cavalerie américaine, des premiers géographes ou des émigrants en route vers l'Ouest. Longtemps, certains sont partis, l'été, pour la Nouvelle-Angleterre. Dans leurs carrioles ils vendent des remèdes traditionnels, des onguents, décoctions de plantes, racines médicinales, récoltées dans les forêts canadiennes. Et quand l'industrie forestière a pris son essor, que des millions d'hectares ont été déboisés autour des Grands Lacs, ils ont trouvé grâce aux trains flottants de rondins une nouvelle façon de vivre sur le fleuve. Une vie aventureuse et gratifiante, dangereuse et héroïque, digne de celle que menaient leurs ancêtres chasseurs, absents des semaines entières, à la traque du gros gibier, rentrant au village chargés de venaisons, de truites et de perches séchées pour l'hiver.

Des forestiers ont tenté de se passer des Mohawks et de franchir seuls les rapides : cargaisons éclatées, radeaux démantelés, rondins dispersés au fil de l'eau leur ont coûté bien plus cher que les salaires versés aux Indiens. En quelques années, les meilleurs pilotes de radeaux se forgent une réputation qui court au fil de l'eau jusqu'à l'embouchure du Saint-Laurent. Et, un jour, un armateur fluvial accoste à Kahnawake, et propose aux plus habiles de troquer le gouvernail de bois brut contre la barre vernie d'un bateau à vapeur. Pilotes de steamers : les rois des rapides, personne ne les égale dans les remous des rapides de Lachine.

À quarante-six ans, Angus Rochelle est l'un d'eux. Cheveux courts et drus, nez busqué, peau bistre, yeux comme des fentes, il arbore un large sourire qui, à la moindre occasion, se change en rire tonitruant. Quand il est à la barre, il aime nouer autour de sa taille une ceinture de perles. Parfois, le dimanche, ou pour amuser l'assistance dans les grandes occasions, il met sa *kostowa*, coiffe traditionnelle aux grandes plumes verticales, et s'amuse du regard des passagers qui voient que le pilote est indien. Ses enfants crient de joie en le voyant passer devant les autres, au large du village, debout à l'arrière du radeau de rondins. Trempé, massif, hilare.

En 1875, le propriétaire du vapeur *Great Eastern* – deux ponts, une cheminée bicolore, soixante mètres de métal et de bois, construit à Ogdensburg pour défier les rapides – l'a embauché. Au début, il a secondé un vieux pilote venu de France, Jean Sabourin, qui lui a appris les ruses du Saint-Laurent, ses pièges et ses splendeurs, les secrets de sa navigation. Tout jeune, Sabourin était venu des Charentes, avait trappé et couru les bois pendant des années, échangeant les peaux de castor et de loutre avec les tribus qu'il rencontrait. Il était descendu par les cours d'eau jusqu'au Mississippi et au golfe du Mexique. Il affirmait même avoir atteint un jour la Californie, mais personne ne le croyait. Quand il n'eut plus la force de pagayer contre le courant, un propriétaire de steamer lui mit la barre dans les mains. Il devint l'un des princes de la voie d'eau, reliant les Grands Lacs américains aux vagues de l'Atlantique. Un jour, Sabourin estima qu'Angus en savait assez. Il retourna à Québec et s'embarqua pour finir ses jours en France, près de Saintes où, jusqu'à sa mort, il enchanta à la veillée les soirées des enfants par ses récits de la grande Amérique.

Angus s'est retrouvé seul dans la cabine, heureux et fier, souverain du fleuve, souvent le premier à s'amarrer aux quais de la grande ville. À son bord, les samedis et dimanches d'été, c'est la foule venue de Montréal pour une excursion d'une journée. En semaine se côtoient sur les ponts des touristes canadiens en robes et canotiers à la découverte de leur pays, des trappeurs remontant le courant pour s'enfoncer dans le royaume des lacs, des voyageurs de commerce avec leurs carrioles d'outils et d'ustensiles de cuisine, des familles de colons à la première étape du voyage de leur vie vers des terres promises, des coureurs des bois, des prisonniers en rupture de ban, des aventuriers de tous poils, des bûcherons en pantalons de grosse toile, des soldats en route pour leurs forts de rondins.

Il y a aussi ceux qui veulent, en toute sécurité, éprouver des sensations fortes en descendant les rapides de Lachine. Ils se retrouvent de bon matin à la gare Bonaventure, prennent le train pour Lachine où ils montent à bord du vapeur. Dès les premiers remous, le navire tangue, roule, les femmes et les enfants crient. Mais en quelques minutes les eaux se calment et, peu après, ils accostent à un quai de Montréal. Pendant des années, les compagnies d'assurances ont exigé que pour ces randonnées agitées le pilote fût un Mohawk de Kahnawake.

Quand la fonte des glaces fait grossir le Saint-Laurent et que bouillonnent les rapides au point d'effrayer les pilotes et d'interrompre pendant des jours la navigation, le *Great Eastern* est souvent le seul à couronner de fumée noire, chaudières à fond, les remous de Lachine.

« Mon *steamboat*, c'est un gros canoë et, malgré son métal, sa puissance et sa force, si tu affrontes le fleuve au lieu de le respecter, de l'apprivoiser, il te brisera comme une coque de noix », dit souvent Angus. Aux beaux jours, quand les remous se calment, il prend ses enfants à bord. Les petits jouent à cache-cache dans les coursives, pêchent à la ligne, dévorent des tartines de miel et de confiture dans la cuisine. S'ils sont avec lui, Angus passe plus près du village pour saluer parents et amis sur la berge.

À dix-sept ans, son aîné, Manish (Mike, pour les Blancs), passe des journées dans la cabine de pilotage.

Angus lui laisse la barre, lui apprend les battements de cœur de la chaudière. « Regarde, fils, tu vois le remous, là, l'eau est un peu plus verte, elle tourbillonne. C'est un bon courant. Il faut apprendre à s'en servir… Et là, regarde comment je fais : un petit coup de barre à droite, je mets la proue légèrement de travers à l'entrée de ce petit rapide, et, là… Voilà, je suis en meilleure position pour en sortir. »

Manish, large d'épaules, musclé, intrépide, a le nez busqué de son père mais les yeux en amande de sa mère, une Ojibway venue de l'Ouest. Malgré son jeune âge, c'est déjà un des meilleurs pagayeurs de la réserve et, même s'ils n'en ont jamais ouvertement parlé, Angus espère le faire bientôt engager sur la ligne.

Pendant l'hiver, ou quand il n'est pas sur son vapeur entre Cornwall et Kahnawake, Angus aide son frère Joe à transporter, sur de plus petits bateaux, les voyageurs venus en train de Moore's Junction, dans l'État de New York. Joe, rentré un an plus tôt de son aventure africaine, n'a pour l'instant rien trouvé de mieux.

Récemment construite, la ligne de chemin de fer s'arrête dans une petite gare de bois à l'entrée de la réserve. Les passagers, américains et canadiens, tous Blancs ou presque, doivent ensuite parcourir deux kilomètres jusqu'à la rive du Saint-Laurent. Les attelages empruntent la grande rue et, sur la berge, embarquent dans une flottille de petites embarcations. Certaines sont encore à voile ou à rames, les plus récentes à vapeur. En descendant le courant, une demi-heure suffit pour rallier les quais de Montréal.

En hiver, quand le fleuve est gelé, ils montent dans des carrioles conduites par les adolescents, parfois sur des traîneaux. Emmitouflés dans des couvertures, ils traversent Kahnawake. Certains s'arrêtent pour acheter des bols de soupe de maïs fumante, des vêtements de peau, des mocassins brodés par les femmes.

Puis les attelages descendent lentement le lit du Saint-Laurent et, en moins d'une heure, au trot sur la glace et la neige damée, ils sont dans les rues de la grande ville francophone.

Les vieux du village se souviennent des récits de leurs aïeux qui racontaient comment, avant l'arrivée des Blancs, les Mohawks vivaient dans de « longues maisons », cabanes communautaires pouvant atteindre cinquante mètres de long et sept de hauteur. Plusieurs familles par maison, des zones partagées et d'autres privées, un foyer par famille, une architecture de bois qui a fait l'admiration des premiers explorateurs européens. Aussi loin qu'on s'en souvienne, les Mohawks ont aimé bâtir, charpenter le bois, édifier des voûtes complexes. Les villages, établis sur des collines, entourés de fortifications de rondins, avec des rues et des places, étaient si bien conçus que les Français les appelaient « forts » ou « châteaux ».

Entre eux, les Mohawks s'appellent *Kanienkehaka*, le « Peuple du silex ». Mohawk vient d'un terme utilisé par leurs ennemis ancestraux, les Algonquins : ils les appelaient *Mohowawogs*, « Mangeurs d'hommes ». Personne ne sait plus si c'était dû à l'usage de dévorer les ennemis vaincus, qui a peut-être existé, ou si c'était une insulte, une façon de parler, un hommage douloureux à la férocité des guerriers de l'ancien temps. Quand ils sont arrivés, les premiers colons anglais et hollandais ont transformé *Mohowawogs*, qu'ils avaient du mal à prononcer, en une version phonétique : Mohawk. Ils sont une des Six Nations iroquoises, confédération de tribus de la côte Nord-Est qui avait organisé un mode de fonctionnement quasi démocratique bien avant l'arrivée des premiers colons. Iroquois est aussi une simplification des Blancs. Entre eux, ils s'appellent *Haudenosaunee*, « Peuple des longues maisons ».

Les revenus que les hommes tirent du fleuve et les femmes des objets et vêtements artisanaux qu'elles vendent à Montréal ont permis de construire à Kahnawake de grandes maisons de pierres et de bois. Les rues sont en terre battue, serrées, sur la berge du Saint-Laurent, autour de l'église Saint-François-Xavier et ses prêtres catholiques. Vu du fleuve, devant chaque maison ou presque, il y a un petit ponton et une ou deux pirogues. Par crainte des crues, les portes des maisons sont rehaussées de plus d'un mètre, on y accède par un escalier de bois.

Les missionnaires, des jésuites français, à l'origine de la création du village ont été chassés par la conquête anglaise de la Nouvelle France au XVIIIe siècle. Cent ans plus tôt, ils avaient convaincu une trentaine de familles converties au catholicisme de quitter les terres ancestrales, au nord de ce qui est maintenant l'État de New York, et de s'installer sur la rive du Saint-Laurent. Après plusieurs déménagements, suite à l'épuisement des terres et à la trop grande proximité avec des colons français trafiquants d'alcool, ils ont choisi ces arpents de terre fertile, face aux rapides, pour y construire leur église et son presbytère. Elle fut baptisée Sault-Saint-Louis par les pères, avant de recevoir le nom mohawk de Caugnawaga, puis Kahnawake. Dans la réserve, trois familles exploitent au lieu-dit de la « Dame aveugle » une carrière de pierres qui, taillées et transportées par barges à Montréal, servent à édifier les maisons, les ponts et les immeubles.

Ce matin, Angus et Joe, entourés d'une ribambelle de gamins, attellent le buggy et partent pour la gare : c'est aujourd'hui que revient leur aîné, Peter. Depuis un an, il est sur les routes avec le Buffalo Bill's Wild West du colonel William F. « Buffalo Bill » Cody. Grand, athlétique, bon cavalier, excellent danseur, la peau plus cuivrée que ses frères et les pommettes hautes, Peter Rochelle est l'un des cinquante Indiens du spectacle. Il a rencontré Cody l'année d'avant, lors de son premier passage à Montréal. Le lendemain matin, il était sous le chapiteau, en tenue traditionnelle, coiffure mohawk brodée de perles sur la tête. En quatre pas de danse il a conquis le colonel, toujours à la recherche de féroces Peaux-Rouges. Deux jours après, il partait avec lui. Boston, New York, Atlantic City, Washington, puis la Floride et la Nouvelle-Orléans. Un convoi entier, des dizaines de chevaux, trois bisons, des chameaux, d'immenses chapiteaux de toile, une dizaine de tipis.

Sur le quai de Kahnawake, la locomotive lâche les derniers jets de vapeur, s'arrête. Peter est le premier à descendre. Avec sa tunique en daim brodée, ses cheveux retenus en arrière et ses bottes de cavalerie, il est plus grand que dans le souvenir des gosses, qui se jettent sur lui en criant. Il en porte deux, caresse la tête d'un troisième. Salue ses frères. « Bonjour les garçons. C'est gentil d'être venu me chercher. »

Le soir, près de la cheminée, chez Angus, il raconte.

« Pour le spectacle, le colonel veut que nous ressemblions aux Indiens des Grandes Plaines, avec leurs coiffes en plumes d'aigle. C'est l'image que se font de nous les Blancs de l'Est. Nous avons plusieurs Sioux, des Cheyennes : ils nous ont appris quelques mots, leurs cris de guerre, leur façon de monter à cru. Vous verriez la tête des petits quand nous chargeons à cheval sur la piste, hurlant, brandissant lances et tomahawks ! Pas grand-chose à voir avec nous, les Mohawks, mais c'est amusant. Et plutôt bien payé. Le colonel dit que l'an prochain nous prendrons le bateau pour une tournée dans les grandes villes d'Europe. »

Dans le spectacle, Peter joue un chef de guerre, que Buffalo Bill terrasse au corps à corps avant de le scalper. « Mais la partie que je préfère, dit-il aux gamins subjugués, c'est la parade en ville, dans l'après-midi. La cavalerie US ouvre la marche, et ce sont des vrais soldats, je ne sais pas comment le colonel fait pour en disposer comme ça. Ils changent souvent. Ensuite, il y a les cowboys, les cavaliers du Pony Express et puis nous, les Indiens. Nous prenons un air farouche, roulons des yeux, brandissons nos haches. Ma coiffe de plumes descend jusqu'au ventre du cheval… Non, les enfants, je ne l'ai pas prise. C'est très fragile. Derrière nous viennent toutes sortes de cavaliers : des Arabes sur leurs petites montures, des gauchos d'Argentine, des Mongols aux yeux bridés, des Cosaques de Russie… Tous avec leurs armes et leurs plus belles tenues. Regardez, j'ai apporté ça. »

Il sort de sa mallette de cuir un rouleau dans lequel est glissé une affiche du spectacle, comme celles qui sont collées dans les rues des villes quelques jours avant le passage de la caravane. Le dessin représente une cavalcade avec en première ligne Buffalo Bill, barbiche au vent, en tenue de daim. Autour de lui, sur des pur-sang cabrés, un cavalier arabe, un Indien tout en plumes, un Cosaque en grand uniforme, un Mexicain sous un sombrero brandissant un fouet. De grandes lettres rouges proclament : « L'Ouest sauvage de Buffalo Bill et l'assemblée des intrépides cavaliers du monde. » En dessous : « Les rivalités épiques des peuples sauvages, barbares et civilisés. »

Peter tend l'affiche à Angus :

« Tiens, elle est pour toi. Si tu veux la mettre à bord du bateau…

– Mais d'où viennent tous ces cavaliers étrangers ? demande Joe.

– Le colonel a des agents dans le monde entier. Ce sont eux qui les cherchent, les trouvent et les envoient en Amérique. C'est un bon acteur. Vous verriez comment il joue le général Custer tué avec ses hommes à la bataille de Little Big Horn il y a dix ans ! Mais c'est aussi un très bon homme d'affaires. Je crois qu'il est très riche. »

Si Peter est parti seul, fidèle à la tradition mohawk, les autres Indiens accompagnent le spectacle en famille, sur les routes pendant des mois avec femmes et enfants. Avant la représentation, moyennant quelques sous, les habitants de l'Est visitent le village de toile, parlent aux femmes, jouent avec les enfants, se font prendre en photo.

« Dans les grandes villes de la côte, nous sommes les seuls Indiens qu'ils verront jamais. Ils lisent tellement d'histoires sur l'Ouest sauvage, la frontière, les Peaux-Rouges, dans les journaux et les feuilletons… L'été dernier, nous avons fait halte pendant une semaine à Atlantic City : c'est une ville nouvelle au bord de l'océan, dans le New Jersey, construite à partir de rien sur une plage. On y arrive en train depuis Philadelphie. Ils viennent de terminer des hôtels immenses, pour les touristes qui veulent respirer l'air de la mer. Vous ne pouvez pas imaginer le luxe », s'amuse Peter.

« Le maire a invité toute la troupe pendant deux jours dans le plus grand hôtel, l'United States and Surf House : j'avais une baignoire dans laquelle nous aurions pu entrer à trois. Et la salle de restaurant !… Il y a une grande promenade en bois sur pilotis, le long des plages, avec des jetées qui avancent dans la mer. Des cafés, des attractions. Les gens viennent de toute la région, et même de New York ou de Washington. Nous avons rempli le chapiteau tous les soirs pendant huit jours. »

Il rouvre sa mallette et en sort une enveloppe de carton. À l'intérieur, emballées dans du papier de soie, deux photographies. Sur le premier cliché, Peter est assis au premier plan, en tenue mohawk d'apparat, aux côtés d'un chef pawnee, Ed Burgess, et du fameux guerrier sioux Sam Lone Bear, dont la coiffe de plumes d'aigles fait comme une traîne à ses pieds. Derrière eux, debout, Buffalo Bill, costume et regard sombres, grand Stetson, cheveux sur les épaules, avec à sa droite Johnny « Cow-Boy Kid » Baker, et à sa gauche le major Frank North, créateur des Pawnee Scouts, grande figure des guerres indiennes.

« Un photographe, avec un nouvel appareil portable inventé par Mr Eastman de Rochester, a passé trois jours avec nous à Atlantic City. Le colonel a offert deux photos à chaque membre de la troupe. »

Sur le second cliché, une jolie femme blond platine, montée sur un cheval blanc, sourit de toutes ses dents. Elle est immobile, sereine, en maillot une pièce à paillettes, sur une étroite plateforme de bois, à quinze mètres de hauteur, au bout d'un des quais de la ville, face à trois grands hôtels.

« Dans trois secondes, elle va sauter dans l'eau, agrippée à son cheval, raconte Peter. Les enfants, les adultes ouvrent de grands yeux. On appelle ça les chevaux plongeants. Elle met un casque, éperonne la bête, et je vous jure qu'ils plongent dans l'océan tous les deux, tête la première. Ils disparaissent dans les vagues, puis ils remontent, et elle sourit. C'est incroyable !

– Pourquoi as-tu choisi cette photo, si tu ne pouvais en avoir que deux ? demande Angus en faisant un clin d'œil à la ronde.

– Elle était jolie, c'est tout, rougit Peter. Elle vient des Appalaches. Elle a appris à marcher et à monter à cheval en même temps. Dans le spectacle, il y a aussi Little Annie Oakley : elle m'arrive à la poitrine, mais vous verriez ce qu'elle fait avec un pistolet. Tous les soirs, à trente pas, elle fend du premier coup une carte à jouer. Je ne l'ai jamais vue rater sa cible. »

Quand il repartira, Peter emmènera avec lui cinq jeunes de la réserve qui montent bien à cheval. Parmi eux son neveu Jay, seize ans, un des fils cadets de Joe. Destination Philadelphie, où la caravane de l'Ouest sauvage s'est posée pour quelques jours.

En s'engageant dans le cirque de Buffalo Bill, Peter a suivi une tradition qui, pour les Mohawks de

Kahnawake, a commencé vingt ans plus tôt. Après avoir fait une démonstration de leurs talents de danseurs lors d'une visite à Montréal du prince de Galles, le futur roi Édouard VII d'Angleterre, une troupe a été invitée en Europe. En tenue d'apparat, elle s'est produite à l'Exposition universelle de Paris en 1867, puis à Londres et dans des capitales européennes.

En attendant, les histoires de l'oncle Peter ont allumé des étoiles dans les yeux des enfants. Ce soir, après le coucher du soleil au-dessus du fleuve, ils cavalent dans la maison, attaquent des diligences, dansent en cercles, refusent d'aller se coucher. À Kahnawake, sans doute à cause de traditions qui remontent aux longues maisons, plusieurs familles cohabitent sous le même toit. Angus, sa femme Ajala et leurs cinq enfants vivent aux côtés de Sarala, la sœur d'Ajala, qui élève seule trois filles depuis la mort de son mari. Convoyeur de bois sur le Saint-Laurent, il s'est noyé il y a cinq ans. Il sautait d'un tronc sur l'autre quand l'un d'eux, qu'il croyait arrimé, a roulé sur lui-même, l'entraînant par le fond. Son corps a été retrouvé quatre jours après, en aval des rapides.

Après le dîner, les enfants sont capturés et envoyés au lit. Une à une, une dizaine de femmes viennent frapper à la porte. Ce soir, à la demande de Ganesa (la « Chanceuse ») Mère du clan de l'Ours, à Kahnawake, les membres du conseil du clan se réunissent chez Angus. Ganesa est la mère d'Angus, de Joe et de Peter, mais, à plus de soixante-dix ans, elle a surtout été désignée, pour sa sagesse et son sens du dialogue, comme la Mère, l'autorité suprême du clan. Grande et forte, foulard rouge sur la tête, yeux rieurs, sourire édenté, mains énormes, son aplomb, son intelligence et son sens de la repartie lui ont permis, au fil des ans, de moucher les insolents et d'asseoir son autorité. Elle avait à peine trente ans que chacun savait, à Kahnawake, qu'elle serait un jour la Mère du clan de l'Ours.

Chez les Mohawks, les femmes exercent indirectement le pouvoir, et Ganesa s'y était préparée. Les mères et les épouses ont la propriété de la terre et disposent d'un droit de veto sur toute décision du conseil de la tribu qui risquerait d'entraîner la guerre. Les anciennes se réunissent pour participer aux grandes décisions et désigner le chef du clan. S'il n'est pas digne de leur confiance, ou s'il accumule les erreurs, elles peuvent le démettre.

Ganesa approche sa chaise du foyer, ravive les flammes, ajoute deux bûches puis, d'un signe de tête, indique à ses fils qu'il est temps de quitter la pièce.

« Mes sœurs, merci d'avoir répondu à mon appel, dit-elle. Nous devons ce soir parler de Russ. Ça fait deux ans que nous l'avons choisi comme chef de guerre, mais j'ai reçu des plaintes. J'ai assisté à certaines scènes gênantes. Je ne suis pas sûre que nous ayons fait le bon choix. Qu'en pensez-vous ? »

À tour de rôle, les femmes du clan évoquent les incidents récents. Si la charge de chef de guerre était cruciale deux ou trois siècles plus tôt, quand les combats avec les Hurons ou les Algonquins, puis les affrontements avec les colons et soldats blancs étaient fréquents, aujourd'hui, Russ Scott est chargé, comme le serait un shérif, de maintenir l'ordre dans la réserve, de régler les litiges à l'amiable, de surveiller les adolescents. Il est armé, a deux adjoints, mais il doit surtout faire preuve d'autorité, de sang-froid et de bon sens.

« La semaine dernière, il avait bu et s'est battu à coups de poing devant l'épicerie de madame Anderson. Il a même sorti son revolver, dit l'une des membres du conseil. Et ce n'est pas la première fois. Je pense qu'il n'est pas digne de ce poste. Il va nous attirer des ennuis. Les Canadiens nous reprochent assez de continuer à nommer un chef de guerre ; ne leur donnons pas d'arguments. Il a été plusieurs fois mis en garde. Je pense qu'il doit être remplacé. »

La parole passe de l'une à l'autre. Une membre du conseil, sœur aînée de Russ Scott, n'est pas moins véhémente : « Je vous avais prévenues. Au fond, c'est un bon garçon, mais cette charge est trop lourde pour lui. Son problème d'alcool ne date pas d'hier. Nous devrions désigner quelqu'un d'autre. »

Lucy Rogers, la benjamine du conseil, s'exprime en dernier : « Quand il a bu, il me fait peur, dit-elle. La semaine dernière, à la nuit tombée, il m'a suivie jusqu'à la maison. J'aurais dû me sentir rassurée, protégée, il est notre chef de guerre, mais j'étais inquiète. Ça ne peut pas durer. »

La décision est mise aux voix : huit pour l'éviction, dont Ganesa, deux contre, deux abstentions. « J'en parle demain avec John. Nous convoquerons Russ pour lui annoncer notre décision, dit la Mère. Pour son remplacement, pensez-y. Retrouvons-nous dans une semaine. Venez avec des suggestions, tâtez le terrain autour de vous. »

John Farber est le chef du conseil de Kahnawake. On l'appelle le gardien de la paix. Il a été désigné par les Mères après des mois de consultations. Cela fait huit ans, et chacun dans la réserve s'en réjouit. Autrefois pilote de vapeur sur le Saint-Laurent, il gère aujourd'hui la carrière, mais passe surtout ses journées dans la maison commune, à la disposition de tous. Il connaît bien les Canadiens, a de bons contacts à Montréal et, à plusieurs reprises, il est parvenu à obtenir de l'administration blanche des arbitrages favorables aux Mohawks. Sur des litiges territoriaux avec les agriculteurs voisins de Chateaugay, qui lorgnent sur les terres indiennes, il a eu là encore gain de cause.

« John sera de bon conseil ; il saura comment parler à Russ et aura sans doute un nom à suggérer pour le remplacer », estime Ganesa.

L'assemblée règle ensuite quelques litiges mineurs, commente les dernières nouvelles, s'amuse des mésaventures de certains et des bonnes fortunes d'autres. On parle mariage, naissances, travaux des champs et vie sur le fleuve.

Comme les membres du conseil se lèvent et se préparent à rentrer chez elles, la Mère du clan aperçoit, mal cachées derrière une cloison, les têtes de deux petites filles qui épient la scène : « Vous deux, approchez. Vous ne dormez pas encore ? »

Elles avancent à petits pas, rougissantes mais amusées. « Elle a fait un cauchemar, elle a crié et ça m'a réveillée », dit la plus grande. La petite essuie ses yeux, regarde par en dessous. Ganesa prend une fillette sur chaque genou. « Bon, je vous raconte une histoire et vous retournez au lit, d'accord ? Laquelle vous voulez ?

– La Femme du Ciel ! La Femme du Ciel ! »

Ganesa sourit : « Encore ? Bon, d'accord. Alors voilà :

« Autrefois, il y a très longtemps, bien avant la création de notre monde, le peuple du Ciel vivait sur une île, un monde merveilleux, tout là-haut dans les étoiles. Un jour, un chef de ce peuple s'est mis en colère contre sa fille qui était tombée enceinte. Il la chassa, la poussant dans le trou d'un arbre déraciné. En tombant du ciel, elle aperçut une planète bleue, recouverte par l'océan. De grandes oies, intriguées par cette chose tombant des cieux, vinrent à sa rencontre. Volant aile contre aile, elles l'attrapèrent, et virent qu'elle attendait un enfant. Les oies sont fortes et courageuses, mais elles savaient qu'elles ne pourraient pas porter longtemps la Femme du Ciel. Elles demandèrent à la Grande Tortue si elle voulait bien l'accueillir sur son dos. Celle-ci accepta, et les oies la posèrent sur sa carapace. Mais la tortue, bien que géante, était trop petite pour la Femme du Ciel. Alors des castors, des loutres, des rats musqués ont plongé au fond de la mer pour en remonter de la boue qu'ils ont posé sur la carapace. En séchant, la boue est devenue terre. Ils en ont rapporté tellement que cela a formé les continents.

C'est pour ça que nous appelons l'Amérique du Nord l'"île de la Tortue". La Femme du Ciel avait dans ses poches des graines, des fraises, des framboises et des feuilles de tabac. Elle fit le tour de la Grande Tortue dans le sens inverse des aiguilles d'une montre et le miracle de la naissance se produisit. Certaines graines ont poussé pour donner le maïs, d'autres le tabac, les forêts et les fruits. C'est pour ça que, lorsque nous dansons, lors des cérémonies dans la longue maison, c'est toujours dans le même sens. Pour que les plantes, les arbres, le maïs, continuent de pousser… »

La plus petite des deux fillettes s'est endormie, près des braises, la tête sur les genoux de la Mère du clan. Mais les yeux de la plus grande brillent de curiosité. Elle a déjà entendu plus de dix fois cette histoire, mais personne ne la raconte aussi bien que Ganesa. « Encore, encore, s'exclame-t-elle ; raconte la suite, les jumeaux. »

« La Femme du Ciel, qui était enceinte, donna naissance à une fille. Protégée par les animaux, l'enfant grandit et bientôt devint femme. Un soir qu'elle s'était endormie, le vent d'ouest pénétra sous sa jupe et la féconda. Elle comprit qu'elle était de nouveau enceinte, mais surtout qu'elle attendait des jumeaux. Car dans son ventre les deux bébés se disputaient : ils étaient déjà rivaux. L'un d'eux ne voyait aucun inconvénient à naître de façon naturelle, mais l'autre voulait sortir par l'aisselle de sa mère. Il savait que cela la tuerait mais, dans le ventre, il était déjà mauvais et n'en avait cure. La jeune femme raconta ce qu'elle ressentait à sa mère et lui dit qu'elle savait qu'elle ne survivrait pas à l'accouchement. C'est ce qui se passa : le premier jumeau naquit de façon naturelle, mais son frère déchira le flanc de sa mère, qui succomba. Le second ne pardonna jamais au premier d'être né le premier ; et le premier ne pardonna jamais au second d'avoir tué leur mère. Leur rivalité marqua le début de la lutte éternelle du bien contre le mal. La

Femme du Ciel enterra sa fille sous un grand monticule de terre : bientôt, à l'endroit où était sa poitrine, poussa le maïs ; la courge sortit de là où étaient ses pieds, et les haricots de là où étaient ses mains ; le tabac sortit du sol à l'emplacement de sa tête.

« Adultes, les jumeaux commencèrent à créer le monde tel que nous le connaissons. Avec de la glaise, ils façonnèrent toutes les choses, et les êtres humains et les animaux. Quand les figurines furent prêtes, ils les mirent près du feu pour les cuire. Ils soufflèrent trois fois dessus : les membres se mirent à bouger et les yeux à cligner : ils étaient vivants. Le bon jumeau, celui que nous appelons le Créateur, fit l'homme et la femme, les animaux, les plantes comestibles. Mais son frère, le Mauvais Esprit, fou de jalousie, fit tout ce qu'il put pour contrecarrer les entreprises de son frère et nuire aux humains. Il créa les maladies, les ouragans et les guerres. Aucun des jumeaux ne parvint à détruire ce que l'autre avait créé, mais ils purent le modifier. Quand le Créateur fit les plantes, le Mauvais Esprit les rendit plus petites et plus difficiles à cultiver. Mais quand le Mauvais Esprit créa des serpents venimeux énormes ou des moustiques géants à la piqûre mortelle, le Créateur parvint à les réduire à la taille de ceux que nous connaissons.

« Enfin, quand le monde fut achevé, l'affrontement eût lieu. Ils se battirent et, dans leur lutte, soulevèrent les montagnes, creusèrent les lacs et les vallées. Après des jours terribles, le Créateur eut le dessus, mais, ne voulant pas tuer son frère, il le jeta dans une profonde fosse : les entrailles du monde. Depuis, il y reste tapi, mais il parvient à en faire sortir des émissaires maléfiques. Ce sont eux qui provoquent les malheurs, les massacres et les épidémies. Avec les premiers Blancs, ils apportèrent l'alcool, la grippe et la vérole, qui ont décimé notre peuple bien plus que les guerres. Puis le Bon Esprit, victorieux et satisfait de son œuvre, remonta dans le monde du Ciel.

De là-haut, il veille sur vous, mes enfants, pendant votre sommeil. Voilà, il est tard maintenant. Porte ta sœur et remontez vous coucher. »

La réunion finie, les femmes du conseil rentrées chez elles, Angus et Joe entourent leur mère. Fatigué par le voyage, Peter dort dans la chambre réservée aux voyageurs. Le feu qui a réchauffé la soirée de printemps meurt dans la cheminée, une souche de sapin finit de se consumer. La soupe de maïs est encore tiède dans le chaudron. Ganesa est satisfaite de la décision : elle s'était résolue depuis des semaines à destituer Russ Scott, redoutant la réaction de cet homme violent et imprévisible.

« Angus, s'il te plaît, dit-elle, demain tu iras dire à John que nous avons pris une décision à propos de Russ : il n'est plus notre chef de guerre. Je compte sur lui pour le lui annoncer ; j'ai peur qu'il réagisse mal. John saura le calmer. Ses deux adjoints ne sont pas concernés par notre décision mais, comme ils sont très proches, il est possible qu'ils ne veuillent pas rester. Personnellement, je ne crois pas que nous ayons encore besoin de désigner un chef de guerre. Les temps ont changé. John représente la tribu et a toute l'autorité nécessaire. Mais il revient au conseil de prendre cette décision. Maintenant je vais me coucher. Bonne nuit, mes garçons. »

Elle jette un châle sur ses épaules, ouvre la porte, regarde les étoiles, écoute le souffle du vent sur le fleuve et disparaît dans la nuit.

Le lendemain, Angus se rend à pied à la maison commune, construite à l'orée du village sur le modèle d'une longue maison. C'est là que sont conservées les archives de la tribu, là que se réunissent les responsables de la réserve. L'an dernier, la première ligne téléphonique de Kahnawake y a été installée, coffret de bois et de laiton accroché sous le porche. Les vieux ne comprennent pas comment ça fonctionne, les jeunes sont fascinés. Dans l'entrée, Angus salue sa cousine, installée derrière le comptoir. Sur le banc des visiteurs, il remarque trois Blancs parlant anglais et français avec l'accent québécois, en costumes et chapeaux. Après quelques minutes d'attente, John Farber vient le chercher.

« Je m'en doutais, dit-il. J'ai tenté plusieurs fois de dissuader Russ de boire, je l'ai prévenu que ce n'était pas digne d'un chef de guerre mohawk. Il me dit oui, promet, mais n'écoute personne. Son père s'est tué à force de boire, sa mère aussi. J'irai le voir pour lui annoncer la décision du conseil. Je pense que le mieux serait qu'il quitte la réserve pendant quelque temps, qu'il aille à la chasse, descende le fleuve jusqu'au lac Ontario ou aille voir ses frères aux États-Unis. Tu peux dire à la mère que je m'en occupe. Ah oui, dis-lui aussi que je vais parler avec des ingénieurs canadiens, ils viennent de Montréal, tu les as vus dans l'entrée. Ils m'ont écrit il y a une semaine pour demander une entrevue. Je crois qu'ils veulent bâtir un pont de fer sur le Saint-Laurent… »

3
New York City

août 1968

Jack LaLiberté, dit Tool, travaille depuis un mois sur un immeuble dans le centre de Manhattan, près de la gare de Grand Central. Sur ce chantier, simple ajout de cinq étages à un bâtiment d'avant-guerre, une dizaine d'*ironworkers* mohawks viennent comme lui de la banlieue de Montréal. Mais si certains sont depuis des années installés à Brooklyn ou dans le New Jersey avec femme et enfants, à quarante-deux ans, Jack vit seul à New York, rentrant au Canada une semaine sur deux et entre deux contrats. « Ma famille ne pourrait pas vivre en ville », dit ce grand brun aux yeux clairs, la joue droite barrée d'une cicatrice, accident de chantier lors de son deuxième jour d'apprentissage.

Quand il travaillait à Chicago, San Francisco ou Cincinnati, il ne voyait sa femme et ses deux fils que de loin en loin. Ce job sur cet immeuble résidentiel, facile et bien payé, légèrement au-dessus du tarif syndical, il regrette aujourd'hui de l'avoir accepté. Ce n'est pas qu'il soit inintéressant, mais toute la ville ne parle que d'elles. Les *twin towers*, ces tours jumelles qui vont s'élever si haut dans le ciel, à la pointe sud de l'île. Elles feront cent dix étages, les plus hautes du monde. Elles passent à la télé, font la une des journaux, les collègues et les badauds n'ont d'yeux que pour elles. Son frère, qui y travaille depuis six mois, dit qu'il n'a jamais rien vu de tel. Alors, l'après-midi, avant de rentrer dans son appartement de Bay Ridge, il passe par le hall du syndicat, qui a le monopole de l'embauche sur les grands chantiers.

« Tom tu ne peux pas me faire ça, dit-il au business agent du Local 40, New York City *ironworkers*. Ce World Trade Center, on n'a rien construit de plus grand depuis les pyramides d'Égypte. Un truc comme ça, c'est une fois dans une vie. S'il te plaît, trouve-moi un job, même si ce n'est pas connecteur ; je suis même prêt à commencer par décharger les camions et accrocher les câbles. N'importe quoi, mais il faut que j'en sois ! »

En mars, il était parti pour San Francisco. Quatre mois de travail, la réparation d'une section du Bay Bridge, endommagé par un avion de la Navy à l'entraînement qui s'était écrasé dessus, personne ne sait comment ni pourquoi. Le pont a tenu, seuls les deux pilotes sont morts. Un miracle, vu le trafic à cette heure. La Californie, la baie de San Francisco, Alcatraz, le Golden Gate dont il entendait parler par des anciens de Kahnawake qui l'avaient construit dans les années 1930, des fortunes en heures sup', un chouette motel sur le Pacifique, le soleil, des filles en maillot comme il n'en avait jamais vu... Un contrat en or, mais qui lui a fait rater, à New York, les premières embauches du chantier du siècle.

« Ne t'inquiète pas, Jack ; ils vont bientôt attaquer la deuxième phase, répond le business agent. Je sais qu'ils vont avoir besoin de beaucoup de monde dans une semaine ou deux. Repasse, je te garde un poste, promis. »

Peu de temps après, le téléphone sonne dans l'appartement qu'il partage à Brooklyn avec son frère Tom et un autre gars de Kahnawake. « Tool, pour le Trade Center, lundi matin. Connecteur, ça te va ? Tu peux laisser tomber ce que tu fais *midtown* ?

– Tu parles ! C'est déjà fait. Merci, merci beaucoup.

– OK, présente-toi à sept heures. Vous serez nombreux, je n'ai pas assez de monde pour tout ce qu'ils demandent. Je vais appeler Syracuse, Boston et même Providence. Passe le mot dans la réserve, s'il y a des amateurs… »

Ce week-end là, Jack ne remonte pas dans la banlieue de Montréal. Il appelle sa femme : « Chérie, qu'en dis-tu ? Prends les enfants et descendez en train. Je vous attends à la gare. Je commence lundi : on les appelle les "tours jumelles", tu as vu les reportages à la télé ? Je suis sûr de ne jamais bosser sur quelque chose de plus grand. Tu te rends compte ? Cent dix étages de structure d'acier ! Les plus hauts immeubles du monde : des monuments. Ils ont terminé les sous-sols, ils sont à trente mètres au-dessus de la rue et c'est déjà incroyable. Il faut que vous voyez ça. Un chantier pareil, c'est au moins deux ans de boulot, peut-être plus, au meilleur tarif. On va pouvoir refaire le porche, changer ta voiture, peut-être agrandir la cuisine… »

Le lendemain matin, Louise et les deux garçons, l'aîné John, douze ans et son frère Robert, huit ans, se font conduire en voiture à la gare de Montréal et montent à bord de l'*Adirondak Express*. Onze heures de voyage, mais les billets sont abordables et le paysage splendide, au ras de l'eau sur la berge de l'Hudson. « Les garçons, asseyez-vous à droite pour mieux voir la rivière. »

Le samedi soir, Jack est au bout du quai, à la gare de Grand Central. Sous la rotonde de la grande salle, les garçons sautent dans ses bras. Deux semaines qu'ils ne l'avaient vu. Tom et l'ami avec lequel il partage l'appartement à Brooklyn sont remontés passer le week-end au Canada, il y a de la place pour tout le monde. Le dimanche matin, ils se lèvent tôt, dévorent des pancakes aux myrtilles chez Denny, au coin de la rue. En semaine, Jack y passe tous les matins, ressort avec un café fumant dans une tasse en carton. « Ils ont bien grandi, tes petits gars, Jack ! », lance Joyce, la serveuse, grande blonde joufflue en tablier blanc, sans un regard pour Louise qui la fusille des yeux.

Sur la 8e avenue, ils descendent dans le métro, direction Manhattan. Ils veulent faire à pied le tour des grilles du chantier, tellement grand qu'il change la géographie du sud de l'île. Plus de cent cinquante vieux immeubles de brique rouge ont été rasés pour céder la place aux géantes. Un faubourg historique, surnommé Radio Row en raison de la concentration de magasins vendant des appareils et des pièces détachées électroniques, a été rayé de la carte. Des dizaines de camions déversent dans l'Hudson des millions de mètres cubes de terre extraits des fondations : une fois de plus, l'île va s'élargir artificiellement, et un nouveau quartier va naître, qui n'a pas encore de nom. On parle de Battery Park City. Les plans prévoient des dizaines d'immeubles, une marina, un port de plaisance. Les garçons crient, rient, cavalent, se poursuivent, grimpent, courent et sautent, gamins des bois émerveillés par les rues, la foule, les magasins et le trafic de la grande ville. En passant devant les entrées d'immeubles, ils se cachent derrière les voitures, les poubelles ou des réverbères, rusent, rampent presque, parfois, pour éviter d'être vus par les concierges. Le jeu s'appelle « les *doormen* de l'espace » : John a persuadé son frère que, sous leurs costumes de théâtre, épaulières et casquettes, les portiers de New York sont des créatures maléfiques, venues d'une autre galaxie, qui foudroient et changent en statues de sel, ou pire, les petits garçons qu'ils surprennent devant leurs portes. Robert a un peu peur, n'en suit que mieux les consignes. Ils tombent en arrêt devant la vitrine d'un drugstore. À l'intérieur est exposé le contenu d'une capsule historique : enfouie dans le sol en 1884, lors de la construction du marché couvert Washington, bâti entre les rues Vesey et Fulton, elle a été découverte par l'opérateur d'une pelle mécanique qui rasait un parking. La boîte de métal rouillée contenait quatorze cartes de visite de commerçants, un livret d'opéra, une lithographie représentant Grover Cleveland, gouverneur de l'État de New York élu deux fois président des États-Unis, en 1884 et 1888. Un manuscrit bien conservé, portant trente-deux signatures, a été placé sous verre. « Nous souhaitons que l'on se souvienne que nous avons travaillé ici, et espérons que ce marché ne soit jamais remplacé par autre chose qu'un marché », ont écrit les signataires.

« Vous vous rendez compte, les enfants. Ce message a voyagé dans le temps pendant près d'un siècle, immobile sous la terre. Il vous attendait. Il attendait que vous le lisiez. »

Robert a un peu de mal à comprendre. Plus loin, devant un panneau accroché aux grilles où sont dessinées en perspective les futures tours jumelles et le quartier remodelé, avec une grande place et plusieurs immeubles plus petits, Jack prend sa femme dans ses bras. « Tu sais, Honey, il n'y a pas un *ironworker* dans ce pays qui ne voudrait construire ça. Je suis sûr que, quand ils seront grands, les garçons, en les voyant, seront fiers de leur père. Leur grand-père ne pouvait pas passer devant l'Empire State Building, ni même le voir à la télé, sans me raconter les mois qu'il avait passés dessus. Il était à lui pour toujours. Manhattan, c'est l'île des montagnes construites par les hommes. Nous, les Mohawks, ça fait longtemps que nous sommes des bâtisseurs de montagnes d'acier et, là, ce sont les plus grandes jamais rêvées. Les plus hautes d'Amérique, les plus hautes du monde. On va les voir de partout. Elles ne sont pas près d'être dépassées. »

Ce qui fascine Jack et intrigue Louise et les garçons, qui ne sont pas sûrs de bien comprendre, ce sont les grues. Quatre énormes flèches posées en carré au cœur même de l'immeuble. « C'est la première fois que je vois ça, dit Jack. Normalement, les poutres et tout le matériel montent grâce à des derricks, des grues extérieures, posées sur les trottoirs. Mais là, aucune grue n'aurait pu monter aussi haut. Il paraît que celles-ci viennent d'Australie et qu'elles vont grimper en même temps que les tours ; je ne vois pas bien comment. Du coup, on les a baptisées grues "kangourous". »

Ils rentrent à pied, achètent des hot-dogs, des glaces, font le tour de la pointe sud de l'île. Devant des immeubles de Wall Street, Jack s'arrête et raconte à ses fils qui, parmi les parents, les amis, les ancêtres, les voisins, a travaillé sur ces gratte-ciel. « Joseph est tombé là de deux étages ; il s'en est bien tiré, fracture de la hanche. Louis, le cousin de votre mère, a glissé en hiver sur une poutre de cet immeuble. C'est pour ça qu'il boite. »

En fin d'après-midi, ils reviennent par la passerelle piétonne du pont de Brooklyn. Les garçons ont encore la force de se poursuivre et de jouer à cache-cache.

Lundi matin. À six heures trente, Jack sort du métro, station Bowling Green. Son frère Tom, qui travaille sur la tour Sud, est resté au Canada, pour une interruption de deux semaines dans son contrat. Par petits groupes, les monteurs d'acier, charpentiers, maçons, conducteurs d'engins approchent de la porte d'entrée grillagée. Il est trop tôt pour les employés de bureaux. Les cols bleus partagent les rues avec les balayeurs et les chauffeurs-livreurs. Devant les remorques à café, dans les bars et les restaurants qui ouvrent leurs portes, les équipes s'assemblent, bagels tièdes ou donuts graisseux à la main. Ce matin, beaucoup de nouveaux. On se reconnaît, se tape dans le dos, s'interpelle.

Ils sont tous là : les Newfies, descendants de colons irlandais de Terre-Neuve, le haut du panier des *ironworkers* new-yorkais depuis quatre générations, maîtres du syndicat, les Jersey Boys de l'État voisin et leur look de mauvais garçons, les costauds de Nouvelle-Angleterre, les rebelles montés du Sud, et même quelques

Texans à l'accent incompréhensible, et des Californiens. Et, bien sûr, les Mohawks descendus de Kahnawake, ou d'autres réserves comme Akwesasne, sur le Saint-Laurent, à la frontière entre les États-Unis et Canada, et tous les Iroquois de la confédération des Six Nations. Les deux tours jumelles les attirent comme des aimants ; ils viennent de tout le pays pour une part du gâteau, des mois de salaire assurés, des tarifs négociés par le syndicat new-yorkais, les meilleurs jamais pratiqués.

Ils accourent pour le prestige du chantier, mais aussi grâce à la réputation de Karl Koch. À la tête de la Koch Erecting Company, il a remporté pour vingt-deux millions de dollars l'appel d'offre lancé par l'autorité portuaire de New York et du New Jersey, agence propriétaire du terrain, pour l'édification des futures *twin towers*. Ce n'est pas un géant du secteur, plutôt une grosse PME familiale. Koch est réglo, paie bien et ne lésine pas sur les heures supplémentaires pour tenir les délais. Certaines semaines, on double presque sa paie. Deux cent mille tonnes d'acier à monter, encastrer, boulonner, souder, pour dominer Manhattan et le monde à cinq cents mètres du sol. Tous les lundis matin, le chef de chantier, Bill « Red Hair » Kelly, réunit son monde sur l'esplanade et détaille le planning de la semaine, les objectifs à atteindre, les difficultés qu'il faudra surmonter.

« Je vois des têtes nouvelles. Bienvenue à tous. Les bases sont terminées, nous attaquons aujourd'hui les étages au-dessus du lobby. Nous allons commencer le montage des arbres d'acier ; c'est le vrai départ de notre course au ciel. Vous savez, ce que nous faisons ici n'a rien à voir avec ce que vous connaissez. Oui, vous allez connecter et souder de l'acier, mais la structure de ces tours ne ressemble à rien que vous ayez déjà vu ou monté. Les contremaîtres vont vous expliquer mais, en deux mots, plutôt que de croiser des poutres comme dans un immeuble classique, ici nous assemblons un squelette extérieur préfabriqué. C'est cette structure externe qui va supporter le poids de l'immeuble, avec seulement quatre puits de colonnes intérieures pour les ascenseurs. Prenez le temps d'étudier les plans, ils sont affichés, posez toutes les questions que vous voulez. Il y aura toujours un ingénieur ou un chef d'équipe pour vous répondre. Bon courage à tous. Ici nous écrivons l'histoire, vous pouvez être fiers ! »

Au premier coup d'œil, en regardant le chargement des camions garés le long des grilles, Jack a remarqué que, plutôt que les classiques poutres de métal en forme de I majuscule, ce sont des éléments préfabriqués géants, comme de gros tridents en caissons d'acier soudés. Du beau travail, au moins vingt mètres de long, des dizaines de tonnes.

Pour son premier jour, comme il est venu seul et non pas au sein d'un gang, comme c'est souvent le cas, il est affecté à une équipe de Terre-Neuvas, des Newfies. Il n'en connaît aucun. Les Mohawks, comme toutes les familles de monteurs d'acier, préfèrent travailler entre eux, amis, frères, cousins, ou avec des gars qu'ils fréquentent de longue date. Quand les risques sont si grands, le danger omniprésent d'une fausse manœuvre, la hantise permanente de la chute, il faut une confiance totale en son partenaire, celui qui est à l'autre bout de la poutre, qui va veiller sur vous, comme vous sur lui. La moindre erreur peut faire perdre l'équilibre, vous faire basculer dans le vide.

Mais Jack ne se plaint pas, fait connaissance en rangeant ses affaires dans le vestiaire d'une des cabanes préfabriquées. Newfies et Mohawks se côtoient et se respectent, à New York et ailleurs, depuis les années 1920, les premiers ponts suspendus, les premiers gratte-ciel.

Sur un nouveau chantier, Jack commence par scotcher à l'intérieur de l'armoire métallique une photo de sa femme serrant un de ses fils dans chaque bras. Puis il suspend à un crochet la petite poche de cuir contenant des feuilles d'*oyenkehonwe*, le tabac de cérémonie, qui pousse dans son jardin, à Kahnawake ; les graines sont récoltées et replantées depuis des années. Certains Indiens portent des pochettes de tabac autour du cou, sous leur tee-shirt, pour conjurer le sort. Jack préfère un étui plus gros, décoré d'une tête d'ours. Il le regarde, le soupèse, passe le pouce sur la peau de daim avant de monter. Parfois, il glisse quelques feuilles au fond d'une poche de son pantalon.

Il a chaussé des bottes lacées, sans talons, pour éviter d'accrocher et de trébucher lorsqu'on marche au-dessus du vide sur une poutre de trente centimètres de large. Il serre autour de sa taille la grosse ceinture de cuir porte-outils Miller. Elle est presque neuve, deux ans à peine. Celle héritée de son grand-père, décorée d'un rang de perles, que son père lui a donnée le jour de ses vingt ans, a fini par tomber en lambeaux. Elle repose comme un trophée sur la cheminée, à la maison. Il glisse dans son étui l'outil des *ironworkers* : la *spudwrench* – clef à mâchoire. En acier noir, d'un côté elle sert à visser les gros boulons, de l'autre, avec son extrémité pointue, elle se glisse dans les trous percés en usine et permet d'aligner les orifices pour y glisser les boulons. C'est son arme, son trésor, son fétiche, son tomahawk. Dans la famille depuis trois générations, elle est émoussée côté clef et marquée de mille entailles côté pointe, mais rien ne la lui fera remplacer. « Un jour, John en héritera. »

Il a apporté son casque. Blanc, une plume d'aigle peinte à l'arrière, et le sigle des Six Nations iroquoises à l'avant. Mais il restera au vestiaire : Karl Koch a fait fabriquer des casques World Trade Center, décorés de la silhouette des tours jumelles. Tout nouveaux, confortables et obligatoires.

À cette hauteur, trois étages au-dessus de la rue, les ascenseurs extérieurs ne sont pas encore en place. C'est par des escaliers de bois que les hommes accèdent, alors que le soleil brûle déjà la peau, aux plateformes de travail. Jack reconnaît un grutier avec lequel il a travaillé, l'an dernier, sur une centrale électrique à Jersey City. « Alors Bob, ces grues ?

– Salut Tool. Oui, tu as vu ça ? J'ai eu un peu de mal à m'y mettre, mais je vais te dire, ce truc-là, c'est l'avenir. Elles sont au-dessus de nos têtes et pas en bas sur le trottoir parce qu'elles vont grimper avec nous. Elles sont montées sur des vérins hydrauliques qui les soulèvent de onze mètres quand un étage est fini. On les surélève, il suffit de glisser les structures dessous et le tour est joué. Comme ça jusqu'au sommet. En plus, chacune peut soulever soixante tonnes. Ça va me changer de vous avoir sous le nez toute la journée, les gars, au lieu de deviner ce que vous faites et de suivre les instructions à l'aveugle, quarante étages plus bas. Dingue, non ? Tu vois le kangourou dessiné là ? C'est comme ça qu'on les appelle : les grues kangourous. Il a fallu que les Australiens les inventent. Chapeau ! Tu vas voir, le temps qu'on gagne pour monter les trucs est incroyable. Et dans la cabine, c'est confort trois étoiles. Tout se fait par téléphone, plus besoin de gestes. L'avenir, je te dis… »

Ce matin ce sont des éléments préfabriqués du plancher, dalles de métal de dix-huit mètres sur six, qui volent au-dessus des têtes et qu'il faut attraper, détacher, fixer les unes aux autres. Une promenade de santé pour des *ironworkers* habitués à marcher en équilibre sur des poutres d'acier, à la merci du vent, d'une erreur du grutier ou du moindre faux pas.

L'équipe est dirigée par Tom Castella. Bien que né à Brooklyn et n'ayant vu Terre-Neuve que deux fois dans sa vie, il a au contact des siens, dans leur petite communauté où l'on se marie entre soi, à Long Island, gardé l'accent irlandais de ses ancêtres.

« Un Mohawk parmi les Fishs… Bienvenue à bord, Jack. On t'appelle Tool, c'est ça ? Ici, on joue avec les règles *newfies*, alors tu t'adaptes, OK ? Tu vas voir, c'est moins dur que de se faire accepter dans un gang d'Indiens pour l'un de nous. On a un accent, on fait les choses à notre façon, mais au moins on parle anglais… »

Deux jours pour assembler le plancher du premier étage. En dessous, ce qui va être l'immense hall d'entrée de la tour Nord. Les plaques métalliques ne sont pas encore toutes assemblées qu'à l'autre bout les bétonneuses commencent à déverser leur contenu qui, lissé à la main, forme les sols définitifs. Mercredi matin, les câbles des grues sont arrimés aux premiers « arbres d'acier » : des tridents massifs, hauts de trois étages, vingt et un mètres, cinquante tonnes, qu'il faut fixer à la verticale, les uns à côté des autres pour former l'armature extérieure de la tour.

« Je n'ai jamais vu un truc pareil, dit Jack en regardant le premier élément passer au-dessus de sa tête. Les ingénieurs sont quand même gonflés, non ? Ces trucs semblent costauds, mais tout doit tenir par l'extérieur. Cent dix étages : tu imagines la prise au vent que ça va donner ? Il se passe quoi en cas d'ouragan ? Il n'y a vraiment aucune poutre maîtresse à l'intérieur ?

– Non, dit Castella. C'est l'astuce pour gagner de la place. Les niveaux vont être pratiquement vides de structures verticales, à part les cages d'ascenseurs. Au prix qu'ils vont vendre ou louer ça, la différence fait une petite fortune. L'architecte est japonais, un génie, paraît-il. Il a fait la une de *Time Magazine* il y a cinq ans, quand il a gagné le concours. Pour le vent, ils disent qu'elles sont conçues pour résister à des tempêtes deux fois plus violentes que les plus fortes jamais enregistrées à New York. »

Toute la journée, ils attrapent les arbres d'acier : avec les mains, les pieds, les jambes parfois ; à trois ou quatre, ils les disposent au-dessus de leurs emplacements, signalent au grutier de les faire descendre doucement. En glissant l'extrémité pointue de la clef à mâchoire dans l'un des trous de fixation, on obtient une bonne poignée. Dès que deux trous sont en face l'un de l'autre, Jack enfonce d'un coup sec sa *spudwrench* dans les deux orifices. Les autres s'alignent. Il sort deux gros boulons de la poche de cuir qu'il a à la ceinture, glisse la vis, place l'écrou sans trop serrer. Ça y est. La suite, les boulons définitifs, vissés à bloc, c'est une autre équipe. Puis viennent les soudeurs.

À la pause-café, Warren O'Donnel, un gars du Queens proche de l'âge de la retraite, tend à Jack son paquet de cigarettes. « Tu vois, l'Indien, en plus de nous donner du boulot pour les trois prochaines années, ces tours sont le job le plus sûr sur lequel on bossera jamais. Tu as vu ça ? Avec ces murs de poutres à l'extérieur et nous à l'intérieur, les deux pieds bien posés au sol sur des plateformes, il n'y a aucun risque de passer dans le trou. Je te parie qu'on ne va pas faire les marioles une seule fois à marcher sur une poutre de trente centimètres de large à cinquante mètres du sol. De toute façon, moi j'ai passé l'âge. Mais, nom de Dieu, je ne raccroche pas ma *spudwrench* avant la fin de ces tours-là ! Je veux voir monter la dernière poutre. Ces immeubles, ils sont plus hauts et plus forts que n'importe quoi. C'est la ville qui montre ses muscles. *Only in New York*, mon gars ! »

Les pièces de ce mécano géant sont fabriquées dans une dizaine d'usines du pays, et même au Canada. Des aciéries locales plutôt que les géants de l'acier US Steel et Bethlehem Steel, qui s'étaient entendus sur les prix et avaient présenté des devis majorés de trente à quarante millions de dollars, et qui ont été refusés. Une enquête a été ouverte pour entente illicite. Puis les éléments, dont certains venus en trains et en camions à travers le pays de Seattle ou du Texas, sont rassemblés dans des hangars et des parkings du New Jersey, de l'autre côté du port. Aucun n'est interchangeable, chaque pièce doit être à la place prévue. Pour cela, l'ordonnancement du puzzle et la logistique ont été confiés à des ingénieurs qui, grâce à l'un des premiers programmes de ce genre créés par IBM, sont parvenus à alimenter le chantier, à l'aube de chaque journée, avec les pièces voulues. Ils ont appelé ça *Critical Path Method*. Parmi les premiers ordinateurs utilisés à Manhattan. Derrière les pupitres, les rares techniciens du pays, en dehors du Pentagone et de la Nasa, sachant s'en servir. Une poutre en retard, un embouteillage de structures préfabriquées au pied des tours, dans un quartier où il est impossible de se garer, et c'est la paralysie. Les gestionnaires et les ingénieurs de la Port Authority, parmi lesquels de nombreux anciens officiers des unités de logistique et du génie de l'US Army, ont élaboré un plan de bataille digne du débarquement en Normandie.

Dix jours après l'arrivée de Jack, la tour Nord est montée de trois étages, la hauteur des pièces extérieures préfabriquées. Quelques semaines plus tard, malgré l'installation des premiers ascenseurs sur les flancs de la tour, monter et descendre du chantier, surtout au moment du déjeuner, commence à poser problème. Des milliers d'ouvriers se déplacent en même temps, il faut patienter, faire la queue, se serrer comme des sardines dans les cabines.

Début octobre, après avoir avalé un sandwich acheté dans une épicerie sur West Broadway, Jack revient seul vers le portail d'entrée. Il est en retard, trente-cinq minutes de pause ce n'est pas assez. La file d'attente serpente sur trente mètres, un des ascenseurs vient de tomber en panne. Sur l'aire des camions, dans la rue adjacente, un chef d'équipe signale au grutier, par téléphone, que les câbles sont arrimés et qu'il va pouvoir emporter sa charge. En trois bonds Jack saute sur le plateau du camion, grimpe sur la pièce, agrippe le câble principal. Avec un clin d'œil, pouce vers le haut, il fait signe au chef d'équipe de donner le signal. *Riding the iron*, chevaucher l'acier, vieille pratique d'*ironworker*, interdite depuis dix ans mais encore tolérée sur certains chantiers. Les photos de gars volant dans les airs, tenant le câble d'une main pendant la construction de l'Empire State Building, décorent bien des halls du syndicat dans tout le pays. La pièce s'élève en douceur, passe au-dessus des casques qui font la queue pour l'ascenseur. Ça siffle, crie, rigole. « Yeepee ! Vas-y, Tool ! Indien volant ! »

Dans les étages des têtes se glissent entre les poutres, on salue l'audacieux ; Jack est aux anges, fait de petits signes, le salut militaire. Mais les cris et les rires alertent un contremaître, représentant du syndicat sur le chantier, chargé de l'application des nouvelles règles de sécurité. Il descend un étage, court sur les planches vers l'endroit où la poutre doit arriver. Jambes écartées, bras croisés, regard noir, il est là quand Jack saute à terre. « Tool, tu pensais à quoi ? Tu connais la nouvelle réglementation. Ce n'est pas un job ordinaire ici. C'est le World Trade Center. Il y a des journalistes un jour sur deux, des caméras, des tournées de big boss. Pour ça, rien à faire, je suis obligé de te virer. Si je ne le fais pas je perds ma place. Et en bas, si le chef d'équipe t'a vu et t'a laissé monter, c'est la porte aussi. Le grutier, sans doute pas, on en a trop besoin, Sony, Jack. »

Casque à la main, Jack LaLiberté quitte les lieux en souriant peu après quatorze heures. Sans vider son armoire. Le lendemain il prend la route de Kahnawake, quelques jours de repos. Une semaine plus tard, le business agent du syndicat appelle la réserve.

« Pour le Trade Center, il me faut deux gangs complets. Le chef de chantier veut des Mohawks. Vous avez des gars prêts à descendre ?

– Deux gangs, douze hommes. On va vous trouver ça. Mais il y a une condition : elle s'appelle Jack LaLiberté. Si vous ne le reprenez pas, personne descend.

– Jack ? Bien sûr. On a besoin de lui, et des autres. Je n'étais pas au courant pour la semaine dernière. Un crétin a fait du zèle. Salue Tool de ma part. À lundi. »

4

New York City

12 septembre 2001

En tombant, j'ai fermé les yeux et lâché le chalumeau. Il ne s'est pas éteint, je vois la flamme bleue, là, à mes pieds, sur la droite. Je reprends mon souffle. Respire, respire, calme-toi. Pas eu le temps d'avoir peur. Je suis blessé ? Pas l'impression. Bras, jambes, rien de cassé. J'avais une lampe, une Maglite qu'ils m'ont donnée à la Croix-Rouge. Où est-elle ? Dans quelle poche ? J'aurais dû mettre une frontale sur le casque. Je suis tombé debout, j'ai un peu mal aux jambes, une cheville tordue. Il faut que j'essaie de me soulever. Aïe ! Sur le côté, la hanche, j'ai mal. En jouant des coudes, j'écarte les gravats. J'ai eu de la chance : je ne suis pas tombé dans un gouffre comme j'en ai vu toute la nuit dans ces décombres fumants, plutôt une petite cavité. Il faut que j'enlève un gant.

Je descends un bras le long du corps pour tâter les poches du pantalon : la torche, là, contre ma jambe. Je glisse la main, parviens à l'attraper, écarte le masque à poussière à moitié arraché. J'allume la lampe avec la bouche. Sous mes pieds, une plaque de métal assez large. Je saute un peu, prêt à m'accrocher sur les côtés si elle venait à s'effondrer ; ça tient, pas de risque de tomber plus bas. Je sens une grosse poutre d'acier tordue sur la droite, deux autres plus petites à gauche. J'ai glissé entre les deux. En bougeant, je fais tomber de la poussière et des gravats autour de moi. Merde ! Là-dessous, le chalumeau enflamme des morceaux de papier. J'essaie de les piétiner, la fumée m'étouffe. Il faudrait que je pince le tuyau d'arrivée de l'acétylène pour étouffer la flamme, mais je ne le trouve pas.

Je lève la tête, tend les lèvres à la recherche d'air frais. L'entrée du trou est trois ou quatre mètres au-dessus de moi. Soudain, je vois de la lumière, un faisceau blanc qui bouge. « Au secours ! Au secours ! Je suis là, en dessous ! Sortez-moi de là ! Au secours ! »

Je tape sur une poutre avec la torche, tape des pieds sur la plaque de métal. La lueur de plusieurs lampes semble approcher de l'orifice. Je crie le plus fort possible, tousse : « Je suis là ! en dessous ! » Je remonte mon bras le long du corps, dirige le faisceau de la Maglite vers le haut. Un casque, le visage d'un pompier. « Ça va, mon gars ? Tu m'entends ? Je t'ai vu tomber, j'étais juste derrière toi mais, avec cette poussière, quand ça s'est effondré, je n'ai pas pu retrouver l'endroit. Tiens bon, on va te sortir de là. Tu es blessé ?

– J'ai mal au côté, je crois que je me suis coupé, mais rien de grave. Faites vite, ça chauffe là-dessous, le feu approche, j'ai du mal à respirer. »

Le pompier, tête la première, tente de se glisser vers moi tandis que deux autres le tiennent par les jambes. Mais l'ouverture est trop étroite, il souffle, gémit, reste coincé au niveau des épaules, remonte. Un gros projecteur dirigé vers le bas éclaire tout autour de moi, m'éblouit.

« Cat ! Cat ! C'est moi, Andy ! Cat, ça va, mon vieux ? Tu m'entends ? Bouge pas, on arrive.

– Andy, crétin ! Bien sûr que je ne bouge pas ! Je suis coincé. Ça me fait plaisir de t'entendre, mon pote, magnez-vous !

– Bon, mon gars, crie le pompier, si on fait descendre un harnais, tu crois que tu pourras le passer pour qu'on te remonte ?

– Le passer, je sais pas ; c'est très étroit, j'ai du mal à bouger ; mais je pourrai m'y accrocher. Faites vite, le feu monte, je sens la chaleur sous mes pieds. Vite ! »

En donnant des coups de coude des deux côtés, je gagne un peu d'espace. Les gravats tombent en poussière. Je prends la torche entre les dents, attrape une poutre de la main droite, me soulève. Je sens quelque chose de dur sous mon pied, grimpe dessus. J'ai gagné cinquante centimètres, je respire un peu mieux. Le harnais ! Là, je le vois qui descend. Je glisse la lampe dans la poche de ma chemise, je n'en ai plus besoin, il fait clair comme en plein jour avec le deuxième projecteur qu'ils viennent de braquer. « Plus bas, plus bas ! Descendez-le encore ! » Je le tiens. J'essaie de passer un bras dedans. J'y parviens mais je ne pourrai pas me retourner pour passer les épaules ou les jambes. Je remonte l'autre bras, m'accroche des deux mains. J'ai jeté mes gants, je n'aurais pas dû. Je n'ai pas la place de me pencher pour les attraper. « Allez-y, tirez ! Remontez la corde ! »

Ils me soulèvent. Je bats des pieds, tente de trouver des points d'appui, me cogne aux parois, aux débris, rentre la tête dans les épaules. Une grosse poutre sous mes pieds : je gagne un mètre d'un coup. « Doucement, pas trop fort, attendez, je suis coincé. » Je me contorsionne, glisse de profil entre une plaque d'acier et un gros morceau de béton. Plus que deux mètres. Je lâche le harnais, qui file à toute vitesse vers le haut. « C'est bon, c'est bon, j'arrive ! Ne le renvoyez pas, tout va bien ! » La cavité est ici plus large, j'escalade ce qui me semble être des meubles de bureau en métal écrasés. Deux pompiers casqués se penchent vers moi jusqu'à la taille, m'attrapent sous les aisselles, me soulèvent. Ça y est ! Je rampe sur les gravats, me couche sur le dos, avale l'air, tousse, crache.

« Cat ! Cat, tu es blessé ? »

Andy est au-dessus de moi, bandana rouge sur la tête, les yeux exorbités.

« Salut, Andy. J'ai un peu mal sur le côté ; j'ai dû me couper avec quelque chose, mais ça va, je ne crois pas que ce soit profond. J'ai eu chaud, là-dessous. On est sur les forges du diable, ici. »

Un membre de l'unité paramédicale des pompiers arrive en courant avec sa sacoche marquée d'une croix. Il s'agenouille, enlève son masque à poussière, demande si j'ai mal quelque part, soulève mon tee-shirt, tâte la blessure. « Bon, vous êtes coupé sur dix centimètres. C'est de la folie de travailler dans un merdier pareil sans vêtements résistants. Ça n'a pas l'air très profond, je vous emmène à la clinique d'urgence. C'est tout à côté. Vous pouvez vous lever ? Vous pouvez marcher ou je demande un brancard ?

– Je crois que je peux, ça ira, merci. »

Je me lève, m'appuie sur son épaule pour faire les premiers pas. Autour, parmi les dizaines de sauveteurs acharnés à fouiller, certains croient voir une victime vivante sortir des décombres. Ils en rêvent tous ; ils commencent à crier, à applaudir. Andy leur explique que je suis un des leurs, tombé dans un trou et secouru en moins de dix minutes. Ils saluent quand même ma sortie, c'est la première chose positive qu'ils aient vue à Ground Zero. Un survivant de la catastrophe, personne n'en a vu.

Nous sortons de la pile. Je souffre. Mon tee-shirt est rouge de sang. Nous marchons sur deux cents mètres entre les générateurs, les bulldozers qui arrivent, les camions-plateaux d'où descendent les engins, les camionnettes, les caisses de matériel, les tentes, les systèmes d'éclairage. Andy me soutient d'un côté, l'infirmier de l'autre. Depuis l'aube, la Croix-Rouge s'est installée au rez-de-chaussée de l'immeuble American Express. La verrière monumentale a explosé mais le reste a tenu. Sur le trottoir à peu près dégagé, une trentaine de lits d'hôpitaux sont alignés. Vides. Il y a des médecins, des infirmières en tenue qui attendent ; les cartons de nourriture, de matériel, les bouteilles d'eau s'amoncellent. Mais pas de blessés. Je n'en vois nulle part. Seulement des gars comme moi, des sauveteurs venus se faire soigner.

L'infirmier me conduit à un jeune docteur, boucles blondes, tenue verte et stéthoscope au cou. Je n'ai pas le temps de le remercier, il a disparu. « Venez par ici, allongez-vous… Où avez-vous mal ? Vous pouvez bouger tous vos membres ? Pas de vertiges ? Avez-vous perdu connaissance ? Bon, vous avez eu de la chance, c'est une jolie coupure, mais elle est bien nette. Les côtes ne sont pas touchées. Je vais vous faire quelques points, un pansement, et ça ira. Pour la vaccination tétanos, vous êtes à jour ? Vous vous êtes fait ça comment ?

– Je suis tombé dans un trou. Tout s'est effondré autour de moi quand j'ai terminé de sectionner une poutre. Un morceau de métal tranchant, sans doute. Merci docteur. »

Il me fait une piqûre, anesthésie locale, du fil et une aiguille. Je regarde de l'autre côté. Je ne suis pas douillet mais, comme pour les injections, c'est mieux si je ne vois pas ce qui se passe. En quelques minutes il a refermé la plaie par une dizaine de points. Je n'ai rien senti. Je souris bêtement à ceux qui passent et regardent avec gentillesse. Une infirmière aux cheveux blancs, grosses fesses dans son treillis militaire, me fait un clin d'œil et lève le pouce.

« Maintenant, allez vous reposer, dit le médecin. On enlève les points dans six jours. Vous êtes là depuis hier, je suppose ? Pas dormi ? Il y a des lits dans le hall à côté, prenez celui que vous voulez. Nous n'avons pas beaucoup de blessés. Nous les attendons, mais quelque chose me dit, en voyant tout ça, que nous risquons de ne pas en voir beaucoup. Avant, passez vous faire laver les yeux. »

Dans un coin, derrière le grand comptoir d'entrée, quatre femmes et un homme sont attablés sous un panneau où est écrit à la main « Clinique des yeux ». Avec du coton, de l'eau tiède, des compresses, ils attendent pompiers, policiers et sauveteurs pour rincer leurs yeux rougis par les poussières et la fumée, leur mettre des gouttes de collyre, de la pommade. Plusieurs hommes, en uniforme ou en tenue de travail, sont assis dans des fauteuils pliants. Ils sont immobiles, impassibles, les épaules basses ; ils respirent bruyamment avec une expression d'horreur dans le regard.

Je commence par me verser une bouteille d'eau minérale sur la tête, pour tenter d'enlever la couche de poussière blanche. Puis une jolie jeune femme rousse en tenue de la Croix-Rouge me nettoie le visage, me rince les yeux. « Merci, mademoiselle.

– Il faut vraiment garder les lunettes et le masque, vous savez, dit-elle. Nous allons recevoir de nouveaux modèles demain, à ce que l'on m'a dit. Nous sommes très inquiets à propos de la toxicité de ce que vous respirez là-dedans. »

Assis, le visage entre les mains de l'infirmière, la fatigue me tombe dessus. Elle me verse huit gouttes dans chaque œil. Je ferme les paupières, peine à les rouvrir. « Je crois que je vais dormir un peu… »

Je traîne les pieds jusqu'au hall voisin, m'assieds sur le premier lit, délace mes bottes, les retire, m'allonge. À côté, un gros blond à moustache ronfle doucement. Il a écrit son nom et son prénom au marqueur sur son avant-bras, avec la mention « En cas d'accident, prévenez Kathy », suivi d'un numéro de téléphone.

En fermant les yeux, la première image qui me vient est cette main de femme, avec bagues aux doigts et ongles peints. Un gars m'a dit qu'ils avaient trouvé une tête, aussi. Une tête d'homme, intacte, aucun corps décapité alentour.

Quand un bruit de meubles que l'on traîne me réveille, il fait grand soleil. Autour de moi, une dizaine de jeunes gens en tee-shirts jaunes installent des tables, déballent des cartons. En caractères blancs, sur leurs dos et leurs poitrines, ils portent « Église de scientologie ».

« Vous voulez une nouvelle paire de chaussettes ? Nous en avons des dizaines, ne vous gênez pas. Quelque chose à manger ?

– Non, merci ça va aller. Si vous aviez un tee-shirt à ma taille… »

Je me change, croise le médecin qui m'a recousu dans le hall d'entrée.

« Mais vous croyez aller où comme ça ?

– Doc, merci, mais il faut que j'y retourne. Ça va, j'ai bien dormi. Je n'ai pas mal. Le pansement n'a pas bougé. Il y a sans doute des centaines de personnes prisonnières là-dessous, dans les parkings ou les sous-sols. Les pompiers ont besoin de nous pour avancer. Faut que j'y aille. »

Il soupire : « Le pansement, faites-le refaire toutes les six heures. »

Quand je sors de l'immeuble, les abords ont changé, j'ai du mal à m'orienter. Des bulldozers dégagent le champ de décombres qui redevient par endroits une avenue. Ils aplanissent des aires de parkings sur lesquelles des engins viennent se garer. Des pelles mécaniques équipées de pinces géantes au bout de leurs bras hydrauliques attrapent en hauteur des morceaux qu'ils déposent sur le sol, dans les espaces dégagés. Les sauveteurs, avec des pelles et des râteaux, se précipitent pour les examiner.

Autour des machines, la cohue des premières heures a fait place à un embryon d'organisation. Des équipes ont été formées : deux guetteurs le plus près possible du bras mécanique, pour tenter de repérer des corps ou des restes humains. Dès qu'ils ont un doute, ils alertent par gestes ou par radio l'opérateur, qui arrête tout. Une dizaine de pompiers et de policiers équipés de bêches, de râteaux, de pelles, d'outils de jardin, creusent alors les décombres. Les cadavres de pompiers sont les mieux conservés, grâce à la résistance de leurs tenues, leurs noms inscrits au bas du dos. Leurs collègues cherchent alors tout autour avec frénésie, sachant qu'ils travaillent en équipes, connaissant même souvent le nom des disparus.

Quand on retrouve un corps, tout s'arrête. Placé sur un brancard, recouvert d'une bannière étoilée, il est porté entre deux haies d'honneur jusqu'à une ambulance. Chacun enlève son casque, porte une main sur son cœur. Quand le véhicule s'éloigne, les moteurs se remettent en marche, les hommes replongent dans la pile.

Je serre les lacets de mes bottes, repère une équipe d'*ironworkers* regroupés autour de bouteilles d'oxygène. « Tu tombes bien, il nous manque deux gars à la découpe. Tu sais te servir d'une lance ? »

L'après-midi, je sectionne des poutres, sous la direction de pompiers qui nous demandent de dégager des voies, d'ouvrir des passages et des tunnels. Cette flamme bleue à sept mille degrés est un petit volcan apprivoisé capable de tout couper, y compris le béton. Mais, même avec ça, il faut souvent plus d'une heure pour venir à bout des grosses poutres, en faisant attention de ne pas faire écrouler le tout.

On nous distribue de nouveaux masques à poussière, plus gros, plus étanches, et des talkies-walkies. Je fais un trou dans le masque avec la pointe de mon couteau, pour passer le micro à l'intérieur et pouvoir parler sans l'enlever. Des mains anonymes ont écrit sur des feuilles, ou au marqueur sur des parois : « Gardez vos respirateurs en permanence. » Malgré ça, je suis un des seuls à le porter, comme si les autres n'avaient pas conscience de la toxicité de ce que nous respirons ; ou comme s'ils ne s'en souciaient pas, obnubilés par l'urgence et la volonté de trouver des survivants.

Si l'enchevêtrement de décombres au-dessus du niveau du sol et leur compacité sont tels qu'il est peu probable que quiconque ait survécu, nous passons des heures à dégager des rampes d'escaliers. En sous-sols, peut-être des survivants se sont-ils regroupés en attendant qu'on leur vienne en aide. Mais pour l'instant, rien. Quand quelqu'un entend du bruit, comme un appel, un signal, il tente d'obtenir le silence. En vain, il y a trop d'engins en mouvement autour.

Soudain, trois coups de sirène : alerte. Risque d'effondrement, il faut filer. J'éteins le chalumeau, le pose et pars en courant. Une pelle mécanique a déplacé un élément de structure. Ça bouge tout autour et menace de s'effondrer. L'opérateur de l'engin le remet en place avec précaution. Des ingénieurs approchent, inspectent le secteur. Nouveau signal, nous pouvons retourner à la tâche.

Derrière les lunettes de soudeur, je vois à peine le jour décliner. Des volontaires distribuent des sandwichs, des barres énergétiques, du chocolat, de l'eau dans des seaux de glace. Nous faisons des pauses entre deux découpages, assis sur les barres de métal qui ne sont pas trop chaudes.

Je vois passer Andy. Il a enfilé sur sa salopette un long manteau de cachemire, du genre de ceux que portent les banquiers et les traders de Wall Street. Il n'a pas dormi la nuit dernière, titube de fatigue, porte le chalumeau par le tuyau, le bec traînant par terre. « Eh, Mohawk ! Tu t'es déguisé ?

– Cat ! Comment ça ? Je te croyais à l'hosto, je ne savais pas où.

– Ils m'ont fait quelques points ici, à la Croix-Rouge. Une petite coupure, pas grave. Tu vas où ? C'est quoi cet accoutrement ?

– J'avais un peu froid, je suis allé me servir, comme tout le monde, dans le magasin Brooks Brothers à côté. Il me montre l'étiquette, encore cousue sur la manche. Tu vois le prix ? Deux mille huit cents dollars ! C'est dégueulasse, j'ai vu des gars partir les bras chargés de fringues… Je n'en peux plus, je n'y vois plus clair. Je vais chercher un coin pour dormir. Tu viens ?

– Attends-moi cinq minutes. Un truc à finir de découper. On ira chercher quelque chose à manger. »

Je confie la lance thermique à un *ironworker* monté de Philadelphie, arrivé il y a deux heures. Ponts et tunnels pour Manhattan fermés, il a convaincu le propriétaire d'un Zodiac, sur la marina de Jersey City, de lui faire traverser l'Hudson. Ils sont partis à six, ont été abordés au milieu du fleuve par les garde-côtes qui les ont laissés continuer après un bref contrôle, et ont accosté tout près d'ici, sur un quai où, me dit-il, ils sont en train de mettre en place des barges pour évacuer les décombres.

En remontant à pied vers Canal Street, nous croisons des dizaines de volontaires en tenue de travail, des pompiers, des flics, des secouristes. À un coin de rue, le propriétaire d'un restaurant a sorti des tables sur le trottoir, un barbecue à gaz. Éclairé par des lampes à pétrole et des ampoules nues reliées à un générateur, il fait griller des steaks hachés, des saucisses, prépare des hamburgers. « Si vous avez faim, asseyez-vous. Pas de courant, je vide mes frigos. Tout est gratuit pour tout le monde. J'ai aussi des bières, il me reste un peu de glace. »

Nous nous installons à côté des flics et d'un agent du FBI en civil. Des pompiers arrivent. L'un d'eux tape sur l'épaule d'Andy, soulevant un petit nuage de poussière. « Merci, les gars, sans vous, les *ironworkers*, on ne pourrait pas faire grand-chose là-dessous. Vous êtes indiens, n'est-ce pas ?

– Mohawks.

– Ah oui, c'est vous qui construisez les gratte-ciel ; vous n'avez pas le vertige, c'est ça ?

– On construit les gratte-ciel, et on les découpe, aussi, c'est pour ça qu'on est là. Et le vertige, on l'a autant que vous. »

Un représentant du syndicat a expliqué à Andy qu'à partir de ce soir, grâce à un accord avec la ville, tous les hôtels de New York facturaient cinquante dollars la nuit, gîte et couvert, à quiconque participait aux secours à Ground Zero. « Ça vaudrait le coup de monter jusqu'à un palace de Times Square, mais je n'ai pas la force, sourit-il. Il n'y a aucun moyen de rentrer à Brooklyn. On va chercher un hôtel pas loin, sur le West Side, OK ? »

Nous dévorons deux hamburgers, buvons trois Bud, remercions le patron. « Quand j'aurai terminé mes réserves, je vais être obligé de partir. Les flics m'ont prévenu, ils font évacuer le quartier, toute la population… Je vais demander une autorisation pour rouvrir. Il va bien falloir vous nourrir, non ? Vous n'aurez pas fini la semaine prochaine… »

À la sortie de la zone fermée au public, derrière les barrières du NYPD, des centaines de personnes sont massées des deux côtés de la West Side Highway. Ils sont venus par curiosité, lassés de passer des heures devant leurs téléviseurs, mais aussi pour applaudir les camions de pompiers, les véhicules de secours. Certains ont des drapeaux, d'autres brandissent des cartons sur lesquels ils ont inscrit : « Thank You », « Dieu bénisse l'Amérique » ; ou « La liberté n'est pas gratuite. »

Un jeune homme a marqué : « Qu'il vienne en aide à l'Afghanistan. Mais j'en doute. » Une grande blonde en débardeur fluo tend des bouteilles d'eau aux volontaires qui passent à l'arrière des pickups, trop vite pour pouvoir les attraper. Sa voisine en short rose saute sur place, leur envoie des baisers, crie : « Vous êtes nos héros ! »

Au passage, nous avons droit aux tapes dans le dos, aux remerciements. Trois rues au-dessus de Canal Street, nous entrons dans le lobby d'un Sheraton, casques et outils à la ceinture. Le portier nous dit : « Bienvenue, messieurs. Merci. C'est un honneur. » Dans le hall, des touristes rassemblés autour de valises à roulettes nous dévisagent. Deux jeunes filles commencent à applaudir, les autres suivent. Andy fait un petit signe de la main, je fixe mes pieds jusqu'à la réception. « Vous auriez une chambre ? Nous pouvons la partager.

– Certainement. Nous allons vous trouver ça. Merci, merci, messieurs, pour ce que vous faites. »

Dans l'ascenseur, Andy murmure : « Le plus terrible, tout à l'heure, c'est quand ils ont ramassé un visage de femme. Le visage seulement ; rien que la peau et les cheveux, pas le crâne. J'ai détourné le regard mais c'était trop tard. J'avais vu. »

Nous entrons dans la suite, immense. Les fenêtres donnent au nord, Ground Zero est de l'autre côté. Le grondement des engins et des générateurs emplit la nuit, même fenêtres fermées. La poussière et la fumée envahissent la rue, on voit à peine de l'autre côté. Je reste longtemps sous la douche, me savonne trois fois pour faire disparaître l'odeur incrustée dans ma peau. Quand je sors de la salle de bains, Andy ronfle, couché sur le ventre tout habillé, les bras en croix. Je lui retire ses bottes, me couche sur l'autre lit, m'endors comme une bûche.

Au matin, un bruit d'eau me réveille. Il est tôt, un peu plus de six heures, le jour se lève.

« Andy, tu as du tabac ?

– Oui, dit-il à travers la porte de la salle de bains ; regarde sur ma table de nuit, dans ma pochette ; sers-toi, j'ai pris quelques feuilles. »

Malgré l'encombrement des lignes téléphoniques, il est parvenu hier soir à appeler chez lui, à Akwesasne. On lui a dit que des cérémonies avaient commencé dans la longue maison. Ils ont chanté, dansé et brûlé des feuilles de tabac de cérémonie en mémoire des *twin towers*, des victimes, et pour protéger les *ironworkers*. Il paraît que nous sommes des dizaines de Mohawks des Six Nations à Ground Zero. Et des centaines se préparent à descendre. Ces tours, nos pères les ont bâties ; elles sont à nous. Nous devons être là, aux premiers rangs, pour leurs funérailles.

Quand Andy me laisse la place, je fais couler un bain et jette dans l'eau trois feuilles de tabac, pour me purifier des horreurs d'hier et me préparer à celles d'aujourd'hui. Je ferme les yeux, psalmodie les premiers mots du chant de Thanksgiving : *Ohenten Kariwatekwen* (je ne connais pas la suite), les principaux enseignements du prophète Seneca Skaniiateriio, dit *Handsome Lake*.

Je n'ai jamais été très assidu aux cérémonies dans la longue maison et je ne crois pas plus que ça aux enseignements de *Handsome Lake*, mais, face à une calamité pareille, tout ce qui peut réconforter est bon à prendre. Je sais que les miens ont fait brûler pour moi des feuilles du tabac que nous cultivons dans le jardin. La fumée qui monte dans le ciel, c'est une façon d'entrer en contact avec le Créateur, de le remercier et de lui demander son aide.

On tape à la porte. Quand Andy ouvre, personne. Sur le seuil, bien pliés, quatre tee-shirts blancs, des chaussettes, deux paires de gants de travail, le *New York Times* du jour. Je déplie le journal. À la une, sur six colonnes, au-dessus d'une photo où un *ironworker* soulève un tube de métal : « Les sauveteurs en état de choc fouillent les lieux des attaques, mais les morts devraient se compter en milliers ; le FBI reconstitue les mouvements des pirates de l'air. »

Nous descendons dans la salle du petit déjeuner. À cette heure, il y a plus de sauveteurs et de pompiers que de clients. Sous mon bras gauche, les points tirent un peu, je prends deux cachets pour la douleur. Il faudra que je passe à la Croix-Rouge faire changer le pansement. Nous mangeons comme des ogres.

À la table d'à côté, deux fonctionnaires de l'Agence fédérale des situations d'urgence (FEMA) se plaignent de l'afflux de volontaires et de dons. Ils sont si nombreux qu'ils ne savent qu'en faire. « C'est pas facile de dire à un gars qui est venu en bus de Californie qu'on n'a pas besoin de lui, mais c'est ce que j'ai dû faire hier. Et je sais qu'il va y en avoir d'autres aujourd'hui, dit l'un d'eux. Pour les caisses de chaussettes, de bottes et de gants, il va falloir trouver où les envoyer, il y en a trop, nous n'aurons jamais besoin de tout ça. Je vais en parler à US Aid, ils pourront les envoyer quelque part, en Amérique du Sud ou en Afrique… »

Nous partons à pied pour Canal Street. Au coin de la 1re rue, un pickup s'arrête. « Grimpez ! »

Nous passons les barrages, mieux organisés et plus stricts que la veille, montrant nos cartes plastifiées. Partout, les équipements s'entassent. Sur une place, le fabriquant d'outils De Walt a installé son semi-remorque, qu'il utilise d'ordinaire pour vendre visseuses, scies électriques et générateurs au public sur les circuits de course automobile Nascar. Le Dodge nous dépose devant, je regarde les outils. « Messieurs, demandez. Si nous n'avons pas, nous ferons venir ce qu'il vous faut du New Jersey dans la journée. »

Sur le trottoir d'en face, deux camionnettes marquées Carhartt sont déchargées. Sur des tables de camping, toute la gamme de vêtements de travail est étalée. Plus loin, c'est McDonald's qui ouvre son semi-remorque. Un McDo dans un camion, tables et bancs pliants devant. Sur un panneau lumineux défilant : « Gratuit pour tous ceux autorisés à être au sud de Canal Street. » Nous nous arrêtons, repartons avec nos gobelets de café.

En approchant de Ground Zero, je remarque sur la berge de l'Hudson des conteneurs, alignés par dizaines, et des camions frigorifiques. Tout autour s'affairent des paramédicaux, des pompiers et des agents en veste bleue, marquée NYPD ou FBI. « Les morgues pour les victimes. D'autres vont arriver, nous dit un policier. Ils ont commandé des milliers de sacs noirs pour cadavres… »

Devant la pile, je me sens aussi désemparé que la veille. Les fumées montent de partout, chaque pelle mécanique qui soulève quelque chose semble alimenter en oxygène les feux souterrains. Des survivants ? Comment survivre là-dessous ? Par où commencer ? Que faut-il faire ?

Un contremaître du géant new-yorkais du BTP Bovis nous explique que, si la tâche semble aussi immense qu'hier, des décisions ont été prises, une organisation a été mise en place. Même si c'est le tombeau de milliers de personnes, « plus que nous ne pourrons jamais le supporter », comme a dit le maire de New York, Rudy Giuliani, Ground Zero va être traité comme un site de démolition géant de six hectares.

Il a été divisé en quatre parties, chacune confiée à une entreprise new-yorkaise de construction. Elles vont faire venir le matériel et le mettre en œuvre dans leur district. Les débris, une fois inspectés à la recherche de corps ou de restes humains, seront chargés dans des camions qui les transporteront jusqu'aux barges amarrées sur l'Hudson. De là, elles traverseront le port à destination de Fresh Kills, une ancienne décharge publique, sur Staten Island, que l'on a rouverte pour y entreposer les dépouilles des *twin towers*.

Les opérations de secours sont dirigées par les pompiers, qui ont des équipes partout et supervisent les travaux pour trouver des survivants ou récupérer des corps. Six à dix pompiers vont surveiller chaque engin, chaque machine. « Vous êtes là pour les aider et leur ouvrir la voie, les gars. Vous découpez ce qu'ils vous demandent et vous les laissez faire. Essayez de ne pas trop regarder quand c'est trop dur, dit le chef d'équipe. Pour l'embauche, c'est le syndicat des *ironworkers*, Local 40, qui a l'exclusivité. Tout passe par lui. De nouvelles cartes d'accès vont bientôt être émises, on vous tient au courant. »

Ce matin, un capitaine de pompiers nous demande de grimper dans une nacelle, suspendue au câble d'une grue, et de monter à vingt mètres pour découper et faire tomber un morceau de la façade qui menace de s'effondrer sur un point de rassemblement où se pressent une trentaine de sauveteurs.

Bouteilles d'acétylène, chalumeaux, Andy et moi nous envolons dans les airs au-dessus du magma. La fumée est si dense que, même avec les nouveaux masques, il est impossible de respirer. « Descendez-nous. C'est insupportable ici. On ne voit rien, on étouffe. Il faut des masques à oxygène. »

Alertés, les pompiers nous attendent au sol. Ils nous installent sur le dos une bouteille d'oxygène, sur le visage des masques intégraux. L'un d'entre eux monte avec nous dans la nacelle pour nous apprendre à nous en servir et veiller à ce que tout se passe bien. Équipés comme des astronautes, nous remontons au-dessus des ruines. Le secteur au-dessous de nous est évacué. Dans une chaleur d'aciérie, nous découpons les façades en morceaux qui tombent lourdement, soulevant des nuages de poussière. Quand les bouteilles d'oxygène sont presque vides, le pompier nous tape sur l'épaule et nous fait signe de redescendre. Il appelle par radio le pilote de la grue qui, en quelques secondes, nous dépose au sol. Je suis exténué, déshydraté, asphyxié.

« Merci, les gars, dit le chef de l'équipe des pompiers. Deux *ironworkers* vont prendre votre place. Allez vous reposer. »

Je vide d'un trait une bouteille d'eau minérale, une autre de boisson énergisante. Nous sortons de la pile, à la recherche d'un poste de repos ou de chaises sur lesquelles se poser quand une clameur monte devant nous. En nous approchant, nous voyons un brancard orange avec, dessus, un policier en uniforme, blanc de poussière, qui passe de mains en mains, au-dessus des têtes de sauveteurs hilares, jusqu'à l'ambulance qui l'attend portes ouvertes. « On en a sorti un ! Un flic ! Il est vivant ! Il est vivant ! » Pompiers et policiers sautent de joie, s'embrassent, se tapent dans les mains. Des civils lancent en l'air leurs casques de chantier, applaudissent, crient, sifflent, scandent « USA ! USA ! »

« Il avait été repéré hier, et il a été sauvé parce qu'il était dans une cage d'ascenseur quand tout s'est effondré. Il était conscient, et un Marine a entendu ses cris, raconte un lieutenant du New Jersey. Il était enterré jusqu'à la poitrine, les jambes prisonnières. On a creusé, creusé toute la nuit, découpé autour de lui tout en le faisant parler sans cesse pour être sûr qu'il reste avec nous. Il racontait sa famille, ses enfants – il en a quatre. Avant l'aube, des médecins ont dit qu'il faudrait peut-être l'amputer pour le sortir de là, mais on a tous refusé. À force de creuser, nous sommes parvenus à l'entourer d'un filet de plastique et on l'a remonté. Il a des fractures, mais il s'en sortira. Il s'appelle McLaughlin, Jay McLaughlin, de l'unité de police de la Port Authority. »

Tout sourire, un petit groupe s'est approché du lieutenant pour entendre son récit. À la fin, un capitaine des pompiers de New Haven, nouveau venu sur le site si l'on en juge à la propreté de son uniforme, lui serre la main puis le prend dans ses bras, tape de grands coups dans son dos : « On en a trouvé un, on peut en trouver d'autres ! On va en trouver d'autres ! »

5
Kahnawake (Canada)

juin 1886

Un pont sur le Saint-Laurent, John Farber, chef du Conseil de Kahnawake en 1886, en a vu construire un. Il s'en souvient, c'était il y a vingt-cinq ans ; le grand pont Victoria, premier ouvrage à franchir le fleuve dans le pays, dix kilomètres en aval de la réserve. Une merveille et un événement : trois kilomètres, le plus long du monde, une structure en fer forgé importée d'Angleterre, posée sur vingt-quatre éperons de pierre massifs en forme de proue de navire pour résister au courant, aux crues, et briser les glaces.

Pour les Mohawks, dont le sort est lié à la grande voie d'eau, descendre le fleuve et passer sous les arches de métal symbolisait le passage à une ère nouvelle. Ils l'observaient avec un mélange d'admiration et d'appréhension : le pont était la porte d'un monde inconnu, sa présence signifiait que le leur allait être bouleversé et qu'ils allaient à nouveau devoir s'adapter. Le pont Victoria annonçait la fin prochaine des bateaux de transport, la disparition des radeaux de rondins, la victoire de la roue sur la pagaie, l'unification du pays, le chemin de fer, le raccourcissement des distances, l'industrialisation, le triomphe à venir d'une société blanche, étrange et, vue de la berge à Kahnawake, toujours menaçante.

Son père, Ronald Farber, gérant de la carrière de pierres creusée dans le roc par sa famille, avait passé cet énorme contrat pour fournir à la Canadian Trunk Railroad les centaines de tonnes de roches pour la construction des piles. Des dizaines d'hommes de Kahnawake avaient été embauchés, pendant plus de trois ans, pour façonner les pierres et les livrer sur des barges à rames et à voiles. La cérémonie d'inauguration avait été présidée par le prince de Galles, venu de Londres représenter sa mère la reine Victoria. Les pagayeurs mohawks avaient fait sur le fleuve une démonstration de force et de dextérité, en grande tenue et peintures de guerre.

« Donc, si je comprends bien, messieurs, dit John Farber aux trois représentants de la Dominion Bridge Company qu'il a fait entrer dans son bureau de la maison commune, vous voulez construire un autre pont Victoria. Celui-ci ne suffit-il pas ?

– En quelque sorte, grand chef, répond James Ruppert. C'est l'ingénieur du trio. Anglais, raie sur le côté, il est réputé dans plusieurs pays et auteur de deux ouvrages remarqués dans le Nouveau Monde. « Car avec l'extension des voies ferrées dans le pays, leur importance pour la constitution d'un État fédéral, l'augmentation du trafic, le Victoria est déjà saturé. La Canadian Pacific Railroad, dont le but est de relier les Grands Lacs canadiens et américains à la côte Atlantique, nous a commandé un nouveau pont. Nous avons fait des études, et l'emplacement idéal relie Kahnawake à l'île de Montréal. Donc, avant toute chose, nous désirons bien sûr obtenir l'accord du grand peuple mohawk. »

Louis Jolicœur, directeur-adjoint de la Dominion, poursuit dans un mauvais anglais : « L'arrivée du pont dans la réserve signifie, ne le cachons pas, que nous allons devoir utiliser des terres qui seront perdues pour la culture, le bois ou la chasse. Pour cela, nous sommes prêts à vous dédommager au juste prix. Et nous pouvons vous assurer que, comme pour le pont Victoria en son temps, de nombreux braves de votre tribu seront employés et payés aux meilleurs tarifs en vigueur. »

Jules Laflèche, grosses moustaches blondes, cravate noire et chapeau derby sur les genoux, est le futur directeur du chantier. En 1858, il était apprenti sur le pont Victoria et se souvient des quelques mots de mohawk qu'il y a appris en surveillant sur la berge le transport des pierres taillées.

« J'étais un jeune homme, récemment arrivé d'Europe, quand j'ai commencé à travailler au Canada, sur le pont Victoria, dit-il. Pendant deux ans, j'ai construit les piles du pont avec des maçons venus d'Italie, d'Amérique et de toutes les provinces de l'est du Canada. Mais, sans le travail, le courage et la collaboration des membres de votre communauté, rien n'aurait été possible. Je me réjouis de notre future collaboration, car je suis sûr que vous comprendrez qu'aujourd'hui encore le grand peuple mohawk a tout à gagner dans la construction de ce nouveau pont. »

Il sort d'un rouleau cartonné des plans qui, étalés sur le bureau de John Farber, montrent un ouvrage majestueux, treillis de poutres d'acier sur des piles de pierre, avec deux arches plus larges en son centre pour le passage des gros navires.

« Nous prévoyons au moins trois ans de travaux, des centaines d'emplois pour vos hommes, dit Louis Jolicœur. Le budget est bouclé, le gouvernement canadien y participe largement. C'est un ouvrage crucial pour le développement de notre province, du pays. Nous avons besoin d'une réponse assez rapide, vous vous en doutez… »

Le chef tourne autour de la table, approche le plan de ses yeux, le repose, passe un doigt sur la rive droite où sont dessinées les premières maisons de la réserve.

« Messieurs, j'ai compris le projet. J'y suis favorable. Les ponts sur le Saint-Laurent représentent l'avenir. Ils vont transformer la vie des Mohawks de Kahnawake. Il serait fou de s'y opposer et il est sage d'en tirer profit. Accompagner cette évolution, ne pas attendre qu'elle nous emporte. Mais je dois consulter le Conseil ; j'en suis le chef, mais j'ai des comptes à rendre. Nous allons nous réunir, pourriez-vous envoyer quelqu'un pour paraître devant les anciens et répondre à leurs questions ? Rapidement, je vous ferai savoir quand.

– Bien entendu, répond Jolicœur. M. Ruppert est à votre disposition. Nos bureaux sont à Montréal, il peut revenir et rencontrer les membres de votre Conseil quand bon vous semblera. Nous pouvons vous laisser un plan et un croquis du pont, avec l'emplacement auquel nous pensons pour son emprise sur vos terres. Faites savoir aux anciens que, dans une certaine mesure, cela peut être modifié en tenant compte de leurs remarques et suggestions. Ce remarquable projet ne peut voir le jour sans votre soutien et votre approbation. Nous ferons tout ce que vous jugerez nécessaire pour les obtenir. »

Les trois Blancs se lèvent, roulent les plans et les replacent dans le tube de carton, serrent en souriant la main du chef indien, coiffent leurs chapeaux, saluent à la ronde et remontent dans la voiture à cheval qui attendait devant la maison commune pour les ramener à l'embarcadère.

Sur le seuil, John Farber les regarde s'éloigner, puis demande à Lucy, sa collaboratrice, d'envoyer des émissaires dans la réserve pour demander aux membres du Conseil des anciens de le retrouver, le soir même, dans la longue maison. Peu après, de jeunes garçons partent en courant, des lettres à la main, vers la Grand'Rue.

À la tombée du jour, un feu de charme et de bouleau brûle dans la cheminée. Il fait à peine frais, ce soir, et sa chaleur n'est pas nécessaire mais nul ne peut imaginer une réunion du Conseil devant un âtre éteint. Neuf hommes et quatre femmes – le plus jeune a quarante-cinq ans – sont assis en cercle sur de grands fauteuils de bois. Élus par les leurs, ils représentent les trois clans de Kahnawake : le clan de l'Ours, celui de la Tortue et celui du Loup. Le croquis passe de mains en mains. John Farber commente son emplacement, l'emprise qu'il aura sur les terres de la réserve, les perspectives d'embauche, les salaires pour les hommes du village et les compensations que la tribu peut en espérer.

« Il y a bien longtemps, j'ai livré pendant plus d'une année des poutres pour la construction du pont Victoria. C'était un bon travail et une bonne paie mais, cette fois, ce sont nos bateaux que ce pont va rendre inutiles, dit l'un des anciens. Si les marchandises et les passagers traversent directement le Grand Fleuve et ne s'arrêtent plus chez nous, que vont devenir les pilotes, les équipages, les hommes de peine ?

– Oui, bien sûr, répond le chef, mais pensez-vous que, si nous leur refusons le droit de faire arriver le nouveau pont sur nos terres, les Blancs renonceront à leur projet ? Non. Ils le déplaceront, le construiront en aval, à Sainte-Catherine ou ailleurs, et nous aurons tout perdu. Dans les années qui viennent, les chemins de fer franchiront le Saint-Laurent, soyez-en sûrs, et en plusieurs endroits. Puis ce seront les routes. Vous avez vu passer ces voitures à moteur, sans chevaux, qui crachent leurs fumées sur la route de Chateaugay… Il y en aura chaque année davantage. Nous ne vivons plus de la chasse et du transport des fourrures pour les Français. Les troncs d'arbres vont bientôt descendre vers Québec sur des wagons et non plus sur le fleuve. Je pense que nous devons accepter ce pont et tenter d'en tirer le meilleur parti, comme nos ancêtres l'ont fait en commerçant avec les premiers Blancs venus d'Europe plutôt que de les combattre. Faute de quoi nous serons balayés, nos réserves transformées en mouroirs comme c'est le cas, vous le savez tous, dans l'Ouest des États-Unis. L'ingénieur anglais qui a dessiné les plans propose de rencontrer le conseil. Qu'en dites-vous ?»

Quatre jours plus tard, c'est à la mi-journée que James Ruppert accoste à Kahnawake. Accompagné d'un interprète, il arrive peu après à la maison commune, où les membres du Conseil sont réunis autour d'une table dans la grande salle. L'ingénieur ôte son chapeau, hésite, ne sait s'il doit faire le tour et serrer les mains ou attendre qu'on lui désigne une chaise. Son arrivée a été accueillie par un murmure qu'il devine même s'il ne comprend pas un mot de mohawk, désapprobateur.

« Que se passe-t-il ? », demande-t-il après deux interminables minutes de silence à Denis, son interprète, un métis qui, né dans la réserve d'une mère mohawk il y a plus de trente ans, l'a quittée enfant et a toujours vécu à Montréal dans la famille de son père anglophone.

« Je ne sais pas, pas encore… Attendez. »

Après quelques échanges, il se tourne en souriant vers l'ingénieur.

« C'est-à-dire, monsieur, que… comment dire… certains membres du conseil trouvent que vous êtes un peu jeune pour venir traiter avec eux d'un projet aussi important. Ils craignent que les vrais responsables du pont, les seniors, en quelque sorte, soient restés à Montréal et n'aient pas jugé nécessaire de se déplacer pour parler à des Indiens. Ici, l'âge et l'expérience ont plus d'importance qu'à Montréal. Certains estiment même que c'est presque un affront. Excusez-moi, monsieur, de poser cette question, mais quel âge avez-vous ? »

Réprimant un sourire, James Ruppert tourne la tête d'un côté, de l'autre :

« Veuillez, je vous prie, faire remarquer aux honorables membres du Conseil que j'ai les tempes grises. J'ai quarante-deux ans, bientôt quarante-trois. J'ai en Angleterre deux enfants, et un troisième va naître bientôt.

J'ai dessiné au pays de Galles un pont dont l'architecture est admirée dans le monde entier ; j'ai refusé des propositions alléchantes en Australie pour venir dans votre grand pays où tant d'ouvrages d'art restent à construire. Je vous prie d'assurer les membres de cette assemblée que je suis digne de leur confiance, et que c'est parce que je suis l'auteur des plans posés sur cette table que les chefs de Dominion Bridge Company m'ont envoyé ici, estimant que je suis le mieux placé pour présenter notre projet. Loin d'être un affront, ils peuvent considérer ma présence comme un honneur, qui n'est pas accordé à tous nos interlocuteurs. »

L'ingénieur croise les bras, fronce les sourcils, se relève contre le dossier de son fauteuil, cherchant à croiser le regard des plus anciens. La traduction de la tirade est accompagnée de signes de tête de haut en bas et de murmures approbateurs. Une première question est posée : quelle surface de terre le pont pourrait-il occuper dans la réserve ? Puis : comment sera-t-il relié à la gare de Kahnawake ? Qu'en est-il des terres sur lesquelles pourrait passer la voie ferrée ? Comment seront calculées les indemnisations ?

Quand les membres du Conseil demandent combien d'hommes pourraient être embauchés, pour quelles tâches, pour combien de temps et à quel tarif, l'ingénieur comprend que la partie est gagnée. Deux membres du Conseil gardent jusqu'à la fin un visage fermé, mais les autres approuvent, se passant les plans, évoquant la façon de désigner équitablement dans la communauté qui serait embauché, ou l'utilisation qui pourrait être faite de la somme octroyée à la tribu. Après avoir respectueusement serré les mains des anciens, sans signer le moindre document, James Ruppert repart peu après en canoë vers Montréal, porteur de bonnes nouvelles.

Début août, les travaux commencent. D'abord sur la rive gauche, près du village de Lachine, des dizaines de maçons venus de tout le pays, d'Amérique et d'Europe, commencent à édifier, avec les pierres taillées à Kahnawake et dans deux autres carrières, plus bas sur le fleuve, les piles monumentales. Il faut faire vite, l'hiver approche. Une quarantaine de Mohawks, certains venus d'autres réserves, découpent dans la carrière les blocs de rochers, autant sont employés à les transporter sur des barges de l'autre côté. À la fin de l'automne, les deux premiers éperons de pierre fendent le courant. Vers la mi-décembre, le fleuve commence à charrier des blocs de glace. La navigation devient difficile et, à la fin du mois, le Saint-Laurent s'immobilise sous son masque blanc. Le froid est tel, avec des températures de moins trente degrés, qu'après Noël le chantier est interrompu. Il reprend fin février : la compagnie offre des primes aux courageux qui acceptent de maçonner les blocs de pierre dans ces conditions. Malgré les gants de laine sous ceux de cuir, les doigts gèlent, les visages se couvrent d'engelures, les lèvres se fendent, les orteils sont douloureux dans les bottes. Des braseros dans des bidons de métal sont installés tous les vingt mètres, on s'y regroupe entre deux tâches pour se réchauffer. Dévalant le lit du fleuve, le vent venu des régions polaires transperce les couches de vêtements superposées comme un couteau.

Dans les habits de peau retournée, fourrure d'ours noir et cuir de daim, que lui ont cousus sa mère et ses tantes, Manish Rochelle est bien mieux équipé que les maçons qu'il regarde travailler. Tous les matins, au lever du soleil, le jeune homme enfile ses bottes de loutre, chausse ses raquettes de bois et de tendons de cerf et file, traversant le grand fleuve gelé en moins d'une demi-heure, vers le chantier du pont qui n'a pas encore été baptisé.

L'été dernier, malgré les réticences de son père qui souhaitait le faire engager, pour la saison estivale, comme matelot sur un vapeur, il a été l'un des premiers jeunes de Kahnawake à se porter volontaire pour transporter les pierres taillées. Il n'aime pas le travail dans la carrière, trop dur et salissant, et préfère livrer les matériaux sur le chantier, surtout pour vingt-cinq cents de l'heure. Dans la réserve, et même à Montréal, il n'aurait aucune chance, à dix-huit ans, de trouver un meilleur salaire. Les allers-retours entre les deux berges ont cessé avec l'hiver, mais Manish est là tous les matins à la reprise du travail. Il a compris que les maçons, contremaîtres et ingénieurs ont toujours besoin de main-d'œuvre pour porter des outils, préparer des emplacements, déplacer poutres et madriers, aller chercher sur la berge des équipements oubliés. Avec son ami Robert, dix-huit ans lui aussi, parce qu'il parle anglais et se débrouille en français, Manish s'est rendu indispensable. Un des contremaîtres, un Québécois dont les parents sont venus de France cinquante ans plus tôt, l'a adopté et se charge de persuader le chef de chantier que, même si les livraisons de pierres n'ont pas encore repris, il a besoin de ces deux jeunes Mohawks et qu'il faut les garder sur le registre de paie.

Fin mars, la débâcle s'annonce. La glace n'est plus assez sûre pour tenter la traversée en raquettes, mais les eaux ne sont pas encore assez libres pour sortir les canoës. Manish et Robert ne peuvent plus rejoindre la berge opposée, où l'édification des piliers de pierre avance à un bon rythme. Tous les ans à cette époque, Kahnawake est pendant quelques semaines coupé de Montréal.

Ils décident d'aller à la chasse : une semaine en forêt, vers le nord, le long du fleuve. Ils posent des collets, tirent à la carabine des perdrix blanches, tentent d'atteindre avec des flèches des lièvres des neiges sans y parvenir. Ils dorment dans des abris de chasse traditionnels, trois nuits blottis l'un contre l'autre sous la tente de peaux, comme quand ils étaient enfants. Cerfs, chevreuils, perdrix et renards laissent dans les immensités blanches des traces qu'ils lisent au premier regard. Mais surprendre les animaux dans le silence de l'hiver, avec le moindre bruit qui court et glisse sur la neige comme sur la surface de l'eau, est autrement plus difficile.

Quand ils rentrent au village, affamés, bredouilles ou presque, ils voient que quelque chose a changé sur le chantier. Il est trop loin, ils ne distinguent pas encore, mais il semble que, sur l'autre rive, des structures sont en train de s'élever sur les premiers piliers. Chaque jour ils descendent sur la berge, tâtent du pied la surface fondante, regardent dériver dans le courant les blocs qui s'émiettent au fur et à mesure que la température monte. Et un matin, malgré les admonestations de vieux pêcheurs assis sur le débarcadère qui les mettent en garde contre les dangers des blocs de glace dérivants, les deux garçons mettent à l'eau un canoë de bois et d'écorce de bouleau fabriqué par le père de Robert, constructeur d'embarcations réputées. Ils slaloment entre les glaces, font par endroits craquer la couche blanche avec les pagaies, glissent sur les rapides, remontent le courant.

« Mike ! Robert ! Par ici ! Hé ho ! » Debout sur la poutre de fer qui relie les deux premiers piliers de pierre, Charles Dubois, le contremaître français, a enlevé sa casquette et s'en sert comme d'un fanion pour attirer l'attention des deux rameurs. Il les a vus approcher de loin, intrigué par ce premier canoë de l'année.

La glace étant encore trop épaisse aux abords du chantier, ils se laissent dériver sur deux cents mètres et accostent en aval. Après dix minutes de marche sur la berge, où la boue remplace peu à peu la neige, ils sont au pied d'une des piles du pont. « Attendez, j'arrive, leur crie Dubois en descendant le long de l'échafaudage de rondins.

« Bonjour, les gars, je suis content de vous voir. Si vous avez traversé, ça veut dire que les livraisons de pierres vont bientôt pouvoir reprendre. Il est temps, nous n'avons plus rien de ce côté, pas moyen de se faire livrer. Vous voulez bien aller voir monsieur Farber aujourd'hui et lui demander quand il pense pouvoir recommencer à nous ravitailler ? La carrière fonctionne ? Nous manquons aussi de troncs. »

Au-dessus de leurs têtes, une dizaine d'ouvriers, en équilibre sur les structures métalliques ou installés sur des plateformes de bois provisoires, fixent les unes aux autres les poutres et les longerons de fer. Puis ils font pénétrer en force, à coups de masses, des rivets chauffés au rouge dans les trous prévus sur les pièces de métal.

« Vous voyez, dit Dubois, nous avons commencé l'assemblage des charpentes métalliques. Ça, au moins, nous n'en manquons pas. La fonderie est de ce côté, à cinq kilomètres. »

Une grue de bois appelée derrick a été construite sur la berge. Quatre chevaux de trait attelés à un système de cordes et de poulies soulèvent et font monter dans les airs les poutrelles de métal noir, que les ouvriers attrapent, mettent en place et fixent. De petits braseros au charbon de bois, installés en hauteur sur les plateformes, fument dans le ciel bleu dur.

« Chef, demande Manish, pourquoi font-ils du feu là-haut ? Pour se réchauffer ?

– Non, les pièces de fer sont fixées entre elles par des rivets qui doivent entrer dans des trous prévus à la fonderie, alors il faut chauffer ces rivets au rouge pour les rendre malléables et leur permettre de pénétrer en force dans les trous. Une fois en place ils refroidissent, rendant la fixation très solide. On ne fait rien de mieux. Cette technique va être utilisée l'an prochain pour construire une tour de fer de trois cents mètres de haut en France, au centre de Paris d'après ce que j'ai lu dans un journal. Vous pouvez monter voir, si vous voulez… »

Charles Dubois les accompagne jusqu'à l'échafaudage, explique aux charpentiers interloqués que ces Indiens en peaux de bête ont l'autorisation d'escalader les rondins pour monter au sommet des piles de pierre. En dix secondes, les Mohawks ont bondi le long des poutres, escaladé des poutrelles et se tiennent sur le faîte d'un des deux éperons de pierres taillées. Six ouvriers occupés à fixer une poutre de fer perpendiculairement à une autre les remarquent à peine. Avec un soufflet, un apprenti fait rougeoyer le charbon de bois dans la petite forge portative. Fourmillant dans les braises, un petit homme brun au visage noirci attrape avec des pinces à long manche un rivet, l'observe, le retourne, le repose là où les braises sont les plus chaudes, en saisit un autre qui lui semble à point : d'un geste sec et précis, il le lance à un ouvrier debout en équilibre à l'intersection de deux poutres, à trois mètres de lui. Celui-ci l'attrape au vol grâce à un cône de métal qui lui enserre la main droite, le fait glisser, le saisit avec une pince et le met en place devant le trou. Aussitôt, un colosse à la tignasse blonde tombant sur les épaules, moustache de Viking, mains de géant, bras épais comme des jambes, lève sa masse de six kilos et frappe d'un coup sec la tête du rivet, qui s'enfonce et pénètre à moitié dans l'orifice. Trois autres coups et seule la tête dépasse, qu'il mate ensuite avec le marteau qui pend à sa ceinture. Le rouge vif de la tête du rivet commence à virer à l'orange.

« Qu'est-ce qu'ils foutent là, les deux sauvages ? », demande-t-il en français avec un fort accent québécois. Comme personne ne répond et que les adolescents regardent leurs pieds, il leur fait signe de déguerpir. Manish et Robert descendent et passent le reste de l'après-midi sur la berge, à observer le ballet des riveteurs. Dès que deux poutres sont fixées entre elles, les ouvriers marchent dessus comme des funambules, d'un pas souple et rapide. Cela leur rappelle la façon dont leurs pères, oncles et cousins circulent avec grâce sur les charpentes de bois, le faîte des longues maisons, quand la tribu se réunit pour en construire une nouvelle.

Ils s'émerveillent aussi de l'adresse du lanceur et du receveur, lors des lancers de rivets. Comme dans les parties de lacrosse, ce jeu indien ancestral, souvent brutal, où deux équipes se passent et se disputent la balle en l'attrapant avec de petits filets fixés au bout de longues crosses. Les deux adolescents sont parmi les meilleurs joueurs de Kahnawake.

« La plupart de ces gars, là-haut, sont d'anciens marins venus de la côte ou d'Europe, des Bretons, des Basques, des Nordiques, dit Charles Dubois. Ils ont l'habitude de travailler en hauteur, dans les mâts et les cordages. Mais pas tous, on a quelques Montréalais qui se débrouillent bien. Bon, ma journée est finie. Passez mon message à la carrière, surveillons ce damné fleuve en espérant qu'il dégèle au plus vite. Faites attention en retraversant. À bientôt. »

Les jours suivants, Manish et Robert, parfois accompagnés d'autres jeunes de la tribu, reviennent, dès que le Saint-Laurent le permet, sur la rive gauche observer l'avancée des travaux et les évolutions des charpentiers du fer. Quand la glace a suffisamment fondu, avant même que les navettes de barges chargées de pierres taillées puissent reprendre, ils sont réembauchés comme manœuvres, pour pousser des brouettes, porter des outils, apporter le ravitaillement, aider à déplacer les poutres métalliques avec des treuils.

« J'ai parlé avec un des riveteurs, dit Manish un matin ; ils sont payés cinquante cents de l'heure ; c'est la meilleure paie de tout le chantier en dehors des contremaîtres. Il m'a dit qu'un de ses cousins est venu de Chicago. Comme il ne connaissait rien, il lui a montré comment faire et, en quelques jours, il est arrivé à se débrouiller… »

Deux semaines plus tard, les blocs de pierres taillées qui s'entassaient sur la berge, côté Kahnawake, peuvent à nouveau être chargés sur les barges. Le Saint-Laurent charrie encore des blocs de glace mais, en slalomant, la navigation redevient possible. Pour les hommes de la réserve, c'est le retour sur le chantier, les trajets en bateaux entre la carrière et la berge. Les éperons de pierre vont bientôt être terminés sur la rive droite. Les charpentes métalliques avancent, surmontant les flots.

Comme Manish et Robert, ils sont plusieurs à ne pas quitter les riveteurs des yeux. Prévenus par les deux jeunes hommes, les meilleurs charpentiers de la réserve, les bâtisseurs de longues maisons, même ceux qui ne travaillent pas pour la Dominion Bridge Company, viennent en canoë observer leur ballet. Ils saluent les lancers de rivets, admirent la dextérité des ouvriers, leur assurance au-dessus du vide, cherchent à comprendre comment fonctionnent ces nouveaux marteaux pneumatiques qui viennent d'être livrés et remplaceront la masse pour faire entrer en force dans leur logement les rivets rougis dans un vacarme assourdissant.

En progressant au-dessus de l'eau, les monteurs d'acier ont besoin de davantage d'assistance, les apprentis ne suffisent plus. Il faut les ravitailler en rivets, en eau, en bière, en outils. Le chef de chantier n'a pas le temps de chercher que Manish, Robert et deux autres Mohawks plus âgés se portent volontaires. La paie n'est pas meilleure que sur les barges, mais ils sont sur le pont. Chez les riveteurs, l'accueil est d'abord assez froid. Ces Indiens, parlent-ils français, anglais ? Peut-on leur faire confiance ? Charles Dubois se porte garant : « S'ils ne sont pas à la hauteur, je vous promets d'aller chercher des gars à Montréal. Donnez-leur une chance. C'est pratique : ils habitent juste en face, ils connaissent le fleuve et le coin comme leur poche. »

Il propose aux nouveaux venus de leur procurer, en avançant l'argent qui sera retenu sur leur paie, des brodequins de cuir comme ceux que tout le monde porte sur le chantier. « Chef, si vous le voulez bien, nous allons garder nos mocassins, dit Manish. Nous avons l'habitude. S'ils ne font pas l'affaire, nous pourrons toujours en changer. »

Le premier matin, il est décidé que les apprentis ne quitteront plus désormais les plateformes de bois, dans les hauteurs, et se concentreront sur les braseros, qu'ils devront alimenter et ventiler en permanence. Les Indiens sont désormais chargés d'apporter les rivets ainsi que les outils dont les charpentiers pourraient avoir besoin. Au sol, Robert emplit un bac de vingt kilos de rivets. Sur la structure, Manish tire sur la corde reliée à une poulie, récupère le chargement, qu'il répartit dans deux seaux. Un dans chaque main pour l'équilibre, il avance sur la poutre. Les pieds vers l'extérieur, bien au contact du métal, il marche d'un pas souple et rapide, le regard loin devant, dos droit. Il sait que tout le monde l'observe. En quelques secondes il a gagné la plateforme, versé les rivets dans une boîte de fer, récupéré deux bouteilles d'eau qu'il va envoyer en bas pour les remplir. Ce n'est pas plus difficile, et même plus facile, que de franchir sur des troncs d'arbres rivières et ruisseaux dans les Adirondacks lors des parties de chasse. Et pendant la construction d'une longue maison, les madriers du sommet, sur lesquels il faut se déplacer toute la journée, sont plus étroits et moins réguliers sous le pied que ces poutres de fer.

Les quatre Indiens semblent aussi à l'aise sur les structures que les ouvriers les plus expérimentés. Ils sont rapides, sûrs, infatigables, ne laissent rien tomber. Charles Dubois les regarde en souriant : « Tu as vu ? Ces

Mohawks sont agiles comme des chèvres des montagnes, dit-il un soir au chef de chantier. Je m'en doutais. »

Les relations avec les francophones et les anglophones s'améliorent. On échange de la bière montréalaise contre des pains de maïs. Un matin, l'un des apprentis n'arrive pas, malade ou parti pour d'autres cieux. Le chef riveteur demande à Manish de prendre le soufflet et de veiller sur les braises. « Tu gardes ce côté-là, à droite, bien rouge, et un petit stock de charbon prêt à l'emploi sur la gauche. Pas compliqué. Ne touche pas aux rivets, je m'en occupe. »

À la fin de la semaine, sa paie a presque doublé. « Normal, mon gars, lui dit, dans la cabane en rondins de l'administration, le comptable en manches de lustrine poussant vers lui un petit tas de pièces, Dubois m'a prévenu que désormais tu étais apprenti riveteur. »

Quand les poutres de métal commencent à être assemblées sur la rive droite, près de Kahnawake, une dizaine d'adolescents attendent tous les soirs la tombée du jour et le départ des ouvriers pour grimper sur les structures et se lancer des défis. Qui traversera le plus vite, qui montera le plus haut, qui sautera d'une travée à l'autre au-dessus des eaux noires du fleuve. Certains, pris de vertige avant le premier pas, redescendent vite sous les quolibets de leurs camarades. D'autres n'en mènent pas large mais refusent de le montrer et, sourire aux lèvres, enchaînent les épreuves. D'autres encore, les plus téméraires, semblent ignorer le danger et courent d'un bord à l'autre, aussi à l'aise que s'ils étaient sur la terre ferme. Parfois, un gardien tente de les dissuader en criant mais ne se risque pas à les poursuivre.

Un matin de mai, une délégation de la Dominion accoste dans la réserve. Les piles en pierre sont terminées. James Ruppert et Louis Jolicœur viennent régler les dernières factures de la carrière, remercier ses propriétaires et veiller à ce que tout se passe bien avec les

Mohawks de Kahnawake. Dans la maison commune, le Conseil des anciens est presque au complet. Jolicœur a apporté, emballé dans du papier brun, un dessin d'ingénieur de la coupe du pont avec toutes les mesures, long d'un mètre cinquante et encadré par des baguettes de merisier.

John Farber a fait confectionner par les doigts d'or de la tribu une ceinture traditionnelle de perles et de coquillages, appelée *wampum*, sur laquelle est dessiné le profil stylisé de l'ouvrage avec, d'un côté, les maisons de Kahnawake et, de l'autre, les premiers immeubles de Montréal. « Depuis toujours, nous, Iroquois, marquons les grands événements, les traités, les accords politiques et commerciaux avec les autres peuples par la confection de ceintures de wampum, dit le Grand Chef. Recevez celle-ci, qui marquera la naissance du grand pont de chemin de fer sur le Saint-Laurent, auquel nos hommes participent. »

Un repas de fête a été préparé, le calumet passe de mains en mains. Comme les visiteurs s'apprêtent à partir, un homme s'approche de John Farber et lui murmure quelques phrases à l'oreille. Il se tourne alors vers l'ingénieur et le directeur-adjoint : « Messieurs, j'ai autre chose à vous demander. Je sais que certains de nos jeunes ont commencé à travailler, sur le pont, aux côtés de vos hommes qui fixent le fer. Nous avons à Kahnawake les meilleurs charpentiers de la région, ils sont si renommés que, parfois, d'autres nations iroquoises nous demandent leur aide pour l'édification de maisons aux structures complexes. Nos hommes voudraient apprendre votre art d'assembler le fer avec des clous brûlants. Pouvez-vous en former quelques-uns ? S'ils ne vous donnent pas satisfaction ou s'ils posent des problèmes, vous pourrez m'en parler. Mais je réponds d'eux.

– Grand Chef, lui répond Louis Jolicœur, je dois en référer à la direction de ma compagnie. Mais je ne vois pas pourquoi ça ne pourrait pas se faire. Nous attendons des équipes de monteurs d'acier qui devaient venir de Boston et qui, nous ne savons pourquoi, n'arrivent pas. Nous prenons du retard. En attendant leur arrivée, je vais proposer que dix de vos braves soient formés par nos hommes. D'abord comme apprentis, nous verrons comment ils s'en sortent, puis comme riveteurs s'ils en sont capables. S'ils sont à la hauteur de la tâche, ce sera bénéfique pour nous comme pour vous. »

6
New York City

mars 1970

Un matin, dans un brouillard glacé de fin d'hiver, l'acier n'arrive plus. Au pied de la tour Nord, en arrivant à six heures trente, Jack LaLiberté et son équipe ne voient sur la zone de réception que deux camions-plateaux quand il devrait y en avoir une dizaine. D'habitude, les grosses poutres arrivent avant l'aube, déchargées de barges poussées par des remorqueurs depuis la rive du New Jersey. Aujourd'hui, il n'y a sur place que quelques éléments, à peine de quoi entamer la journée de travail.

Bill Kelly, le chef de chantier, marche à grands pas devant le portail, enlève son casque, le jette au sol, braille dans son talkie-walkie. « Comment ça, en grève ? Vous vous foutez de moi ? Depuis quand ? Pourquoi ? Non mais, c'est pas vrai ! Ça va durer combien de temps ? Je n'ai même pas de quoi faire tourner mes gars jusqu'à ce soir, moi, ici ! Avec leur flux tendu à la con, ils m'interdisent de faire des stocks. Pas la place, qu'ils disent. Alors si ça ne se règle pas dans la journée, demain, c'est le chômage technique. Putain de marins ! »

Après des semaines de négociations et deux jours de préavis, les pilotes des remorqueurs du port de New York ont cessé le travail, réclamant des hausses de salaires et une meilleure couverture maladie. Si quelques pièces peuvent entrer, de nuit, dans Manhattan en empruntant le tunnel Holland, les plus gros éléments sont interdits de circulation sur l'île et doivent traverser l'Hudson sur des barges qui accostent au quai 13, tout près du chantier. Plus de remorqueurs, plus de barges. Le chantier du World Trade Center risque la paralysie dans quelques heures.

« Red Hair » Kelly s'enferme dans sa baraque, éructe au téléphone pendant que les grues soulèvent dans l'air froid les dernières poutres et les morceaux de plancher préfabriqués disponibles. Au trentième étage, la bise venue du Canada par la vallée de l'Hudson glace les os, rougit les oreilles des rares étourdis sans bonnets. Même si, à l'intérieur de la structure, ils sont plus abrités du vent que sur un chantier ordinaire, les *ironworkers* redoutent les températures négatives. Ils ne sont pas frileux, peuvent travailler douze mois sur douze tant qu'il ne pleut pas, mais ils savent que cela rend l'acier glissant et dangereux. Avant midi, quelques poutres ont été mises en place, puis, plus rien ne monte. Jack descend aux nouvelles.

« Bon, tout va mal, dit Kelly. Ces salauds de pilotes n'en démordent pas, et les compagnies de transport ne veulent rien lâcher. C'est parti pour durer. Vous allez donner un coup de main aux soudeurs, aider à terminer les planchers. Il y en a pour deux ou trois jours, après, on verra. Je vais appeler Malcolm Levy à la Port Authority, voir s'il peut intervenir auprès de la mairie ou de la direction du port. Mais je n'y crois pas trop. La dernière fois, il y a dix ans ou presque, ça avait duré trois semaines. Putain de ville ! »

Levy, chef du projet à la P.A., rappelle le lendemain. « Tout est bloqué. Ça couvait dans le port depuis des mois et, là, ça a éclaté. Mais toi, Bill, tu es responsable de la construction de ces tours, alors fais quelque chose ! La mairie n'y peut rien, ce n'est pas de son ressort, et les bateaux ne sont pas près de naviguer. Mais il n'est pas question que ce chantier s'arrête. Trouve une solution, c'est ton boulot.

– Comment ça, c'est mon boulot ? Tu me prends pour qui ? Dieu ? Un magicien ? Je les fais venir comment moi, ces putains de poutres ? Je te rappelle que, quand j'ai insisté pour avoir un lieu de stockage près du chantier, tu m'as envoyé paître, toi et tes crânes d'œuf du bureau d'études ! »

Un matin, à leur arrivée sur le chantier, les charpentiers de l'acier sont priés de rentrer chez eux. Plus rien à faire, tout est arrêté, chômage technique. Comme tous les Mohawks, Jack se dit qu'il remonterait bien dans la réserve, mais le représentant du syndicat le lui déconseille, estimant que tout peut reprendre très vite et qu'il vaut mieux ne pas s'éloigner.

Debout sur la berge de l'Hudson, « Red Hair » Kelly observe l'autre rive. Carteret, New Jersey, les entrepôts, les aires de stockage de la Koch Erecting Company sont là, de l'autre côté, à vingt kilomètres à vol d'oiseau.

« À vol d'oiseau… » Il revient en courant dans son bureau, attrape l'annuaire du Connecticut et appelle la United Aircraft à Stratford. Son ex-beau-frère, mécanicien d'aviation, y travaille depuis quinze ans, il sait ce dont ils sont capables.

« Bonjour, c'est le chantier du World Trade Center, à New York. Vous savez, les nouvelles tours géantes à la pointe de Manhattan. Dites-moi, vous auriez un gros hélico, vous savez, ce genre d'engin qu'on appelle grue du ciel ?

– Le Sikorsky S-64 Skycrane, oui, on en a un. Un seul. Il est à Saint-Louis pour le moment. Mais je peux vous l'envoyer.

– Il peut soulever quelle charge ?

– Dix tonnes, douze dans certaines conditions.

– OK, mettez-moi une option dessus, je vous rappelle dans l'heure. »

Le téléphone sonne dans le bureau de Malcolm Levy.

« Malcolm, c'est Kelly. J'ai trouvé. Nous allons alimenter le chantier par hélicoptère.

– Bill, ça va pas ! Survoler la ville avec des poutres géantes accrochées sous un hélico ? Tu es saoul ou quoi ? Tu n'auras pas le début d'une autorisation pour faire un truc pareil. Et tu imagines le prix ! Tu rêves ! C'est impossible !

– Trop tard, c'est fait. Tu m'as dit de faire quelque chose pour faire avancer le chantier, que c'était mon boulot, non ? Alors débrouille-toi pour trouver le fric et me couvrir côté officiel. Les poutres vont voler du New Jersey jusqu'à nous… »

Trois jours après, le mastodonte du ciel, huit tonnes peintes en rouge, un rotor géant à six branches, se pose sur un quai de l'Hudson River. Le pilote, un Canadien de Vancouver, est plutôt spécialisé dans les feux de forêts. Mais livrer des morceaux de gratte-ciel au-dessus de Manhattan, personne ne l'a jamais fait, ça l'amuse et c'est bien payé. Un matin, à l'aube, il décolle pour Carteret. Huit minutes de vol et il se pose sur la zone de stockage, repère les lieux, inspecte les charges, remonte, s'immobilise en vol stationnaire trente mètres au-dessus des poutres. Son copilote dirige la manœuvre depuis le sol, hurlant dans la radio, luttant pour rester debout dans la bourrasque soulevée par les pales. En moins d'une heure, le premier élément du plancher de sept tonnes est arrimé. Au bout du câble, ils ont placé un mousqueton à commande automatique pour pouvoir larguer la charge en cas de problème.

L'hélicoptère décolle, le câble se tend, la pièce se soulève du sol. Vol stationnaire, elle se stabilise. Le Sikorsky pique du nez vers le nord et la statue de la Liberté. Au début, tout se passe bien. Le plus lentement possible, l'appareil survole des zones industrielles, mais, arrivé au-dessus de l'eau, sur le détroit de Kill van Kull qui sépare le New Jersey de Staten Island, une bourrasque venue du large lui donne comme une gifle. L'élément de plancher commence à tourner sur lui-même, puis, entraîné par son poids, à tournoyer de plus en plus vite au bout du câble qui se torsade. Le pilote comprend que sa vie et celle de l'équipage sont en jeu : dans quelques secondes, la charge deviendra incontrôlable et l'entraînera en spirale vers les flots. Il tente une dernière manœuvre qui échoue. Aucun bateau en vue, il déclenche le mécanisme d'urgence. L'appareil fait un bond en hauteur, la pièce de métal tournoie et s'abîme dans les eaux du port, soulevant une gerbe d'écume. Dans sa cabine, le capitaine d'un remorqueur croisant non loin de là actionne sa corne de brume, regarde, sans comprendre ce qu'il vient de voir, l'hélicoptère virer vers Manhattan.

Sur le quai, Bill Kelly s'impatiente. Il aperçoit le point dans le ciel grossir au-dessus de l'Hudson, rien ne pend dessous. Il crie dans la radio : « Que s'est-il passé ? Où est l'acier ?

– OK, OK, j'arrive. Je me pose et je vous explique. »

La grue du ciel se pose sur le quai, le pilote en descend, enlève son casque. Kelly fulmine, le foudroie du regard. « La pièce s'est mise en vrille, il n'y avait rien à faire. Nous avons dû la larguer, nous allions tomber. Nous étions au-dessus de l'eau, pas de dégâts. Je crois que personne ne nous a vus. Je ne pense pas qu'on puisse transporter vos pièces par les airs : la prise au vent est trop grande, surtout au-dessus de l'eau ; c'est impossible à stabiliser. Je m'en doutais, mais je voulais tenter le coup. Désolé, c'est trop dangereux. »

Dans les commissariats et chez les pompiers de Bayonne, New Jersey et de Staten Island, les téléphones sonnent : des dizaines de témoins, pêcheurs, automobilistes ou promeneurs ont vu la pièce plonger dans l'océan. La presse est prévenue : « Un hélicoptère lâche sept tonnes d'acier dans le Kill van Kull», titre le *Staten Island Advance*.

Il faudra quelques jours pour identifier l'appareil, remonter jusqu'à l'Autorité portuaire et son chantier des tours géantes. Les garde-côtes envoient une vedette. Les plongeurs estiment que l'élément de plancher, qui s'est enfoncé dans la vase, ne représente pas un danger pour la navigation et peut rester là où il a sombré. Il y est toujours.

Pour être payés, les *ironworkers* sont tenus de se présenter tous les matins à l'heure habituelle. Les premiers jours, les contremaîtres leur assignent des tâches subalternes qu'ils effectuent en grommelant : aider les soudeurs, renforcer les structures existantes, ranger les matériaux… Mais aujourd'hui, à la pause-déjeuner, on leur dit de rentrer chez eux, qu'il n'y a plus rien à faire, et qu'ils toucheront une demi-paie.

Jack LaLiberté flâne pendant une heure à la pointe de Manhattan, regarde les touristes se presser sur le quai d'embarquement des ferries pour la visite de la statue de la Liberté, puis reprend le métro pour Bay Ridge. Il pousse la porte de Denny's et s'accoude au comptoir. Une serveuse lui sourit, étonnée. « Dis donc, Jack, tu ne bosses pas aujourd'hui ? On n'a pas l'habitude de te voir à cette heure…

– Chômage technique, ma belle. La grève des pilotes de remorqueurs empêche l'arrivée de l'acier pour les tours. Tu verrais les boss, ils en deviennent dingues. Et nous aussi, on est payés à moitié et, demain, plus du tout. Ces salauds de marins nous mettent sur la paille ! »

Deux hommes bruns, la cinquantaine bedonnante, cous de taureaux, tatouage des teamsters (syndicat des routiers) sur l'avant-bras, sont assis au bout du bar. Ils se regardent, lèvent les sourcils. L'un d'eux, celui à la moustache, quitte son tabouret et s'approche de Jack.

« Excusez-moi monsieur, nous avons entendu ce que vous venez de dire. Vous travaillez sur les tours jumelles ? Ils ne peuvent pas le livrer par la route, leur acier ? demande-t-il avec un accent de Brooklyn à couper au couteau.

– Ils peuvent, mais seulement les petites pièces. Ils disent que les poutres maîtresses et les éléments préfabriqués de la structure extérieure sont trop volumineux pour passer dans les tunnels ou sur les ponts. Que les camions ne tournent pas. Alors tout est arrêté.

– Mon frère et moi, nous sommes dans le transport. Ferrari, sur Atlantic Avenue. Le point de départ, c'est bien le New Jersey ?

– Yep, Carteret.

– J'ai peut-être une idée. Nous avons des amis qui pourraient vous aider. Vous savez à qui nous pouvons nous adresser ?

– Appelez le chef de chantier, Bill Kelly. Je dois avoir son numéro quelque part, attendez. Si vous pouvez faire ça, vous rendriez service à pas mal de monde… »

Le lendemain, le téléphone sonne de bonne heure dans la baraque de « Red Hair » Kelly. « Vous êtes bien gentil, monsieur Ferrari, mais les plus grosses boîtes de transport de New York affirment que ce n'est pas possible. Vous croyez que je ne les ai pas appelées ? Alors, s'il vous plaît, ne me faites pas perdre mon temps. J'ai beaucoup de travail, là… »

– Écoutez, mon ami. Je vous assure que j'ai une solution pour vous, faites-moi confiance, vous auriez tort de refuser. Voilà ce que je vous propose : vous me payez mille dollars par chargement livré au Trade Center. Si l'acier n'est pas sur place à cinq heures du matin, vous ne me devez rien. Qu'est-ce que vous risquez ?

– Mais comment ?…

– Ne posez pas de question sur les quoi et les par où ? C'est mon problème. Nous livrons votre acier avant le lever du jour et le chantier repart, c'est tout. Vous avez vos pièces, nous sommes payés, tout le monde est content. Nous pouvons commencer après-demain. OK ? »

Cinq secondes de blanc sur la ligne, puis Kelly répond : « Après-demain matin, ça marche. On fait un essai. Vous m'apportez cinq camions avant l'aube et le contrat est à vous. Cinq mille dollars. Je vous donne l'adresse dans le New Jersey, vous avez de quoi noter ? »

La nuit suivante, vers deux heures du matin, six pickups, des Ford F150 et Chevy Silverado, avec trois gars dans chaque cabine, se garent devant l'entrepôt de la Koch Erecting Company à Carteret. Derrière eux, cinq semi-remorques à plateaux, les plus gros du marché. Pas de sigle sur les portières. Palabre au poste de sécurité, le portail s'ouvre. Les voitures restent dehors, les hommes attendent en petits groupes, cigarettes aux lèvres ou mains dans les poches. Les poids-lourds entrent. Deux poutres sont chargées sur chaque remorque. Les références, qui indiquent l'emplacement dans les tours et le numéro de la grue qui devra les soulever, sont marquées au pochoir à la peinture blanche. Les chauffeurs ne parlent à personne, immobiles derrière leurs volants et leurs lunettes de soleil.

« C'est qui, ces gars ? Pourquoi on ne les a jamais vus ? demande un chef d'équipe. Tu peux me dire par où ils comptent entrer dans Manhattan ? Et pourquoi ils ont fait tout ce cirque avec l'hélicoptère s'il suffisait de faire venir des camions ? J'y comprends rien, à leurs salades… »

Le convoi se met en marche à petite vitesse, gyrophares dans la nuit, quatre pickups devant, deux derrière. Il passe sur le pont Goethals et entre dans New York par Staten Island. À la sortie du pont de Verrazano, l'entrée dans Brooklyn, quatre motards de la police ouvrent la voie, gyrophares bleus. Les rares automobilistes circulant sur la voie express au cœur de la nuit sont priés de se garer sur le bas-côté pour laisser passer l'équipage. À l'entrée du pont de Manhattan, qui donne accès à l'île, des voitures de patrouille du NYPD attendent. Les motards se retournent : les pickups ont disparu.

Avec leur escorte bleue, dans des rues où ils tournent en passant à quelques centimètres des voitures stationnées, les cinq camions arrivent à l'heure au pied des tours. Les grilles s'ouvrent, ils entrent en bon ordre, un contremaître leur indique où stationner en fonction des codes peints sur les pièces pour être à portée des grues kangourous.

Vers midi, alors que les pièces sont déjà montées et presque toutes en place, les frères Ferrari garent leur Cadillac noire devant les grilles de la tour Nord et demandent Bill Kelly.

« Messieurs, bien joué, leur dit celui-ci en souriant et en leur serrant la main dans son bureau. Je ne vous demande pas par où vous êtes passés, ni comment vous avez fait… Je ne veux pas le savoir. Tout ce que je veux, c'est cinq autres camions garés au pied des grues quand j'arrive demain matin. Vous passerez à l'administration remplir les formulaires pour le règlement. »

« Excusez, monsieur Kelly, dit Jo Ferrari en faisant tourner sur son doigt sa chevalière. Pour le paiement, si ça ne vous gêne pas ce sera cash. Dix mille dollars à remettre à Giani, un de nos chauffeurs, demain à leur arrivée. Dix mille dollars tous les deux jours, si tout se passe bien. Vous comprendrez que notre petite organisation induit quelques frais que nous devons régler en liquide… Bonne journée, monsieur Kelly. »

Pendant douze jours, les camions anonymes des Ferrari Brothers ont ravitaillé le chantier. Des jeux d'écritures ont, avec la bénédiction de la direction, permis de faire sortir des caisses dix mille dollars en liquide toutes les quarante-huit heures.

Et un soir, après des jours de négociations, la grève des marins prend fin. Les barges accostent et les poutres géantes arrivent à nouveau sur le quai 13. Bill Kelly n'a plus jamais entendu parler des frères Ferrari.

« Bon, les gars, dit-il dans un porte-voix aux centaines d'ouvriers rassemblés, il va falloir en mettre un sérieux coup. Avec cette foutue grève, nous avons pris du retard. À partir d'aujourd'hui, ce sont cinq cents tonnes d'acier qui vont arriver tous les matins, et bientôt huit cents tonnes. Nous devons tenir le rythme de trois étages montés tous les dix jours. Les connecteurs, surtout, à vous de jouer. Le printemps est au coin de la rue, il va faire moins froid, je compte sur vous. Il y a du fric en heures sup' à se faire pour les malins et les courageux ! Merci et bonne journée à tous. »

Jack accompagne un de ses neveux, Max Rochelle, pour son premier jour d'apprentissage. À dix-huit ans, il vient de sortir du lycée. Il n'est pas resté en terminale à Chateaugay, chez les Canadiens français, à quelques kilomètres de Kahnawake. Rares étaient les Indiens dans sa classe ; il y avait six filles de la tribu, et il était le seul garçon. Il savait depuis longtemps qu'il n'était pas fait pour les études, et les Blancs lui faisaient bien sentir qu'il n'était pas à sa place. L'exemple de ses oncles, de ses deux grands-pères et de trois de ses cousins plus âgés lui a montré la voie : il serait *ironworker*.

Ils travaillent au grand air, au-dessus de la foule, fiers de bâtir et d'être bien payés. Ils ont de belles maisons, de grosses voitures, des motos, des skidoos et des hors-bords. Le soir, à table, ils racontent les voyages, les aventures, les rigolades, les jeudis soir de paie, les engueulades, les montagnes d'acier, les frayeurs, les vertiges, les bagarres, les jolies filles de Miami, les coups de tonnerre, les primes en liquide dans des enveloppes, les tu-vois-cet-immeuble-je-l'ai-construit, les putain-c'est-passé-près, les coups de chance, les litres de bière rousse et les accidents.

Vers douze ans, comme tous les garçons de la réserve, il a escaladé et joué à cache-cache dans les ramures du vieux pont Victoria, la nuit, au clair de lune, quand le Saint-Laurent brille à en devenir fluorescent, quand les remous scintillent comme des poussières de diamants. Les mères leur ont interdit, les pères ont souri et détourné le regard. Un soir, son voisin Peter à qui il avait lancé « même pas cap' de traverser sur la poutre sans t'arrêter… » a trébuché et il est tombé dans l'eau. C'était un des rares adolescents de la réserve à savoir nager, c'était l'été, l'eau était chaude, il a chuté les pieds en avant et a survécu, légèrement blessé, en nageant jusqu'à la berge. Max a couru, lui a tendu une branche. En dehors de la petite troupe terrorisée, personne n'en a jamais rien su.

Nuit après nuit, crapahutant sur les travées de fer rouillé, le pied de Max s'est affermi. Il a découvert l'audace. Il n'a ni peur ni vertige, ou du moins le vertige, il l'a, comme les autres, mais il parvient à le surmonter, à faire semblant d'être à l'aise pour impressionner les copains. C'est ce que ses oncles disaient : respecter sa peur, dialoguer avec elle, peu à peu l'amadouer, apprendre à la connaître pour l'apprivoiser. Serrer les fesses, faire comme s'il était normal de poser un pied devant l'autre sur trente centimètres de métal à trente mètres au-dessus du vide. Tous n'y parviennent pas, loin de là, mais ceux qui le peuvent semblent avoir un don unique. Avant d'avoir essayé, il espérait de toutes ses forces faire partie de cette caste ; il se rêvait capable de suivre, là-haut, les pas des anciens. Mais, là, c'est pour de vrai : le World Trade Center sera bientôt la plus haute tour du monde… Pour son premier matin, arrivé deux jours plus tôt du Canada, il a des chaussures neuves, la ceinture à outils de son grand-père, une salopette trop grande et une boule au ventre.

« Jo, voici le p'tit, mon neveu, dont je t'ai parlé, dit Jack au contremaître dans la file d'attente pour l'ascenseur, au coude à coude avec cinquante gars. »

Max tente un sourire crispé.

« Il va rester avec nous, voir si ça lui plaît. S'il tient le coup une semaine, je remplirai les papiers pour le stage.

– OK, Tool, c'est toi qui vois. Tu sais que je vous ai toujours laissés, vous, les Mohawks, vous organiser comme vous voulez, et que ça s'est toujours bien passé. Je ne vais pas vous apprendre le métier. Alors si tu me dis qu'il fait l'affaire, c'est bon pour moi, je signerai le formulaire. »

La nacelle s'arrête au trente-cinquième étage. Les maçons, arrivés plus tôt, ont commencé à répandre sur le plancher de métal vingt centimètres de béton. Le mélange est monté dans des godets par les grues, puis versé dans des bacs à l'avant d'engins à trois roues, deux devant et une derrière, pilotés par de petits gars rigolards, qui roulent à toute vitesse sur des planches et déversent la mixture. Chaussés de cuissardes, pataugeant jusqu'aux mollets, des ouvriers, la plupart Latinos, égalisent la couche avec d'immenses râteaux sans dents. Jack les regarde faire, hausse les épaules, les désigne du menton. « Tu vois, eux, qu'ils soient au trente-cinquième étage ou en sous-sol, c'est pareil. Toute la journée, ils rampent dans la gadoue... »

Ils montent des escaliers de madriers et de planches construits par les charpentiers et débouchent en plein ciel. Trente-sixième étage : le vent frais, chargé des odeurs du port et de l'océan, leur saute au visage. Les murs extérieurs en caissons d'acier sont à moitié terminés. Il reste une dizaine de mètres à fermer, la tâche de la journée.

« Bon, pour aujourd'hui, tu ne touches à rien, tu restes avec moi. Tu vas là où je vais et tu ouvres les yeux. Tu n'auras pas grand-chose à faire, sans doute aller chercher des outils ou des bières, apporter des boulons. Ouvre grand les yeux, pas de questions idiotes et, surtout, jamais deux fois la même. Si je te dis de rester là, tu ne bouges pas. Pour débuter, tu as de la chance : c'est le job le moins dangereux que j'aie jamais vu. On monte la tour de l'intérieur vers l'extérieur. Tu vas voir, elle arrive en pièces détachées, on les empile les unes sur les autres, on fixe, les soudeurs soudent. Facile. On n'est pratiquement jamais au-dessus du vide. Fais juste attention aux fosses des ascenseurs. »

Au-dessus de leurs têtes, les moteurs des grues kangourous commencent à ronronner. Un caisson préfabriqué en acier de trois mètres de large et vingt de haut surgit du vide, passe au-dessus de leurs têtes. Le câble qui le soulève est placé au sommet, sur le côté, pour assurer son déplacement horizontal et veiller à ce qu'il ne parte pas en vrille. Une ligne d'acier, la *tagline*, est tenue à deux mains par Mark Bowen. Ce gros gars jovial du New Jersey, qui n'est plus capable depuis longtemps de grimper sur une structure ou de marcher en équilibre sur une poutre, s'amuse à dire qu'il passe ses journées à jouer avec des cerfs-volants de vingt-deux tonnes.

Jack nettoie en vitesse, avec ses gros gants de daim cousus sur mesure par une grand-tante de Kahnawake, la surface d'acier sur laquelle vient se poser, comme une plume, l'énorme morceau de mur. Dans sa cabine climatisée, devant le contrepoids de douze tonnes, le grutier est relié à l'équipe par téléphone, mais il a surtout une vue plongeante sur ce qu'il fait. Autrefois, du temps des derricks, les grutiers travaillaient en aveugle, guidés seulement par les signaux que leur envoyait « l'homme-signal » à partir de la petite boîte mécanique qu'il portait en bandoulière sur la poitrine. Les morceaux de métal volaient dans l'air comme des géants saouls, implacables et dangereux. Avec ces grues australiennes, les accidents sont devenus plus rares, les pièces se posent les unes sur les autres, parfois comme par magie.

Dès que la pièce est en place, que les trous percés à l'usine se font face, Tool enfonce d'un coup sec dans l'un d'eux la queue effilée de sa clef à mâchoire. Les trois autres orifices s'alignent.

« Tu vois fils, dit-il à Max en faisant pénétrer à coups de marteau la première vis, grosse comme un champignon, l'important, c'est d'avoir toujours le bon boulon dans ta sacoche. Si tu dois tout arrêter pour demander la pièce, attendre qu'on te l'apporte, tu perds un temps fou, tu retardes l'équipe, et tu mets tout le monde dans l'embarras. »

Il récupère l'outil, se sert du côté clé pour visser l'écrou sans le bloquer.

« Maintenant, passe-moi l'échelle derrière toi. Il faut poser les boulons à mi-hauteur et laisser la place aux soudeurs. Tu te rends compte qu'ils ne sont pas encore arrivés, ces fainéants d'Italiens ! »

À la première pause, le petit nouveau descend chercher cafés et sandwichs. Le temps de remonter, de faire la queue à l'ascenseur, de grimper les escaliers de bois, les cafés sont presque froids. À son retour, Jack est assis sur une caisse, aux côtés d'un homme athlétique aux cheveux gris, regard triste, mâchoire carrée.

« Max, je te présente Carl Furillo. Son nom ne te dit sans doute rien parce que tu es trop jeune et que, chez nous, on est plutôt fan de hockey ou de lacrosse, mais Carl a été une star de baseball chez les Brooklyn Dodgers il y a… C'était quand, exactement, Carl ? »

L'homme relève la visière de sa casquette, hausse les épaules, soupire : « J'ai joué pour les Dodgers de 1947 à 1956, mais, Tool, tu sais bien que je n'aime pas trop parler de ça. Ils m'ont jeté comme une vieille chaussette quand je me suis blessé. Sans moi, ils n'auraient jamais battu les Yankees en 1955…

– Tu vois, petit, rigole Jack en tâtant le biceps de son voisin, ce bras droit était le plus puissant de toutes les *World Series* ! Carl était le meilleur joueur de champ de sa génération. On le surnommait le fusil de Reading :

c'est à Reading, en Pennsylvanie, qu'il a commencé à jouer au baseball. Tu aurais vu ce qu'il envoyait ! En face, les receveurs étaient blancs de trouille. »

L'ancien champion sort un petit tournevis de sa poche de poitrine, s'en sert pour touiller le café dans son gobelet de carton.

« Les salauds... Non seulement ils m'ont viré quand j'ai été blessé, ce qui était interdit noir sur blanc dans mon contrat mais, comme je l'ai attaqué en justice, le propriétaire des Dodgers m'a mis sur la liste noire. J'ai perdu le procès, et personne n'a plus accepté de me faire rejouer, ni de me donner ma chance comme entraîneur, alors que j'avais tous les diplômes... Pas une équipe dans tout le pays, même dans les divisions inférieures. C'est pour ça que je suis ici avec vous. Encore aujourd'hui, quand j'y pense, ça me donne envie de tout casser... Mais, bon, c'est le passé. Vaut mieux ne plus y penser. »

« Carl est arrivé hier, dit Jack. Il bosse dans les ascenseurs, c'est le chef d'équipe sur ce côté du chantier. Dès qu'on a fini de monter ces trois étages et que les treillis de poutres sont terminés pour les fosses, ils vont commencer à installer les machineries. Tu vas voir ça, petit, c'est un sacré boulot. Carl ne va pas s'en vanter mais, toutes les semaines, des gars viennent lui faire signer des cartes de collection avec sa photo. »

L'ancien joueur se lève : « Bah !... Aujourd'hui, ma vie, c'est construire des ascenseurs et rien d'autre. La plupart des jeunes de mon équipe ont à peine entendu parler des Dodgers de Brooklyn... Merci pour le café, les gars. Le prochain est pour moi. À plus tard. »

Il s'éloigne à grands pas, agile sur les planches. Max remarque, à l'arrière de son casque jaune, le dessin d'une tortue sur un autocollant. « Mais... mon oncle, il est mohawk, lui aussi ? Furillo, c'est pas un nom italien ?

– Pourquoi tu demandes ça ? Bien sûr qu'il est rital, et cent pour cent même. Ses grands-parents sont venus de Naples.

– Et l'insigne du clan de la Tortue, sur son casque ?

Jack éclate de rire. Ah, ça ! Ce n'est pas un de nos clans. C'est le sigle du club de la Tortue. C'est Bullard, le fabriquant de casques de chantier du Kentucky, qui a créé ça. C'est réservé à ceux qui ont eu la vie sauve grâce à leur casque. Carl m'a raconté qu'il y a cinq ou six ans il a reçu sur la tête un boulon gros comme ton poing. Tête nue, c'était la morgue assurée. Tu vois, fiston, c'est un autre avantage d'être connecteur : sur le chantier, tu es au-dessus des autres, au-dessus du monde, dans les nuages, avec les dieux et les oiseaux. Si tu tombes, c'est de ta faute, tu as fait une erreur, ou bien c'est de la faute du grutier qui a mal maîtrisé sa poutre. Mais tu ne mourras pas bêtement à cause d'un crétin au-dessus de toi qui a laissé échapper sa masse ou son marteau pneumatique. Tu ne peux pas savoir tout ce qui tombe d'un chantier ; c'est un danger permanent. Ici, c'est spécial, il y a moins de risques mais, à ton premier immeuble classique, tu comprendras. »

Il coiffe son casque, orné sur le côté d'un autocollant qui proclame : « Bien sûr, vous pouvez avoir confiance en notre gouvernement… Demandez à un Indien. »

« Allez, viens, suis-moi. On a deux éléments à mettre en place avant le déjeuner. Le premier ne va pas tarder à arriver, je viens de prévenir la grue, on se prépare. »

Quand le coup de trompe marquant la fin de la journée retentit, Max sait qu'il passera sa vie dans les montagnes d'acier. Pour son premier jour, les heures ont passé comme des minutes ; il a fait partie d'une équipe qui a construit bloc par bloc, en criant, jurant, pestant et rigolant, un morceau du plus grand immeuble au monde. Il a trouvé sa place.

Après s'être changés dans le vestiaire, l'oncle et le neveu repartent vers la station de métro. Mais si Jack prend la ligne 4, en direction de Brooklyn, Max choisit la 6, vers le nord de Manhattan. Pour son troisième jour à New York, il veut voir le Chrysler Building.

Dans sa salle d'école primaire, à Kahnawake, il y avait punaisé au mur, au-dessus de sa tête, la photo de deux monteurs d'acier debout sur une des gargouilles de métal géantes à tête d'aigle, lors de sa construction, en 1930. Il ne pourra sans doute pas monter voir ces sculptures mythiques mais les apercevoir depuis la rue, pour de vrai, ce sera déjà ça…

Peu à peu, les jours rallongent, il fait moins froid, même en hauteur. Le rythme du chantier s'est accéléré, les équipes ont été renforcées, une courte grève des opérateurs d'ascenseurs les a forcés à monter à pied pendant deux semaines ; tout le monde a râlé, mais ça n'a pas vraiment retardé les choses.

Lors d'une pause déjeuner, c'est l'un des punks, les apprentis, qui l'a remarqué le premier : maintenant que la tour Nord a atteint le soixantième étage, la rumeur de la rue s'est estompée. Ils ont vécu pendant des mois dans le vacarme, le ronflement et les fumées des moteurs diesel, le bourdonnement de la circulation, le chahut de la ville. Désormais, à part le ronflement des grues kangourous, ne monte plus jusqu'à eux, de temps à autre, que le coup de klaxon d'un poids-lourd, la trompe d'un remorqueur ou la sirène d'une ambulance. Maintenant, il n'y a plus, dans la carcasse géante, que le sifflement du vent qui, à cette altitude, souffle sans cesse. En passant la tête entre deux poutres verticales – les futures fenêtres, larges de quarante-cinq centimètres seulement – pour regarder vers le bas et s'amuser des voitures comme des miniatures, la bourrasque d'air marin vous gifle d'un coup sec. Mais à l'intérieur, protégé par les montants d'acier serrés les uns contre les autres, tout est calme. Un cadeau pour les *ironworkers*, habitués, sur les autres chantiers, à se méfier des rafales quand ils jouent les équilibristes.

L'architecte a prévu des ouvertures étroites pour rassurer les usagers de la tour, qui, avec des baies plus grandes, auraient pu être pris de vertige.

Quand ils arrivent à pied d'œuvre, le soleil s'est levé sur l'océan. En grinçant sur leurs rails le long des parois, les ascenseurs extérieurs dévoilent toute la ville, le port, les docks de Brooklyn où accostent les cargos chargés de produits d'Europe et de bananes d'Amérique centrale ; puis c'est la côte du New Jersey, les dunes de l'Atlantique jusqu'à Asbury Park et Sandy Hook, l'hameçon de sable qui ferme le port au sud. Vers le nord, le regard passe le pont George Washington, remonte la vallée de l'Hudson jusqu'à Tarrytown. Soixante kilomètres à la ronde, les jours de temps clair.

Un matin de mai, Jack et Max sont encore dans les ascenseurs à lacer leurs bottes de cuir quand ils entendent des cris : « Eh, les gars, venez, venez vite voir ! » En ouvrant la porte grillagée de la cabine, ils découvrent le plancher inachevé du soixante-quinzième étage jonché d'oiseaux morts. De petites bêtes noires aux becs blancs, espèces d'étourneaux, amassés par centaines sur les planches, les feuilles de métal. Entassés dans les coins, quelques-uns pépient et bougent encore. Pas un ne vole dans le ciel bleu dur au-dessus de la tour. Les hommes les poussent du pied pour dégager les traverses, certains en attrapent par les ailes, entre deux doigts. Bill Kelly, prévenu par radio, arrive. Il soulève un oiseau du bout de sa chaussure, le retourne. « Qu'est-ce que c'est que ça encore ?… Bon, vous trois, là, les jeunes, prenez des balais, des pelles et nettoyez-moi tout ça. Je vais appeler monsieur Koch pour lui demander quoi faire, sans doute appeler un spécialiste des piafs. Bougez-vous, dans une demi-heure, je veux voir monter le premier élément. »

Les cadavres sont jetés dans de grands sacs de jute : il en faudra douze pour les contenir. Dans l'après-midi, deux jeunes femmes arrivent, escortées d'un contremaître. L'une d'elle porte un blouson sur lequel est brodé Museum d'histoire naturelle. Sur le plateau, tout s'arrête. Certains sourient bêtement, d'autres enlèvent leurs casques, le conducteur de la grue sort de sa cabine, les moins finauds sifflent. La plus âgée des deux ornithologues attrape un animal dans un sac, le soulève délicatement par une aile.

« Ce sont de petits passereaux migrateurs, dit-elle. En cette saison, ils remontent du golfe du Mexique vers le Canada. La seule explication plausible, ajoute-t-elle d'un ton sévère, c'est qu'ils ont toujours suivi la vallée de l'Hudson, le fleuve leur sert de repère. Votre grand machin, là, n'est pas éclairé la nuit. Ils ne pouvaient pas le voir et se sont fracassés dessus. Je suis l'un des auteurs du rapport qui a prévu ce risque, pendant l'enquête d'utilité publique. Je savais que cela n'entrerait pas en ligne de compte. Je suis désolée de constater que j'avais raison. Je vais faire mon rapport au Muséum, qui transmettra à la mairie et à l'Autorité portuaire. Mais, évidemment, ça ne changera rien. Il faut s'attendre à des hécatombes régulières. Messieurs… »

Pendant toute la période de migrations, d'autres oiseaux viendront s'écraser sur la tour, qu'il faudra ramasser et jeter dans des sacs poubelles avant l'ouverture du chantier. La tour Sud, commencée plus tard et qui n'atteint pour l'instant que vingt étages, ne représente pas encore pour eux un obstacle.

Le 8 mai, le gang de Mohawks finit de boulonner un élément préfabriqué du mur extérieur quand une rumeur monte des étages. Des cris, des insultes, des « Putain, allons-y les gars ! » ; des « Ils sont gonflés de venir faire ça sous notre nez ! » ; des « Salauds de communistes ! »

Autour d'eux, les équipes cessent le travail, les hommes posent leurs outils, se rassemblent par petits groupes, se ruent vers les ascenseurs. Certains ont des barres de fer à la main, de grosses clefs à molette, tous ont les poings serrés, le regard noir. Jack glisse sa masse dans son étui, descend l'échelle.

« Ne bougez pas, je vais voir. »

Une dizaine d'ouvriers attendent que la cabine remonte. « Fred, il se passe quoi, en bas ? Où allez-vous tous ?

– Des rouges, Tool ! Des milliers de rouges ! Une manif de communistes à Manhattan. Ces jeunes cons antiguerre se sont rassemblés là, près de la mairie. Mon frère risque sa peau au Vietnam pour défendre ce pays et ces enfants gâtés, ces fils de bourges, ces planqués des universités viennent sous mon nez lui cracher à la gueule. Il paraît qu'ils ont même des drapeaux vietcong ! Ici, à New York ! On va leur montrer ! »

La nacelle arrive, ils se serrent dedans. Jack LaLiberté fait demi-tour, revient à pas lents, l'air soucieux, vers le coin du chantier où les onze Mohawks de l'étage l'attendent, bras ballants. Il enlève son casque, essuie son front avec sa manche, s'assied sur une caisse de bois.

« Une affaire de Blancs, les gars. On reste ici, on ne s'en mêle pas. C'est leur guerre. Il n'y a que des coups à prendre ou à donner.

– Putain, toi, Tool ! Tu te dégonfles ! lui lance un des Indiens, Bruce Danforth, un Oneida d'au moins deux mètres, large comme une armoire, deux dents cassées sur le devant, bannière étoilée tatouée sur le biceps droit. Ça ne m'étonne pas de toi, et d'un membre de ta famille. Il paraît que votre nom veut dire liberté en français, mais c'est surtout la liberté de fuir et d'abandonner les copains face au danger. Tu fais dans ton froc encore une fois, comme sur le pont de Québec au début du siècle. Famille de merde ! Des traîtres et des pétochards ! On aurait dû vous interdire de tenir un outil sur un pont ou un gratte-ciel jusqu'à la fin des temps ! »

Blanc de rage, Jack lâche son casque et se rue sur lui. Des hommes s'interposent, le ceinturent. Le colosse a tourné les talons. « Ceux qui n'acceptent pas qu'on salisse nos frères qui combattent les jaunes au Vietnam, venez avec moi. Les autres, restez avec cette couille molle. Ils ont toujours été lâches dans cette famille. Beaucoup ont oublié ce qu'a fait son ancêtre à Québec mais, chez les Oneida, on a la mémoire longue. »

Quatre Indiens lui emboîtent le pas vers l'escalier de bois, les autres entourent Jack et tentent de le calmer.

Peu après, assis à l'écart sur un tas de planches, Max tire l'un des Mohawks par la manche. « C'est quoi, cette histoire de pont de Québec ?

– On ne t'a jamais raconté, dans ta famille ?

– Non, jamais.

– Chut, faut pas en parler devant Jack. La catastrophe du pont de Québec, en 1907, ça te dit quelque chose ?

– Bien sûr, des dizaines d'*ironworkers* indiens tués quand il s'est effondré, tout le monde connaît ça à Kahnawake, on l'apprend même à l'école.

– Il y a eu un problème avec l'un de tes ancêtres, ce jour-là. Une sale histoire. Il aurait trahi son gang, se serait sauvé tout seul sans prévenir personne, ou quelque chose comme ça. Je te raconterai ça un jour, mais pas ici. Ou, mieux, demande à l'une des Mères du clan la prochaine fois que tu monteras dans la réserve. Les femmes sont plus objectives pour ce genre de choses… Et plus malignes. »

Dans la rue, Bruce Danforth et les Oneida rejoignent un cortège menaçant de centaines de cols bleus descendus des deux tours qui brandissent leurs outils et crient « USA ! USA ! À bas les communistes ! »

Quand ils arrivent sur la place de la mairie et voient des milliers de jeunes aux cheveux longs surmontés de drapeaux arc-en-ciel, de photos agrandies de victimes des bombardements et de sigles pacifistes, c'est la ruée.

Danforth est l'un des premiers à crier « Mort aux rouges ! » Il frappe à coups de poing, de pieds, suivi d'autres armés de barres de fer. Pris de panique, les jeunes tentent de fuir, les plus faibles sont jetés au sol, roués de coups. La police n'intervient que quand les matraquages se font trop violents.

En quelques minutes, les cols bleus sont maîtres de la place, rugissent de joie et de colère. On passe à Bruce Danforth, qui dépasse la foule d'une tête, un porte-voix dans lequel il braille une proclamation patriotique puis entonne « Dieu bénisse l'Amérique ».

Quand les cols bleus, par petits groupes, quittent la place sans être inquiétés par les policiers qui les ont regardés faire, les secours ont ramassé soixante-dix blessés. La journée est baptisée par les tabloïds *Bloody Friday*. Elle laissera des traces dans la société américaine qui considérera longtemps les monteurs d'acier, quels qu'ils soient, comme des bandes de brutes réactionnaires.

Sur le chantier de la tour Nord, Jack et son gang sont descendus au niveau de la rue, attendent les consignes en buvant des bières. Grues arrêtées, plus rien ne monte, personne ne travaille.

Bill Kelly les rejoint. « D'après ce que j'ai compris, les gamins protestaient contre la mort de trois ou quatre étudiants dans une fac de l'Ohio. Des gardes nationaux ont tiré. Mais nos gars, faut pas trop les chauffer avec des drapeaux vietcongs. Vous pouvez y aller. C'est vendredi de toute façon… On ne reprendra pas aujourd'hui. Vous avez eu raison de vous tenir à l'écart de tout ça, c'était pas joli. J'ai bien essayé de les raisonner, mais ils m'auraient marché dessus. »

7

New York City

14 septembre 2001

Je ne sais pas si ce sont les ronflements d'Andy, dans le lit à côté, ou la pluie contre la fenêtre de la chambre d'hôtel qui m'ont réveillé. Il pleut : c'est bien, ça va refroidir la pile, fixer la poussière et peut-être éteindre les incendies qui couvent là-dessous. Dans la canicule d'hier, avec ce mélange de fumées et de particules en suspension dans Ground Zero, par moments on voyait à peine au-delà de nos gants et de l'embout du chalumeau. Et, malgré le masque que je n'ai ôté que pour boire ou parler, j'ai la gorge en feu. Il faut que je passe prendre de nouvelles cartouches pour les filtres à poussière, j'en ai utilisé quatre hier.

Nous avons terminé tôt. Les rotations des équipes sont planifiées, un gars du syndicat est venu nous voir avec six remplaçants et nous a ordonné de laisser nos places et nos outils. C'est dur, d'arrêter. Surtout à ce moment-là : on finissait de découper deux poutres qui pouvaient donner accès à un sous-sol ; j'aurais aimé voir la suite. Les pompiers disaient qu'il pouvait y avoir des survivants dans une cavité, un parking souterrain. Au début, on a refusé de partir, de passer nos chalumeaux. Ils nous ont alors menacé de supprimer nos badges ; ils disent qu'il faut organiser les recherches, qu'il y en a pour des semaines, peut-être des mois, et que le syndicat, le Local 40 New York *Ironworkers*, a été chargé de mettre de l'ordre, de sélectionner les volontaires et de ne laisser entrer que les gars vraiment utiles, avec leurs cartes professionnelles.

Je crois que le policier de la Port Authority a été le seul survivant dégagé des décombres hier. Ce n'est pas possible, on va en trouver d'autres. Ils étaient des milliers ; je ne sais pas exactement combien, mais ils étaient des milliers à travailler dans ces tours. Les rumeurs parlent de vingt à soixante mille. Beaucoup ont eu le temps de fuir ; j'ai vu les images de gens qui sortaient par les grandes portes, courant sur l'esplanade. Mais combien sont prisonniers là-dessous, qui n'ont pas eu le temps de descendre ?

Ils ont pu se réfugier dans les caves, les parkings, les galeries commerçantes du sous-sol. Ils nous attendent. Il doit y avoir beaucoup de blessés. Passer des heures à découper l'acier, dégager des passages et ne pas être là pour voir si ça sert à quelque chose, si les pompiers qui se glissent dans les tunnels trouvent des rescapés, c'est frustrant.

À pas lents, nous quittons le périmètre, blancs de poussière, casques relevés sur l'arrière du crâne, quand sur Canal Street un type en tablier de cuisine vient vers nous. C'est le premier sourire que je vois depuis mardi matin. Il se plante devant nous, montre sur le trottoir l'enseigne d'un restaurant italien, chez Nino. Il nous prend les bras.

« Venez, les gars, entrez. J'ai l'autorisation de rester ouvert. C'est gratuit pour les sauveteurs, tous ceux de Ground Zero. J'ai reçu des provisions de toute la ville. Il va bien falloir vous nourrir, dans les jours et les semaines qui viennent ! Venez vous assoir, vous pouvez vous laver les mains et le visage. J'ai assez de lasagnes pour nourrir la moitié de Manhattan ! »

À l'intérieur, une salle tout en longueur, ce ne sont que flics, *ironworkers*, infirmiers ou pompiers. Certains sont seuls, silencieux, penchés sur leurs assiettes, perdus dans leurs pensées. D'autres, plus nombreux, en groupes, descendent des bouteilles de bière sans étancher leur soif. Ils jurent, parlent fort, racontent leur journée. Mais, à part les deux jolies brunes à l'entrée, la mère du patron, Josephine « Mama » Vendome, et les volontaires en civil pour le service, pas un sourire, pas un rire.

Ils sont tous, comme nous, abasourdis, traumatisés, dépassés par l'ampleur du drame, effrayés par l'immensité de la tâche. Un dessin d'enfant, avec une statue de la Liberté stylisée et un grand *God bless America* a été punaisé près de la caisse. Un autre représente les silhouettes des deux tours prises dans un grand cœur. Une boîte posée près de l'entrée collecte les dons, déjà à moitié pleine de billets.

Nous mangeons en vitesse, lasagnes et saucisses, buvons deux Budweisers, répondons en quelques mots aux questions des voisins. Trois Mohawks arrivent comme nous nous levons : nous reconnaissons leurs visages, leur équipement – l'un d'eux porte dans le dos une longue natte –, mais ni Andy ni moi ne les connaissons. D'après ce que nous a dit le responsable du syndicat, nous sommes une cinquantaine d'Indiens mobilisés à Ground Zero. Certains sont arrivés ce matin, ou dans la nuit, des réserves kahnawake, akwesasne, oneida et onondaga. Mais même si nous, gangs de Mohawks, avons coutume de travailler ensemble dans tout le pays, on ne se connaît pas tous. Nous les saluons d'un signe de tête.

Avant de me coucher, je prends un bain dans lequel je jette trois feuilles de tabac pour laver les horreurs de la journée. Je ne suis pas certain que ça soit bon pour ma blessure, mais les points sont serrés, ça tient bien et je n'ai plus mal. Je m'assoupis dans l'eau ; le bruit d'une porte me réveille. Je me traîne jusqu'au lit où je m'endors à poings fermés.

Le lendemain, je vide les poches de mon pantalon pour en transférer le contenu dans un propre. À l'arrière, ma flasque de bourbon, gainée de cuir, gravée d'une patte d'ours. Je ne l'ai pas touchée depuis la catastrophe ; je n'y ai pas pensé. Je m'assieds sur le lit, dévisse le bouchon de laiton, hume l'odeur d'alcool. Je ferme les yeux.

Une fois de plus, je me vois dans les structures métalliques du Vieux Pont. C'est l'été de mes quinze ans. À cinq ou six copains, nous avons escaladé les piles de pierre, grimpé aux arceaux de fer. Sous nos pieds, la lune fait briller les eaux du Saint-Laurent. « Allez, John, à toi, à ton tour ! Montre que tu peux le faire ! Sans te tenir, lâche cette poutre ! » Je fais un pas, deux, sur les trente centimètres d'acier. J'ouvre la main pour lâcher la poutrelle, et tout se met à tourner. Je suis paralysé, les remous fluorescents du fleuve s'enroulent comme pour m'attirer, j'ai le souffle coupé ; impossible d'avancer, une sueur glacée me descend dans le dos. « Tu vas y aller, oui ? Oh, putain ! regardez, les gars ! John, John LaLiberté a les chocottes ! Quand ton père saura ça ! » Ils rient, sifflent, me jettent des pièces de monnaie. Je rattrape le métal au-dessus de ma tête, m'y accroche à deux mains, marche à petits pas chassés, sans baisser les yeux, jusqu'à l'autre côté, me laisse glisser le long d'une poutre, saute sur la berge, détale en courant sous les quolibets. Le lendemain, après le dîner, pendant que ma mère fait la vaisselle, je me glisse dans le salon, ouvre la caisse à outils en aluminium que mon père a transformée en bar, attrape une bouteille. Four Roses – Kentucky Bourbon. La première rasade me déchire la gorge, me brûle l'estomac. Je tousse dans mon coude, boit encore une gorgée, deux. Le feu descend dans mes entrailles, j'attends quelques secondes, recommence. « Mom, je vais faire un tour avec les copains, pas longtemps... » Quand je retrouve la bande, au point de rendez-vous habituel, sur la berge, ma tête tourne un peu, ma voix est plus grave. « Allons-y, on y retourne, je ne sais pas ce qui s'est passé hier, mais aujourd'hui ça va bien. Je traverse le premier. »

C'est une histoire que j'ai entendue cent fois lors de dîners de famille : un vieil oncle de ma mère, *ironworker* de légende, ne pouvait travailler en hauteur qu'après trois whiskies. Debout à l'extrémité du Vieux Pont, je comprends pourquoi : en riant, je m'engage d'un pas ferme sur la poutre, m'arrête à mi-chemin, fais demi-tour sur un pied, termine en sautillant comme un singe. Yeepee !

« Bravo, John. J'aime mieux ça, lance un grand de la bande. En te voyant, hier, on t'aurait pris pour une chochotte. Bienvenue au club. »

Ce soir-là, j'ai compris ce qu'était le vertige et comment le surmonter. Un an après, en entrant en apprentissage, j'achetais ma première flasque. Deux gorgées, pas davantage, juste avant de monter. En hauteur, quatre mètres ou quarante, c'est pareil.

Longtemps, j'ai caché mon secret. Le jour où Andy m'a surpris, il a ri. « Ah, toi aussi… Je m'en doutais un peu, à ton haleine. T'en fais pas, frère, t'es pas le seul. Mon père a picolé chaque jour de chantier. Faut juste savoir rester raisonnable. »

Assis sur le lit, j'ouvre le tiroir de la table de nuit, y glisse la flasque. Même quand ils nous ont levés dans une nacelle au-dessus des décombres, l'autre jour, je n'ai rien ressenti sans avoir bu une goutte.

Selon le nouveau planning, nous sommes attendus à huit heures à l'entrée de Ground Zero. Andy, qui n'apprécie pas les boiseries et les miroirs de la salle de restaurant de l'hôtel, propose que nous nous arrêtions pour le petit déjeuner au semi-remorque McDonald's. « J'adore leurs pancakes. »

Après avoir montré nos badges aux policiers pour franchir les barrières – l'un d'eux nous salue pendant qu'un autre ouvre le passage –, nous faisons un détour jusqu'au stand Carhartt, où deux volontaires nous tendent, avant que nous ayons eu le temps de les demander, deux ponchos de plastique à capuche pour la pluie. « Vous voulez des casquettes, aussi ? Des gants ? »

Le camion McDo est garé juste à côté, sur une esplanade de Greenwich Street. Ils ont rangé les tables et les bancs de plastique à l'abri de l'auvent. La moitié des tables est encore libre à cette heure. « Nous étions en Pennsylvanie, en route pour Daytona – une course Nascar prévue dans trois jours – quand la direction nous a demandé de venir à New York et de servir gratuitement les sauveteurs, dit l'une des serveuses en remplissant nos gobelets de café. Nous sommes fiers d'être parmi vous. J'espère que nous allons rester longtemps, aussi longtemps que vous aurez besoin de manger et de boire. Asseyez-vous, j'apporte les pancakes et les saucisses. »

Quatre pompiers s'installent à une table, posent leurs casques par terre, installent sur les dossiers leurs vestes ignifugées portant au bas du dos leurs noms en grosses lettres.

« Merci pour ce que vous faites, nous dit le capitaine en levant sa tasse de plastique. Vous devez voir des choses pas terribles, désolé… Nous, on a l'habitude, mais pour vous ce ne doit pas être facile. Vous verrez, dans quelques jours ça ira mieux. Il faut se blinder, y'a pas le choix… »

Les têtes se tournent pour suivre du regard les jambes d'une serveuse en minijupe verte qui slalome entre les chaises. Toutes les têtes, sauf celle de notre voisin de gauche, seul à sa table. Le front dans les mains, les yeux dans son gobelet, ce Latino d'une cinquantaine d'années, moustache grise, visage sale, en pantalon et veste de jean murmure.

« Je vais le trouver… Oui, je suis sûr que je vais le trouver… Il a survécu, je suis sûr qu'il a survécu. Il est fort, mon fils. »

La jeune fille s'arrête près de lui, remplit sa tasse.

– Votre fils est porté disparu, monsieur ?

– José, il s'appelle José Marzano. Vingt-neuf ans. Fire Department, compagnie Engine 22, Manhattan. Il est manquant, mais je suis sûr qu'il n'est pas mort. Il était dans la tour Sud. Il a survécu. Il s'est échappé à temps, j'en suis sûr. Ou alors il est prisonnier quelque part. Mardi matin, je travaillais sur l'autoroute, au nord, vers Whitestone. De loin, parce qu'on a une bonne vue sur la ville de là-haut, j'ai vu le feu dans la première tour, la fumée qui montait dans le ciel. Juste avant, on avait vu passer un avion très bas au-dessus de nous, mais jamais je n'aurais imaginé que l'incendie, c'était ça. J'ai appelé sa caserne. Le lieutenant m'a dit que sa compagnie était descendue au World Trade Center, et qu'il n'avait pas de nouvelles. J'ai quitté le chantier, je suis rentré à la maison. Dans la cuisine, ma fille a crié : "Papa ! Papa ! Regarde, c'est José !" Elle a vu son frère à la télé, sur New York One. Il installait des tuyaux à partir d'un camion garé au pied d'une des tours. Il avait l'air calme ; ils étaient trois à tirer les tuyaux. Je l'ai appelé sur son portable. Après cinq essais, j'ai été étonné qu'il réponde. Il m'a dit : "Hello, Pa, ça va ; ne t'inquiète pas, tout va bien. Je suis au cinquième étage, il y a une femme enceinte coincée entre deux portes, je vais la sortir d'ici." J'ai crié dans le téléphone : "Fais attention ! C'est trop dangereux, sors de là ! Descends, sors de là tout de suite !" Ça a coupé. Un long biiiip. Je crois que c'était la tour qui s'effondrait. Je me suis précipité à la caserne. J'ai demandé : "Il est sorti ? Vous avez ramené mon fils ?" Le capitaine avait les larmes aux yeux, il m'a pris par les épaules et m'a dit de venir dans la pièce du fond. J'ai compris que ce n'était pas bon. Il m'a dit: "Votre fils est un héros." J'ai répondu: "Ne me dites pas que mon fils est un héros. Je ne veux pas entendre ça !" Ils m'ont dit: "Onze d'entre nous sont allés là-bas, cinq sont revenus. Il en manque six, votre fils est l'un d'eux. On les cherche." Ils ont tenté de me réconforter, m'ont proposé une chaise, du café, de rester avec eux. J'ai répondu que ce dont j'avais besoin c'était de pouvoir aller là-bas et aider. J'ai été pompier pendant huit ans, je sais comment il faut s'y prendre. Je veux retrouver mon fils. »

Manuel Marzano s'interrompt, avale son café froid à petites gorgées, fait rouler entre ses doigts un morceau de bagel. Sous sa moustache poivre et sel, une barbe de trois jours et de larges cernes lui mangent le visage. Ses mains, ses avant-bras sont sales, rougis, écorchés. Son pantalon est déchiré aux genoux, sa veste trouée.

Autour de nous, les conversations se sont arrêtées, plus personne ne touche à son assiette. La serveuse a posé son plateau, s'est assise à sa table, les yeux pleins de larmes. Elle demande: « C'est comme ça que vous êtes venu ici ?

– Je suis allé à la Garde nationale me porter volontaire. J'ai attendu des heures. Quand je suis arrivé ici, en bus, ils m'ont dit que c'était trop tard, qu'il y avait trop de monde, qu'ils ne prenaient plus de volontaires. J'ai marché jusqu'à une barrière. Un policier s'est mis en travers, m'a demandé mon badge. Je lui ai dit: "Je n'ai pas de badge. Je viens chercher mon fils. Il est pompier, Engine 22. Pour m'empêcher de passer, il faudra me tirer dessus." Il s'est écarté, et je suis entré. »

Depuis, il ne lâche sa pelle que pour avaler ce qu'il trouve, dormir par tranches de trois heures dans sa voiture garée près de Canal Street et appeler chez lui.

« Je dis à ma femme et à ma fille que je resterai jusqu'à ce que je le trouve. José a trois enfants. Ils me disent: "Gran'pa, gran'pa, va chercher papa ! Tu es le seul à savoir où il est. Tu es fort, toi, tu vas le ramener." Ils restent à la maison, rivés à la télé. Ils n'arrêtent pas de m'appeler : "On a retrouvé pap ? On a retrouvé pap ?" Je leur dis : "Pas encore, mais bientôt." »

Andy essuie ses yeux d'un revers de manche. À la table d'à côté, un pompier écrase une larme dans son gant. La serveuse remplit à nouveau son gobelet, va chercher du sucre. Sans lever la tête, fixant la table, les pouces des deux côtés de l'arrête de son nez, Manuel Marzano continue son récit d'une voix blanche, comme s'il parlait seul.

« J'ai trouvé des corps, des morceaux de corps. Ils ne me laissent pas creuser là où il est, près de la deuxième tour. Ils disent que c'est trop dangereux, que ça brûle encore, que ça peut s'effondrer. Ils disent qu'il y a des sous-sols, quatre ou cinq étages, et qu'il pourrait être dedans. Mais ça fait déjà trois jours. J'ai toujours l'espoir, il faut garder l'espoir, mais personne n'est sorti de là depuis mercredi. Je veux retrouver mon fils, mort ou vivant. Entier ou en morceaux, je le trouverai. Mon fils est fort… Il est fort. Je ne peux pas rentrer sans lui. Je ne pourrai jamais rentrer et regarder sa mère dans les yeux si je le laisse là. Je n'ai plus de larmes, j'ai mal partout, au dos, aux bras, je ne peux plus fermer les mains, rien avaler. Je creuse, je creuse toute la journée comme un taré parce que je veux retrouver mon fils. »

Il serre les poings, s'essuie les yeux, sa voix se brise.

« Vous avez là-dedans des gars qui ne font rien, se promènent. Ils se prennent en photo devant les morceaux de building encore debout au lieu de creuser. Il y en a avec des sacs à dos qui emportent des morceaux comme souvenirs. Vous allez voir que bientôt on va trouver des choses aux enchères sur internet ! Hier soir, j'ai menacé avec ma pelle un connard qui tentait de décrocher un panneau Word Trade Center pour l'emporter. Moi, j'étais pompier à Brooklyn. Mon père était pompier. Il est venu de Porto Rico en 1922. José disait : "Je veux être pompier comme gran'pa. Gran'pa était le meilleur des pompiers." »

Il tente de se lever, ses genoux fléchissent, il se rassied. La serveuse prend sa main, il semble ne pas s'en apercevoir. Le capitaine des pompiers s'approche et pose une main sur son épaule. Pas davantage.

« Bon, j'y retourne. Je vais creuser jusqu'à neuf heures ce soir. J'ai un van, c'est pratique pour dormir. Je reviendrai demain. Il faut que je trouve un pantalon. Vous savez où je pourrais trouver un pantalon ? José aimait aider les gens. Il est mort en aidant les gens. S'il est vivant… Oh mon Dieu ! S'il est vivant, j'irai à l'église pour prier jusqu'à en mourir. Ça me ronge de l'intérieur. Mais quand j'aurai son corps dans les mains, même un morceau de son corps, je vais craquer, tout laisser sortir comme jamais… Parce que c'est mon seul fils. Mon José, c'est mon seul fils. »

Il écarte son gobelet, pose sur nous un regard vide. Se lève, ramasse la pelle qui était à ses pieds et, à petits pas, traînant les talons, tête basse, traverse la rue. Disparaît dans la fumée blanche.

Autour de nous, personne n'ose rompre le silence. La serveuse en larmes nettoie à grands coups d'éponge circulaires la table qu'il vient de quitter. Un pompier murmure : « Dans ma caserne, c'est un frère qui cherche son frère. Et je sais qu'il y a plusieurs pères, des anciens de chez nous, qui sont ici depuis le début. Le département a autorisé ceux qui ont perdu un parent ou un proche à venir et à creuser où ils veulent dans la pile. Le plus difficile, c'est de les convaincre de s'arrêter pour qu'ils se reposent un peu. »

La pluie se calme, tambourine moins fort sur l'auvent. Nous nous levons, enfilons les ponchos de plastique. « Merci, mesdames. À tout à l'heure peut-être…

– N'hésitez pas à vous arrêter au retour, le café est frais en permanence. Bon courage. »

Les dizaines de feux qui couvent sous les décombres, les jets des lances à incendie, dont certaines ont été installées dans les étages des immeubles entourant le site, l'orage qui s'apaise, tout fait monter au-dessus du magma un mélange de fumées blanches, grises, par endroits plus foncées. Des grues et des pelles mécaniques à pinces hydrauliques, qu'on appelle *grapplers*, ont été installées dans la nuit. Elles s'affairent de toutes parts, comme des monstres préhistoriques autour d'un festin. Les chaînes humaines des premières heures ont presque toutes disparu, remplacées par des équipes d'*ironworkers*, de pompiers et de volontaires rassemblés autour de chaque engin pour ouvrir des voies, dégager des éléments, les fouiller et déplacer vers l'arrière tous ceux qui ne contiennent rien.

De là, ils sont chargés dans les camions-bennes qui font des allers-retours jusqu'à l'Hudson et les barges. Il y a plusieurs briefings pour les équipes du matin, par petits groupes. Les contremaîtres, les officiers de police et des pompiers ont assisté à la réunion de planification, dans une salle de classe de l'école élémentaire 69 transformée en quartier général.

« Bon, le plus important, dit un chef d'équipe dans un mégaphone, c'est la sécurité. Hier, on est passé à côté d'un drame : un élément de trois étages s'est effondré, et une pelle mécanique a été touchée. Heureusement, la cabine a résisté. Donc, dès que vous entendez les trois coups de trompe, vous lâchez tout et vous filez en courant. Les ingénieurs estiment les risques en permanence. Il faut chercher et trouver, si Dieu le veut, des survivants, mais aussi éviter de faire de nouvelles victimes. »

Andy, un autre charpentier du fer que je n'avais jamais vu, un râblé à moustache venu de Chicago, et moi sommes désignés pour remplacer trois découpeurs d'acier qui viennent de passer la nuit à dégager un passage vers une cavité d'où semble monter des bruits, comme des coups sur du métal. Ils utilisent des lances à air, des chalumeaux puissants, alimentés par des barres de magnésium. C'est la première fois que je m'en sers, ils nous en expliquent le fonctionnement.

« Vous allez voir, nous sommes presque venus à bout d'une grosse poutre qui barre l'accès à un tunnel, dit l'un d'eux. On ne voulait pas partir, on voulait terminer le boulot, voir ce qu'il y a là-dessous, mais ils nous ont virés. Bonne chance, et faites attention : il y a des tas de choses qui tombent ; n'enlevez pas vos casques. »

Quand nous arrivons à l'endroit désigné, quatre pompiers et deux infirmiers regardent, sur un moniteur vidéo, les images retransmises par une mini-caméra accrochée à une perche qu'ils ont introduite à l'intérieur du passage que nous devons finir d'ouvrir. Elle filme deux à trois mètres devant elle, dans la cavité.

« Ça, ça ressemble à une porte. Regardez la poignée, là, dit l'un des pompiers. Va un peu sur la droite… Là, plus bas, tu vois, c'est ce qu'on cherche, on dirait l'entrée d'un couloir… Mais il est bouché, on dirait… Passe à gauche du câble ou tu vas te prendre dedans… C'est quoi ça ? Approche un peu… Nom de Dieu ! Chef, chef, venez voir, il y a un truc, là, on dirait un siège d'avion ! Tu peux zoomer ? »

Nous nous pressons autour de l'écran où apparaissent des formes de sièges de plastique, recouverts du tissu caractéristique des fauteuils de Boeing. En remontant la caméra, au bout de quelques minutes apparaissent les lettres « American Ai » – le reste est illisible, tordu. À côté, quelque chose ressemble à un morceau de ceinture de sécurité. L'opérateur insiste, monte, descend, coince la caméra, la débloque, recule pour tenter de faire des plans plus larges. Ce sont bien des sièges d'un des appareils que les terroristes ont précipités sur les tours. Pas de tache de sang dessus, aucune trace des passagers, du moins dans le champ étroit de la caméra.

« OK, ça suffit, dit le capitaine des pompiers. Sors-la, faut qu'on aille voir. Les *ironworkers*, à vous. Vous terminez de découper la grosse poutre horizontale, prévenez avant qu'elle cède, que tout le monde recule. Ensuite, on verra si on peut descendre. »

Nous mettons masques, casques, gants renforcés, allumons deux lances à air. Il faut ramper sur trois mètres, puis se relever et grimper sur un monticule de gravats pour atteindre la poutre maîtresse entamée pendant la nuit. Je repère la découpe, il va falloir à peu près une heure. Andy attaque sur ma gauche, à trois mètres. La flamme bleue du chalumeau mord l'acier, les étincelles se perdent vers l'arrière, dans le noir. J'avance centimètre par centimètre, le métal est épais, ce devait être une des grosses poutres soutenant la mezzanine, ou l'une des cages d'ascenseur. Le gars de Chicago (il s'appelle John) me passe l'une après l'autre les barres de magnésium. Les bras en l'air, je commence à avoir des crampes et lui laisse la place. À l'arrière, les pompiers le regardent faire, un ingénieur tourne la tête en tous sens, tâte les décombres avec une perche pour tenter de deviner les points faibles ou de repérer des signes d'effondrement.

Il reste cinq ou six centimètres à découper quand la poutre commence à fléchir dans un long craquement. « En arrière, tous ! », crie l'ingénieur. John ferme l'arrivée d'air du chalumeau, se retourne vers nous, soulève son masque et sourit : « Je crois que ça va être bon. On peut avoir le câble d'une grue ? On devrait pouvoir soulever ce morceau. »

La poutre ne bouge plus, semble stable, l'ingénieur donne son feu vert. Andy remonte, revient deux minutes plus tard en tenant dans une main le crochet géant d'un câble de grue et dans l'autre son talkie-walkie. Il dit : « L'opérateur est sur le canal 4. C'est quand on veut. »

John lui prend le crochet des mains. « Donne, je vais le passer. » Il se glisse sous la poutre maîtresse, entre les deux morceaux sectionnés, lance le câble, le récupère de l'autre côté, l'arrime et remonte vers nous, aussi calme que s'il terminait une partie de bowling. Il soulève son masque. « J'étais démineur, dans les Marines... »

Quand nous sortons de la cavité, un des pompiers compte pour vérifier que tout le monde est là. « OK, OK, grue 12, Alan, Alan, c'est bon pour nous. Tu soulèves gentiment, doucement. »

Le câble se tend, en deux secondes ce qu'il restait de poutre cède, provoquant un éboulement qui, malgré la pluie, soulève un nuage de poussière qui nous engloutit. Nous reculons encore, jusqu'à un poste de repos et de ravitaillement, trois tables et des chaises pliantes, la Croix-Rouge.

« On attend un peu que ça retombe et on va voir si on peut passer », dit le chef de groupe du NYPD.

« Bonjour, vous vous appelez John, non ? Vous vous souvenez de moi ? » Une jolie jeune femme en uniforme de la Croix-Rouge, boucles rousses sortant de sa casquette, taches de son sur les joues, me tend une bouteille d'eau en souriant.

« J'étais à la clinique des yeux, avant-hier. Je vous ai lavé les yeux, ils étaient pleins de poussière. Vous étiez blessé au côté. C'est bien vous qui êtes indien ? De Montréal, non ?

– Mohawk, oui, c'est moi. Je vous reconnais. Merci. Comment allez-vous ?

– Pas beaucoup dormi, mais ça va. Je ne suis pas rentrée chez moi depuis mardi ; nous dormons à quatre dans le camion, juste là derrière.

– Vous êtes d'où ?

– East Flatbush, Brooklyn. Je m'appelle Mary.

– Ah, nous sommes presque voisins, Bay Ridge. Je m'appelle John.

– Ah oui, j'y vais parfois, une pizzeria délicieuse pas loin du pont de Verrazano.

– Je crois que je vois. Si c'est celle à laquelle je pense, le patron est un ami.

– Vous ne vivez pas près de Montréal ?

– Je travaille ici, je remonte au Canada de temps en temps.

– Vous voulez autre chose ? Café ? On vient de le faire…

– Merci, je veux bien. »

Je m'assieds, enlève le casque, le pose sur mes genoux, essuie mon visage avec mon foulard et ouvre un paquet de gâteaux. Elle pose le pot de café et deux grandes tasses en porcelaine.

« Je ne supporte plus ces gobelets de plastique. J'ai trouvé ça dans un restaurant abandonné sur Broadway, j'en ai emprunté six. Sucre ?

– Non, merci. »

Elle se sert une tasse, approche une chaise pliante. Elle doit avoir trente ans, des yeux verts avec des paillettes d'or, une silhouette élancée et un sourire lumineux, qui remonte jusqu'à mi-joue les coins de sa bouche.

– Vous êtes à temps plein à la Croix-Rouge ?

– Pas du tout. Volontaire. Trois semaines par an et certains week-ends. Le reste du temps, je travaille dans une maison d'édition spécialisée dans les encyclopédies, les manuels scolaires. À Manhattan, Upper-West Side. Comment va votre blessure ?

– Bien, une dizaine de points sous le bras. Il faudra que je fasse refaire le pansement tout à l'heure, mais je ne sens déjà presque plus rien. Je dois garder les points encore quatre jours, je crois. »

À la demande des pompiers, une lance à incendie a été approchée pour arroser en pluie l'entrée de la cavité que nous venons de dégager et faire retomber la poussière.

« OK, ça va aller, dit le lieutenant du NYPD. Je vais aller jeter un coup d'œil avec l'ingénieur, voir ce que ça donne. Préparez-vous : si la voie est libre, on descend pour tenter de trouver l'entrée d'un sous-sol. Deux *ironworkers* avec nous, s'il vous plaît. »

« Il va falloir que j'y retourne. Merci pour le café. Si vous avez le temps, un soir, ça vous dirait de manger une pizza ? Pas à Bay Ridge, mais pas loin d'ici. Ça nous changerait les idées, peut-être, après tout ça…

Elle sourit en baissant la tête.

– Avec plaisir… Attendez. Elle déchire un carton de bouteilles d'eau, prend un marqueur noir dans la poche de sa veste et note un numéro. Si vous ne me trouvez pas ici, appelez-moi… »

Le chef de groupe du NYPD et un pompier ressortent de ce qui ressemble maintenant à l'entrée d'un tunnel.

« Il y a pas mal de choses éboulées en travers, mais plus rien de gros. Et ça a l'air de tenir bon. On va pouvoir dégager un passage. Jeff, va au PC, il me faut une trentaine de gars le plus vite possible pour faire une chaîne. Reviens avec eux si tu peux. »

Nous pénétrons dans la galerie et commençons à sortir ou à écarter de la main ce qui est assez léger pour être porté. Quand c'est trop lourd, nous faisons levier avec une barre à mine. Il faut se baisser, parfois progresser à genoux. J'entends derrière moi les cris d'une petite troupe, la chaîne est en train de se mettre en place ; on évacue vers l'arrière tout ce qu'on peut. Devant nous, deux pompiers défoncent à la hache une cloison de plâtre. Soudain l'un des coups sonne creux.

« Putain ! Ça y est ! On y est ! Il y a un couloir, un grand couloir ! Lumière ! Passez nous de la lumière ! »

On me tape sur l'épaule, je me retourne pour attraper deux lampes carrées, alimentées par des batteries, qui éclairent comme des phares de voiture. Nous avançons. Andy, qui est juste devant moi, se met à quatre pattes sur quelques mètres pour passer sous un morceau de cloison effondrée. Je le suis. Il se relève, se glisse de profil à travers le passage creusé à coups de haches par les pompiers. Voilà : nous sommes dans une sorte de couloir, plutôt une pièce en longueur, comme une remise. Les faisceaux des lampes éclairent le plafond, qui a résisté. Des cartons, de gros pots de plastique, comme de peinture, sont alignés dans un coin. Deux échelles en alu.

« Chef, chef, il y a une porte, là ! », dit un pompier. Les lampes se tournent vers lui. Elle est fermée, il l'enfonce à coups de botte. Six membres du FDNY passent, nous les suivons avec l'ingénieur, deux flics et trois secouristes avec des brancards. Dans les faisceaux des torches, tout autour de nous, dans un silence de sépulture, des voitures. Intactes, garées à leurs places, recouvertes, comme le sol, les extincteurs aux murs, de poussière blanche. Je passe le doigt sur le capot d'un 4×4 Mercedes. Deux à trois centimètres, cendres et béton pulvérisé.

« Fire Department ! C'est le Fire Department ! Y'a quelqu'un ? Ohé ! Y'a quelqu'un ? Si vous êtes blessé ou prisonnier, si vous ne pouvez pas parler, tapez sur quelque chose, faites du bruit ! Nous sommes là pour vous ! Bougez, signalez-vous ! »

Les cris du chef d'équipe sont étouffés par la couche de poussière. Il prend le pied-de-biche qui pend à sa ceinture et tape plusieurs coups sur une poutre métallique. Pas de réponse. Il porte sa radio à sa bouche : « PC FDNY, PC FDNY, c'est Gantz. On est parvenus à entrer dans un parking en sous-sol. Angle nord-ouest. Personne pour l'instant. Commençons reconnaissance. Terminé ! »

« Je ne suis pas sûr qu'ils me captent, là-dessous, dit-il. Bon, trois groupes. Par là, là et là. Rendez-vous ici dans quinze minutes. Ne vous perdez pas, prenez des repères, tendez l'oreille. Les radios entre nous sur le canal 6, à ce niveau, ça devrait marcher. L'ingénieur, avec moi. Le premier qui trouve quelque chose prévient les autres. »

Je vais sur la droite avec deux pompiers, un flic et un infirmier. J'ai dans un sac à dos une lance à air et des barres de magnésium. Nous marchons entre les rangées de voitures, levant les pieds pour ne pas soulever la poussière. Le parking est vaste, mais les seuls signes de vie que nous voyons et entendons sont les bruits des deux autres équipes. L'alarme d'une Cadillac a dû se déclencher le 11 septembre : la sirène s'est tue mais les warnings clignotent encore faiblement sous le linceul gris. La porte latérale d'un mini-van est restée ouverte, des sacs de sport sont abandonnés au sol, comme si quelqu'un avait tenté de les emporter puis y avait renoncé pour pouvoir fuir plus vite.

Des coups sur du métal : nous braquons les torches vers la droite. Ce sont les autres qui signalent leur présence. J'essuie de la main une vitre côté conducteur d'une grosse Dodge, comme si j'avais une chance de trouver quelqu'un endormi dans l'habitacle.

Les radios des deux pompiers crachotent : « Gantz ! Gantz ! Ici Gomez. Nous sommes devant une porte, une porte de sortie du parking. Il y a un panneau Sortie piétons. Ça doit donner sur autre chose. Permission de continuer ?

– Gomez, Gomez, ici Gantz. Stop, stop. Attendez-nous. Je vois où vous êtes. Ce niveau de parking est vide, nous allons vous retrouver pour changer de pièce. À tous, à tous, regroupement. Retrouvez le groupe Gomez. Gomez, Gomez, flashez une lampe vers le plafond. Des séries de trois coups. On arrive. »

En suivant le signal lumineux, nous arrivons devant la porte à double battants. Elle n'est pas fermée, le lieutenant Gantz l'ouvre lentement. À mi-parcours, elle se coince. Deux épaules de pompiers la font bouger centimètre par centimètre. Le passage est suffisant pour qu'on puisse se glisser de l'autre côté. Le lieutenant passe le premier.

« C'est une galerie, une des galeries commerciales du sous-sol. Une partie s'est effondrée. Il y a des gravats. Attendez, je dégage la porte. »

Nous l'entendons déplacer à coups de pied ce qui bloque l'ouverture, et le suivons. C'est une des rues souterraines qui courent sous les tours, commerces alignés à l'intention des dizaines de milliers de travailleurs qui passaient devant en allant à leurs bureaux ou en revenant. Ils y descendaient pour déjeuner, y faisaient leurs courses l'après-midi, en chemin pour la station de métro ou la gare du train PATH (Port Authority Trans-Hudson) qui les ramenaient dans le New Jersey.

Les dalles du sol sont recouvertes d'une couche de poussière plus épaisse que dans le parking. Par endroits, les petites boîtes des éclairages d'urgence sont allumées, jetant du plafond des halos blafards. Ailleurs, c'est le noir complet. Une fumée grise se glisse sous une porte. Ça rappelle les films de science-fiction, *Alien*, quand les explorateurs pénètrent dans les entrailles du vaisseau abandonné.

« Deux équipes, par là, et là. Canal 6. Retour ici dans un quart d'heure max, dit Gantz. Attention où vous mettez les pieds. »

Près de la porte, quatre vitrines ont explosé sous le poids des gravats tombés d'une brèche du plafond. Plus loin, d'autres vitrines sont intactes.

Sous la couche de gravats, dans le faisceau de ma lampe frontale, je devine que l'étal, à côté de moi, est celui d'un marchand de légumes. Un marchand de journaux a eu le temps de fermer et de baisser sa grille avant de quitter les lieux. Je passe le doigt sur un présentoir rempli d'exemplaires du *New York Times* datés du 11 septembre : deux centimètres de poudre, fine comme du talc. Nous avançons, tournons sur la droite.

Aucun signe de vie. Ici, la couche est moins épaisse. Les boutiques sont fermées, intactes, rideaux de fer baissés. Derrière nous, nous entendons l'équipe de Gantz dont les appels résonnent dans le vide.

« Rob, Rob, regarde. Là, devant, ce ne sont pas des traces de pas ? »

Un des policiers braque sa torche vers le sol : trois ou quatre séries d'empreintes fraîches, des bottes de grande taille, bien distinctes dans la poussière. À côté, une trace continue, comme quelque chose que l'on traîne.

« On dirait que nous ne sommes pas les premiers… »

Les yeux rivés au sol, en suivant la piste qui tourne sur la gauche nous parvenons à une petite rotonde d'où partent plusieurs couloirs. Mon voisin lève sa lampe : seule entre deux vitrines intactes, celle d'une bijouterie de luxe a volé en éclats. Les présentoirs sont vides, renversés. À l'intérieur, tout a été mis à sac.

« Merde… », dit l'un des deux policiers en sortant son arme de son étui. Une empreinte de pas sur la feutrine rouge de la vitrine montre qu'un ou plusieurs intrus sont entrés par là dans le magasin. Certains présentoirs de montres sont intacts, d'autres ont été cassés, comme à coups de masse, et vidés. La porte est restée fermée. Un des flics passe par la vitrine brisée, pénètre à l'intérieur.

« Ce n'est pas dû à l'effondrement, ici, c'est un cambriolage. »

Il pénètre dans l'arrière-boutique.

« Il y a des traces de coups sur le coffre mais ils n'ont pas réussi à l'ouvrir. »

Au moment où il pose le pied sur la vitrine pour ressortir, deux coups sourds brisent le silence. Un autre, dans la galerie un peu plus haut, puis un bruit de verre brisé.

« Ça, c'est pas Gantz. Rob, tu viens avec moi. Sors ton flingue, nom de Dieu ! Vous trois, vous restez ici. Ne bougez surtout pas. »

Les deux policiers s'élancent au pas de course, les faisceaux de leurs lampes dansent sur les murs et les vitrines. J'éteins ma torche, ma frontale, et je les suis.

« Eh, *ironworker*, ils ont dit de ne pas bouger ! »

Je ne réponds pas. Le couloir fait un angle sur la droite, je ne vois plus les lueurs. Mais j'entends.

« Stop ! Arrêtez-vous ! Plus un geste ! Stop ou je tire ! »

Des bruits de verre, de course. Bang ! Bang !

« Arrête, putain ! arrête de tirer en l'air. On va se blesser avec les ricochets. Arrête, ils ont éteint leurs lampes, on ne voit plus rien. Laisse tomber. »

Je vois à nouveau la lumière des torches. Les flics reviennent vers moi. J'allume la mienne. « Qui est là ? Je braque ma torche sur mon visage, allume ma frontale :

« Eh, du calme, c'est moi, John. Je suis avec vous. Mais qu'est-ce qui se passe ici ?

– Deux ou trois gars, des pillards. Ils tapaient sur la vitrine d'une boutique d'ordinateurs. On a vu leurs frontales mais eux aussi ont vu les nôtres. Ils ont lâché leurs masses et ont filé en courant, dit l'un des policiers. Ils ont éteint leurs lampes. Je crois qu'ils se sont séparés. Pas moyen de voir par où ils sont partis. Trop dangereux.

– C'est pas vrai ! dit l'autre flic. Tu peux croire ça, toi ? Après ce qui s'est passé ici, des gars viennent à Ground Zero pas pour sauver des vies mais pour voler ! Putain, si j'en attrape un, crois-moi, il n'y aura pas besoin de procès !...

– Calme-toi Rob. C'était une connerie de tirer. Il va falloir que tu expliques les deux balles qui manquent dans ton chargeur, maintenant... Passage en commission et tutti quanti. Faut qu'on se mette d'accord sur une version. Pas la peine de raconter là-haut que nous sommes tombés sur des pillards. On n'en parlera qu'au capitaine, lui saura quoi faire. Tu ne savais pas que des vols ont lieu chaque fois qu'il y a un gros accident ?

Et pas qu'à New York, tu peux me croire ! Venez, il faut qu'on retrouve Gantz. Il faut trouver un moyen de sécuriser tout ça. »

Par radio, les deux équipes se donnent rendez-vous sur une des places rondes. Nous les rejoignons. Eux aussi ont vu des vitrines brisées, un magasin de téléphones portables vidé, des traces de pas et d'effraction.

« Il faut croire qu'il y a un accès plus simple que celui que nous avons trouvé, dit le chef d'équipe. Peut-être par les tunnels du métro ; peut-être par les égouts. En tout cas, ce n'est pas ici que des gens ont cherché refuge.

– Vous savez, il y a eu presque une heure entre le choc des avions sur les tours et leur effondrement, dit Rob, le policier. Si des milliers de gens ont eu le temps de descendre des étages, ce serait étonnant que les vendeurs et les clients des magasins des sous-sols n'aient pas fait pareil. À neuf heures du matin, il n'y avait sans doute pas beaucoup de monde dans les bureaux. Quant aux autres salles en sous-sols, beaucoup avaient été fermées après l'attentat à la bombe de 1993. Je m'en souviens, je venais d'entrer dans le département quand ces tarés ont placé une camionnette piégée dans un parking.

– Bon, ça suffit pour l'instant, dit le lieutenant Gantz. Nous allons marquer l'accès que nous avons utilisé. Le département va envoyer une vraie mission de reconnaissance, qui va visiter tous les parkings et les galeries commerciales accessibles, repérer les accès. D'après ce que nous venons de voir, ce n'est pas dans ces sous-sols que nous trouverons des rescapés… Quelqu'un a pensé à prendre une bombe de peinture ? »

Personne.

En chemin vers la sortie, c'est au marqueur que l'un d'entre nous trace des flèches noires sur les murs et les portes. En plusieurs endroits, nous remarquons de nouvelles empreintes, sans savoir si c'est un membre de notre équipe qui les a laissées.

« Je pensais que nous étions les premiers à avoir trouvé un accès aux sous-sols, maintenant, je n'en suis plus si sûr… », dit Gantz.

Quand nous sortons du tunnel, il a cessé de pleuvoir. Une nouvelle équipe, avec du matériel lourd, des générateurs et des lampes sur pieds, se prépare à nous remplacer. Il paraît que des secouristes spéléologues, avec leur matériel spécialisé, sont arrivés hier de Californie.

« Bon, je vais rendre compte au PC. Il faut que je trouve les plans des sous-sols pour tenter de comprendre par où nous sommes entrés, ce que nous avons exploré et ce qui reste à voir, dit Gantz. Je vais demander aux ingénieurs de prévoir une consolidation de notre tunnel et son élargissement. Merci à tous. »

Derrière les tables pliantes de la Croix-Rouge, je cherche la casquette et les cheveux roux de Mary Sullivan. Je n'ose pas demander à l'un des volontaires s'il sait où elle est. Le temps de me servir une tasse de café, un contremaître me repère. Il cherche quatre charpentiers et leurs chalumeaux pour renforcer les équipes qui finissent de découper la passerelle qui bloque encore la West Side Highway. Je vais avec lui. Plus loin, nous récupérons Andy et deux autres gars envoyés par le syndicat.

Nous allons y passer deux jours.

Un peu à l'écart de la pile, près de la rivière, en fonction des vents, nous sommes souvent épargnés par les fumées. Après trois jours au cœur du magma, ça fait du bien de travailler à l'air libre sur ce qui ressemble à un classique chantier de démolition, sans risque de tomber sur des cadavres ou des morceaux de corps. Nous élargissons la voie pour permettre à des grues sur roues, de plus en plus lourdes, d'approcher. Les appontements sur l'Hudson ont été agrandis, des barges plus longues peuvent accoster, que des files ininterrompues de camions remplissent, vingt-quatre heures sur vingt-quatre.

Au soir du 17, quand nous repassons à la table du syndicat remplir la feuille de présence, Art Leary, du Local 40, nous dit : « Bon, vous deux, les Indiens, je ne veux pas vous voir demain ni après-demain. Deux jours de congé obligatoire. Montez à la réserve, reposez-vous, allez rassurer vos familles, je suis sûr qu'elles sont inquiètes. Vous avez compris qu'on en a pour des mois, ici. Personne n'est capable d'avancer une date, mais ça ne m'étonnerait pas que nous soyons encore à creuser ici l'été prochain. Personne n'a jamais fait un truc pareil, alors il n'y a pas de plan, pas de mode d'emploi. Il faut dormir, reprendre des forces. Rendez-vous dans trois jours.

– Mais non ! Les pompiers ne sont pas soumis à ce genre de règle, alors pourquoi nous ? demande Andy.

– Les pompiers, ils ont trois cent cinquante de leurs frères là-dessous. Pour l'instant, ils font ce qu'ils veulent, comme ils veulent, où ils veulent. Ça changera peut-être, mais je ne te conseille pas de les chatouiller sur la question… Tirez-vous, rendez-vous ici jeudi matin, huit heures. »

Nous rentrons à l'hôtel. Pour Andy, les choses sont simples : il a divorcé il y a plus de quinze ans, son ex-femme le déteste, ses deux enfants sont grands. Il va rester à Brooklyn. Il a une amie à Bay Ridge. Elle sera contente de le voir. Il est un de ces Mohawks qui, après le divorce, se coupent de la réserve, n'y retournent plus qu'une fois par an, en été, pour le pow wow, la grande fête de juillet. Certains n'y reviennent plus du tout. La fameuse « terre sacrée » dont on nous rebat les oreilles n'existe pas plus pour nous que pour les immigrants irlandais ou siciliens. J'en aime pourtant l'idée ; c'est romantique, c'est quelque part en nous, mais, il faut bien l'avouer, c'est assez lointain. Mais je connais des gars, peu nombreux, pour lesquels ça reste primordial. Ils ne peuvent pas s'éloigner de Kahnawake, ne s'adressent à leurs enfants qu'en mohawk, préfèrent vivoter dans la réserve plutôt que de tenter leur chance à New York ou ailleurs.

J'hésite à prendre la route du Canada. J'ai appelé ma femme, Louise, dès que les lignes ont à nouveau fonctionné, le 11 au soir. Elle était soulagée de me savoir vivant mais, surtout, heureuse de pouvoir rassurer notre fille, Tami, qui a douze ans et pleurait devant la télé. Je ne suis pas remonté dans la réserve depuis des mois. Au cours de l'année écoulée, Louise m'a envoyé deux fois les papiers du divorce. Je ne les ai pas signés, un peu par négligence, et un peu, aussi, pour la contrarier. Nous nous sommes mariés trop jeunes. Nos parents, qui se connaissaient, avaient tout planifié, nous avons vite compris que ça ne pourrait pas marcher.

Il est trop tard, je ne vais pas prendre le volant pour sept heures de route après une journée comme celle-ci.

« Allo, Louise. Bonsoir, c'est John. Oui, tout va bien. Nous sommes à Ground Zero ; ils ont besoin des *ironworkers* pour découper tout ça, tu t'en doutes. Ça va, c'est dur, mais ça va… Au moins on se sent utiles. Ça te dérange si je monte demain à Kahnawake embrasser Tami ? Je voudrais voir ma mère aussi. Oui, oui, je peux rester chez elle, pas de problème. Demain soir à la longue maison ? Très bien, j'y serai. Je t'embrasse. Embrasse la petite. »

« Qu'est-ce qui se passe à la longue maison ? demande Andy.

– Une cérémonie en hommage aux victimes, une collecte d'argent et de matériel pour les sauveteurs, et une veillée en l'honneur des tours jumelles. Mon père a été le seul Mohawk tué en les construisant, elles ont toujours fait partie de la vie de la réserve. Quatre ans de travail. Elles ont nourri tellement de familles à Kahnawake. Nous avons grandi dans leur ombre. Tu te souviens ? Les anciens disaient toujours ça…

– Dans ce cas, je viens avec toi. On part demain matin ?

– Pas besoin de partir à l'aube. Vers neuf heures, ça ira, on y sera dans l'après-midi. »

Le lendemain, nous jetons nos sacs de voyage à l'arrière de ma voiture. Ford Crown Victoria, modèle *Police Interceptor*, 1993 : grand coffre, longues banquettes, gourmande en carburant mais idéale sur l'autoroute vers la frontière canadienne. Moteur gonflé, suspensions renforcées, pare-buffle à l'avant. Les *State troopers* de l'État de New York les revendent quand elles atteignent quatre-vingt mille kilomètres. Je l'ai repeinte en noir sans démonter le petit projecteur manuel sur la carrosserie, côté vitre du conducteur. Même s'il n'y a plus le gyrophare sur le toit, quand les automobilistes la voient arriver dans leurs rétroviseurs, ils se rangent sur le côté. Quand ils comprennent que ce n'est pas la *highway patrol*, je suis déjà passé.

Le huit-cylindres ronronne sur l'autoroute, nous approchons de la capitale de l'État, Albany. À la sortie de la ville, les contreforts des Adirondacks. Pour les Mohawks, c'est l'entrée dans les territoires de chasse ancestraux. Les routes, dans ce massif forestier immense qui a été notre domaine pendant des millénaires, ont remplacé les pistes tracées par les anciens, avant l'arrivée des colons. Dans la région, il ne reste plus un Indien ou presque. Ils ont été chassés vers le Nord par des traités cent fois rompus, des guerres, des tueries, et la peur des maladies apportées par les Blancs. Mais pour toujours, les Adirondacks, ce sont nos montagnes.

Dans les phares, le panneau de la sortie 26, Pottersville. « Andy, j'ai besoin d'un café. On s'arrête au Black Bear. »

Trois virages plus tard, le long de la vieille route 9, j'aperçois le toit de métal rouge et les murs de bois sombre de la taverne. Le bar-restaurant de L'Ours noir est depuis toujours l'arrêt obligatoire pour les *iron-workers* dans leur migration hebdomadaire vers le Nord. Les anciens racontent qu'une nuit d'hiver un Mohawk est tombé en panne. Les propriétaires l'ont accueilli, nourri près de la cheminée et lui ont prêté un lit. Le lendemain, le mécanicien du coin a réparé la voiture. Le vendredi soir suivant, en remerciement, l'Indien était de retour avec vingt monteurs d'acier en route pour Kahnawake. La tradition est née : à mi-chemin de la maison, le Black Bear est une étape où les charpentiers sont sûrs d'être bien reçus. Bière, café, hamburgers, pâtisserie maison. Une demi-heure, et on reprend la route. Pendant longtemps, un tableau représentant un guerrier mohawk en peintures de guerre, tomahawk à la main, a trôné au-dessus du bar. Aujourd'hui, c'est la bannière étoilée avec, au centre, le portrait d'un Indien.

Je gare la Ford sous la rangée de sapins sombres. L'air vif de la montagne nous saisit, nous remontons les cols, poussons la double porte. La serveuse reconnaît, aux vêtements, sans doute, des *ironworkers* en route vers le Nord. « Bonjour, messieurs, déjeuner ou café ?

– Café seulement, merci. Et tarte aux pommes, si vous avez. »

Andy va aux toilettes. Je regarde les affiches sur les murs de rondins. Les classiques de l'Americana : James Dean, Elvis, Fred Astaire et Ginger Rogers, Bogart, Dirty Harry. Sur une ardoise, le plat du jour : Palourdes à la vapeur, sept dollars cinquante. Au-dessus, la reproduction d'une affiche des années 1930 : « Interdiction absolue de vendre de la bière aux Indiens. » Dans un coin du restaurant, une boutique avec tee-shirts et casquettes décorés d'une empreinte d'ours noir et la devise : *Dare to go Bear* (Osez devenir un ours).

En découpant sa part de tarte tiède, glace à la vanille, Andy semble parler à son assiette. « C'est dingue, quand même, tout ce qu'on a vu en une semaine. Ils ne vont pas nous croire, là-haut…

– Si, ils nous croiront. Il y a une vingtaine d'anciens qui les ont construites, ces tours, peut-être davantage. Ils comprendront. »

Je paie l'addition. « Bonne route, les gars. C'est pas fréquent de vous voir passer en semaine, si tôt le matin… »

Trois gallons d'essence à la station-service, six bières, nous reprenons l'embranchement de l'Interstate 87. J'allume la radio, 107.7 WGNA, *Today's Country Music from Albany*, qui enchaîne trois chansons des Dixie Chicks. À Port Henry, je quitte l'autoroute, prend la 73 Ouest. À travers les Adirondacks, cent cinquante kilomètres dans le massif, en pleine forêt. La route est sinueuse, mais plus courte.

Les sapins défilent comme des murs noirs des deux côtés. Le moteur gronde à mi-régime. Je prends les virages à la corde, en souriant, bien calé dans mon siège. Je tire droit d'une courbe à l'autre, coupe les trajectoires, fais chanter les gravillons sur le bas-côté, relance sur le couple, retarde les freinages, laisse partir en travers, une seconde ou deux, les roues arrière, redresse en effleurant le frein.

Andy a baissé le dossier de son siège, il dort. Nous traversons des villages déserts, suivons des rivières, longeons des lacs, montons des cols, dévalons des vallées. Un cerf traverse au loin, s'arrête en pleine route, bondit dans un fourré.

Saranac, Debar Moutain, Meacham Lake, Malone. Les silhouettes d'usines ou de scieries, fermées depuis des lustres, se détachent comme des géants endormis sur le ciel bleu dur. Fixé à l'entrée d'un pont, un panneau de bois marqué à la peinture noire : THIS IS MOHAWK LAND. Nous y sommes.

Je vais directement à la maison de ma mère, dans la petite impasse donnant sur le Saint-Laurent. Je m'y attendais : Tami, qui guette les voitures sous le porche, me saute dans les bras : « Papa ! Papa ! Maman m'a dit que tu aidais les sauveteurs dans les tours effondrées ! J'ai eu si peur, Pa. Ce n'est pas trop dangereux ?

– Mais non, ma princesse. Les Américains ont besoin des Mohawks parce qu'ils savent que nous sommes les meilleurs pour découper les poutres d'acier. Tu sais comme je suis habile avec un chalumeau. Quand les *twin towers* se sont effondrées, ça a fait comme un mikado géant. Tu vois le mikado, les petites baguettes de bois de ton jeu, qu'il faut enlever l'une après l'autre sans en faire bouger aucune. Eh bien, là, les baguettes sont des poutres de plusieurs tonnes. Aucune grue n'est assez forte pour les soulever, alors nous les découpons en morceaux pour que les grues puissent les emporter. Ne t'inquiète pas. Le danger, c'était le jour où elles sont tombées. Maintenant, c'est un travail long et difficile, et il y a peut-être des gens blessés dessous qui attendent qu'on leur vienne en aide. Il faut faire vite, mais ce n'est plus dangereux. »

Tami embrasse Andy, me tient la main pour entrer dans la maison.

« Pa, c'est bien là que papy est mort, non, dans ces tours ? Je n'ai pas osé demander à Mamy…

– Oui, c'est sur ce chantier que papy est mort. Une partie de lui est restée là-bas. Quand je les ai vues s'effondrer, c'est comme si j'avais vu quelqu'un détruire sa tombe à coups de masse. Il faut que je participe aux secours, il faut que j'aide à retrouver des survivants là-dessous. Pour lui, et pour moi. Tu comprends ça, pas vrai ? »

Elle ne répond pas, frotte comme un chat sa tête contre ma poitrine.

Prévenue par Louise, ma mère, qui porte le même prénom, a préparé des steaks, de la soupe et des pains de maïs. Les larmes aux yeux, elle me serre dans ses bras, je fléchis les genoux pour lui embrasser les cheveux.

Elle a sorti des étagères un album de photos, ouvert sur la table, près de la cheminée, aux pages marquées « Août 1968 ». Sur la première photo, elle pose entre moi, qui dois avoir une dizaine d'années, et mon frère Robert, devant l'entrée du chantier des tours jumelles. C'est mon père qui avait pris cette photo la première fois que nous étions descendus le voir, quelques jours après qu'il avait commencé à connecter les éléments d'acier que je découpe en morceaux aujourd'hui. Sur une autre, Robert est sur les épaules de papa qui me tient la main, devant l'entrée d'un ascenseur de chantier. Sur une autre, on voit en arrière-plan le port de New York et la statue de la Liberté. Sur une autre encore, nous jouons sur le pont de Brooklyn.

« Tu imagines, s'il avait vécu, la peine qu'aurait eue ton père à voir ces tours disparaître à la télé, dit ma mère. J'ai vu des anciens, dans la salle de l'American Légion pleurer comme des enfants. Des durs, des camarades de ton père, Jones, Wild Bill, Miller, ceux qui ont ramené son corps après l'accident. Ils vont être contents de te voir. »

Une des deux longues maisons de Kahnawake est au bout de la rue. Nous y allons à pied. La tradition veut que ce soit dans ces grandes salles rectangulaires, peu ou pas décorées, lambrissées du sol au plafond, avec des gradins entourant un ou deux poêles à bois, que se tiennent les réunions, les fêtes, les danses, toutes les cérémonies.

Le parking est presque plein. Il va y avoir du monde. Devant la double porte grande ouverte, les chefs de clans accueillent les arrivants. Stanley Rochelle est mon grand-oncle, il dirige le clan de l'Ours auquel ma famille appartient. Il m'étreint, me donne de grandes claques dans le dos.

« John ! J'ai appris que tu venais d'arriver de New York. Merci d'être venu. Tu vas pouvoir nous raconter ce qui s'est passé. J'ai beaucoup pensé à ton père. En s'attaquant au World Trade Center, c'est aussi à nous que ces fumiers de terroristes s'en sont pris. Ils ne vont pas s'en sortir comme ça. Ils vont comprendre ce que c'est que d'avoir les Mohawks pour ennemis ! »

Sans pouvoir toujours mettre un nom dessus, je reconnais des visages, serre des mains, embrasse des enfants. Des dizaines de charpentiers du fer à la retraite, d'autres en activité. Au centre de la pièce, sur le poêle éteint, des feuilles de tabac de cérémonie se consument dans des coupes de terre. Leur fumée monte, nous connecte au Créateur. Des adolescents commencent à chanter, à taper sur les tambours, mais ils se font rabrouer. Trop tôt.

On discute en petits groupes, les gradins commencent à se remplir. Une grande main se pose sur mon épaule. Je me retourne. Wild Bill Cooper, le meilleur ami de mon père. Je ne l'ai pas vu depuis des années. Ses cheveux ont blanchi, ses épaules de colosse se sont voûtées, les rides de son visage, qui entourent un grand nez d'aigle, se sont creusées. Il s'appuie sur une canne, plie à peine le genou droit. Son regard brille toujours de cette flamme qui m'impressionnait et m'effrayait lorsque j'étais enfant.

« John, petit, c'est bien que tu sois là. Je savais que, ce jour maudit, si tu étais à Manhattan, tu descendrais au Trade Center avec un chalumeau. Et que tu ne serais pas seul. Ce sont les tours de ton père. Ici, quand nous les avons vues s'écrouler, d'abord nous sommes restés pétrifiés devant la télé. Puis nous avons appelé les fils, les neveux, les jeunes. Au Canada et ailleurs. Nous leur avons dit : prenez vos outils, les chalumeaux et partez pour New York. Les *twin towers* sont à nous. C'est nous qui les avons construites. À vous de les mettre en terre. Et de marcher dans le ciel, de boulonner les poutres, d'honorer les ancêtres quand il sera temps de les reconstruire. »

Il me prend par l'épaule, m'entraîne à l'écart : « Écoute, fils… Maintenant il faut que je te révèle un secret. »

8

Montréal

mars 1885

Quand le panache de fumée blanche est apparu, au bout du quai de la gare Bonaventure, la fanfare du 6e bataillon de fusiliers de Montréal a entonné *The Blue Bells of Scotland*, et une clameur est montée de la foule. « Les voilà ! Voilà le train ! Ils arrivent ! »

Ils sont des centaines, familles mohawks venues de Kahnawake accueillir leurs hommes, mais aussi Canadiens français, anglophones, officiels, journalistes, curieux intrigués par les articles de presse et la banderole *Welcome Home – Bienvenue à la maison* accrochée aux poutres métalliques au-dessus de la voie.

Au coup de sifflet, la locomotive bloque ses roues, s'immobilise et lâche de longs jets de vapeur, comme un rideau de scène derrière lequel les portières des wagons s'ouvrent, libérant une étonnante troupe sur le quai. Uniformes anglais dépareillés, veste rouge à épaulettes, pantalons de serge grise, kilts écossais, djellabas bardées de décorations, brodequins de cuir, babouches cousues de fils d'or, casques coloniaux, turbans, calots brodés Royal Navy, tarbouches égyptiens aux longs glands noirs. Ils brandissent des cimeterres courbes, des lances, des lanternes de verre coloré, des miroirs avec leurs cadres de coquillages, des cendriers de corail, des drapeaux, des fanions, des colliers d'amulettes, de longs fusils aux crosses incrustées de nacre, des tapis roulés, des couteaux et coutelas dans leurs étuis, une reproduction en bois peint du Sphinx de Gizeh, un régime de dattes, une croix copte dorée à l'or fin.

L'un d'entre eux tient à bout de bras une cage de fer dans laquelle un couple de perroquets vert et gris s'accroche à son perchoir ; un autre a sur chaque épaule un petit singe apeuré, attaché par une laisse de cuir à sa large ceinture argentée. Ils chantent, dansent, rient, crient, posent à terre leurs gros sacs de toile, ouvrent les bras quand, dans la foule qui court vers eux, ils reconnaissent leurs parents, des amis. Six mois après leur départ pour le cœur de l'Afrique, les « voyageurs du Nil », bronzés, fiers et hilares, sont de retour au pays.

L'aventure a commencé avec la réception, dans la citadelle de Québec, le 20 août 1884, par Henry Charles Keith Petty-Fitzmaurice, gouverneur général du Canada pour la couronne d'Angleterre, d'un câble crypté du Colonial Office de Londres. Une fois le message décodé, le représentant de Sa Majesté lit.

À la demande du général Garnet Wolseley, qui s'apprête à partir pour le Soudan à la tête d'un corps expéditionnaire, il faut « enrôler trois cents bons voyageurs de Caugnawaga (l'ancien nom de Kahnawake) pour servir de pilotes sur des bateaux pour une expédition sur le Nil – engagement de six mois avec passage par l'Égypte. »

« Voyageurs » : le terme français désigne les pilotes de bateaux et de canoës sur les rivières et les fleuves du nord-est de l'Amérique. Depuis les débuts de la colonisation et du commerce des fourrures, la réputation de pagayeurs, de navigateurs, de guides et d'aventuriers des Mohawks est sans égale dans le Nouveau Monde.

En 1870, Garnet Wolseley, alors colonel, et son adjoint, le lieutenant William Butler, sont cantonnés au Canada, quand un chef métis, Louis Riel, prend la tête d'une rébellion dans la province du Manitoba. Dans ce territoire du Grand Ouest, à la tête d'une petite troupe, Riel refuse de se soumettre à l'autorité de la Confédération canadienne fondée deux ans plus tôt. Il prend le contrôle de plusieurs villes, dont Fort Garry, sur la Rivière Rouge, et fonde un gouvernement métis provisoire.

Pour la couronne d'Angleterre et les nouvelles autorités fédérales canadiennes, il faut étouffer dans l'œuf toute volonté sécessionniste. En quelques jours, un corps expéditionnaire composé de miliciens canadiens et de soldats anglais est formé. Mais Washington refuse d'autoriser le passage sur son sol d'une force armée étrangère, et la voie ferrée transcanadienne est encore en construction : c'est par les rivières et les grands lacs de la région sauvage frontalière avec les États-Unis que le colonel Wolseley va rallier Fort Garry pour mettre au pas les rebelles.

Le colonel se souvient qu'en 1862, cantonné à La Prairie, face à Montréal, tout près de Kahnawake, il admirait sur le Saint-Laurent la dextérité, la force et le courage des pagayeurs mohawks. Il en recrute cent quarante, destinés à devenir pilotes dans ce qui va devenir « l'expédition de la Rivière Rouge ». Les hommes sont répartis sur des vapeurs, puis sur des canoës. Les Mohawks vont barrer, pagayer, porter les embarcations à dos d'homme et parvenir en moins de trois mois en vue de Fort Garry.

Averti de leur arrivée, Louis Riel fuit aux États-Unis, et l'autorité d'Ottawa est rétablie dans la province. « Heureux était l'officier qui avait pour manœuvrer ses embarcations les habiles Iroquois, les meilleurs bateliers du Canada », écrit le colonel Wolseley.

Rentré à Londres l'officier, devenu général, se souvient des pagayeurs mohawks quand on lui demande de monter une expédition pour secourir le général Charles Gordon, dit Gordon Pacha, encerclé avec quelques dizaines d'hommes dans Khartoum, capitale du Soudan, par des milliers de musulmans rebelles.

L'insurrection est menée par un redoutable chef religieux et politique, mi-illuminé, mi-stratège, Mohamed Ahmad Ibn Allah. Ce fils de charpentier a persuadé une bonne partie du pays qu'il était la réincarnation du Mahdi, le fameux « imam caché » dont la venue est annoncée dans le Coran.

Il veut libérer son pays de la tutelle du Caire et de Londres, et rêve de créer un califat qui s'étendrait de Bagdad à Séville.

Son « armée du Mahdi », mal équipée mais nombreuse et fanatisée, a défait les forces égyptiennes et assiège le dernier contingent anglais dans Khartoum. Gordon Pacha a évacué les civils anglais, les femmes et les enfants, mais refuse d'abandonner la place alors qu'il dispose encore, sur le Nil, d'un bateau à vapeur qui lui permettrait de fuir. Il fait le pari que la Couronne ne peut perdre la face en le sacrifiant et qu'elle viendra à son secours.

À Londres, l'opinion publique s'émeut et le soutient. Des manifestants scandent son nom, la presse en fait un héros de l'Empire et force l'état-major à organiser une expédition depuis Le Caire.

Pour remonter à contre-courant le Nil jusqu'à Khartoum, franchir rapides et cataractes, Butler fait construire en Angleterre huit cents petits bateaux, inspirés des chaloupes baleinières, assez légers pour être portés à dos d'hommes quand les obstacles sont infranchissables. Avec leurs deux mâts et leurs voiles rectangulaires, ils peuvent transporter douze soldats avec vivres, armes et munitions.

Début septembre 1884 le secrétaire militaire du gouverneur du Canada, Gilbert Eliot, débarque à Kahnawake. Dans le bureau de John Farber, chef du Conseil, les sourires sur les visages de ses interlocuteurs sont de bon augure.

« Messieurs, j'ai l'honneur de vous annoncer que l'armée de Sa Majesté propose quarante dollars par mois (le double des salaires de la région) plus un équipement complet pour le climat du désert. Il s'agit d'un contrat de six mois, éventuellement renouvelable. Vous avez la garantie de ne pas avoir à combattre, votre tâche est uniquement de barrer les bateaux qui remonteront le Nil. Nous avons besoin d'une décision rapide, départ de Montréal dans deux semaines, destination la Méditerranée, Gibraltar, puis Le Caire. »

Au moins deux cent quarante dollars en une demi-année, un billet aller-retour pour l'Orient et ses merveilles, l'Afrique, la remontée en canoë d'un fleuve mythique ; celui où, dans la Bible, le bébé Moïse a été sauvé des eaux par la sœur de Pharaon : la liste des volontaires s'allonge.

En tête, Joe Rochelle. Pour lui, comme pour les cinquante-six hommes de Kahnawake qui vont signer et se rendre au-delà de l'horizon, puis revenir, des semaines ou des mois plus tard, pleins d'histoires et de richesses, c'est marcher sur les traces des ancêtres, les chasseurs, les guerriers, les glorieux explorateurs dont certains disent qu'à bord de leurs canoës d'écorce ils avaient, bien avant l'arrivée de l'homme blanc, sillonné le continent, atteint les rives du Pacifique et du golfe du Mexique. Chez les Mohawks, c'est cela être un homme.

« C'est une occasion unique, dit Joe Rochelle à son frère Angus. Tu sais bien qu'à mon âge je ne vais pas continuer longtemps à faire la drave. L'été dernier, quand j'ai glissé entre deux rondins, j'ai bien cru que c'était fini… Tu te rends compte, le Nil, l'Afrique, Le Caire, le désert, l'aventure !… »

Joe est le premier à s'engager. Le second est son ami et futur beau-frère, Matthew LaLiberté. Il est fiancé à Emma, la sœur d'Angus, Joe et Peter Rochelle, la noce est prévue dans un an. La solde de voyageur du Nil tombera à point pour financer l'installation du couple.

La période de l'année est propice : le début de l'automne, juste avant les premières neiges et les glaces. Le retour est prévu au printemps, à temps pour reprendre les travaux forestiers, la chasse ou les convoyages sur les rivières. Aucun n'a d'idée précise sur leur destination, et rares sont ceux qui pourraient situer l'Afrique, encore moins l'Égypte ou le Soudan sur une carte s'ils en voyaient une. Sir Eliot a promis d'en apporter une la semaine suivante, quand il viendra chercher la liste définitive et apporter les primes d'engagement.

Tandis qu'ils rentrent chez eux à pied, sur la berge du fleuve, après avoir apposé leurs noms sur la feuille, Joe dit à Matthew : « Ce qui est sûr, c'est qu'on ne sera sans doute jamais aussi bien payés pour voir le monde et barrer des bateaux pendant que rament des soldats anglais… »

Le jour du départ, ils sont près de quatre cents rassemblés sur un des principaux quais de Montréal pour embarquer sur l'*Ocean King*, un paquebot venu d'Écosse. Les ordres étaient de recruter « trois cents bons voyageurs » mohawks, mais, en deux semaines, il n'a été possible d'en faire signer que cinquante-sept. Certains ont hésité puis renoncé, d'autres ont été dissuadés par leurs familles, effrayées par les récits des journaux qui leur parviennent – déformés et en retard – sur cette insurrection de « sanguinaires musulmans africains » en terres lointaines. Sous le commandement de sept officiers britanniques et d'un médecin, c'est une assemblée d'aventuriers, de bateliers, de bûcherons, d'hommes de peine, de coureurs des bois plus ou moins aguerris, des francophones, des anglophones, des immigrants anglais et écossais.

La veille, accompagnés par Angus et Emma Rochelle, Joe et Matthew ont quitté Kahnawake et fêté dans un restaurant montréalais le départ des héros. « Promets-moi de revenir dans six mois, soupire, les larmes aux yeux,

Emma à son fiancé. Cet officier anglais semblait dire que la campagne pourrait durer plus longtemps et que vous pourriez prolonger le contrat, en signer un autre, là-bas, à ce qu'on m'a dit… Je t'attends au printemps pour le mariage. Jure-moi que tu ne seras pas en retard… Et que tu ne prendras pas trop de risques…

– Je te le jure, mon étoile, répond Matthew en la serrant dans ses bras. En mai, je serai là. J'ai trouvé le terrain, près du fleuve, où je vais demander au Conseil l'autorisation de construire notre maison. Les travaux pourront commencer, les arbres pour les poutres de la charpente ont été abattus. Je serai là, et en un morceau, c'est promis. »

Après avoir dormi dans un petit hôtel tenu par un ami d'Angus, ils étaient en avance, de bon matin, sur le quai du départ. Sur place, les officiels anglais et canadiens, alignés devant l'échelle de coupée serrent longuement, avec de grands sourires, les mains des courageux.

« C'est la première fois que des Canadiens prennent part aux batailles pour la grandeur de l'Empire. Nous sommes fiers de vous, et fiers que les armoiries du Canada flottent dans le ciel d'Afrique. Bonne chance à tous, et que Dieu vous garde ! », clame l'un d'eux. Au pied de la passerelle, des membres de sectes évangéliques chrétiennes remettent à chacun un exemplaire d'une bible illustrée en couleurs pendant qu'un curé les bénit.

À peine Matthew et son frère ont-ils posé le pied sur l'échelle, qu'Emma, incapable de retenir ses larmes, se sauve en courant vers la sortie du port. Angus aurait voulu rester sur le quai et agiter son chapeau au lever de l'ancre, mais il ne veut pas la laisser seule. Il la rejoint à grands pas et passe son bras sur son épaule.

La sirène résonne dans la ville. Une foule compacte et enthousiaste salue le départ du navire qui s'engage, dans le lit du Saint-Laurent, pour son voyage transcontinental.

Un premier arrêt à Trois-Rivières et un second à Québec permettent à des retardataires, qui le rejoignent en train, de monter à bord. Sur l'esplanade de la citadelle de Québec, la troupe hétéroclite est rassemblée devant le gouverneur du Canada et de hauts dignitaires qui se succèdent pour les saluer et les féliciter, en français et en anglais.

« La plupart de ces gens n'auraient jamais mis les pieds à Kahnawake ni adressé la parole à un sauvage si nous n'avions pas la réputation que nous avons sur le fleuve », murmure Matthew entre ses dents, pendant que passe devant eux, dans la boue, la femme du gouverneur, en bottines et crinoline blanche.

Ils repartent le lendemain et descendent le grand fleuve. À l'approche de l'embouchure, des caisses sont montées de la soute : distribution des tenues de campagne. Chaque voyageur reçoit des sous-vêtements de laine grise, deux chemises de flanelle, deux pantalons de tweed, un chapeau à large bord et une veste de chasse Norfolk, elle aussi en tweed. L'intendant donne à chacun une couverture de laine, une serviette, des ustensiles de cuisine et un sac de grosse toile pour transporter le tout.

« Mais il ne fait pas une chaleur de tous les diables, en Égypte ? demande Matthew à un soldat anglais qui le regarde sans répondre. Ce n'est pas un peu chaud, tout ça ? » Ses doutes se renforcent quand il voit les officiers essayer des tenues légères, en coton beige, et des casques coloniaux.

Le médecin de l'expédition donne à chacun une ceinture de flanelle et leur montre comment la porter, en deux larges tours autour du ventre. « Dès notre arrivée en Égypte, ne vous séparez jamais de cette ceinture, elle vous protégera du choléra et de la dysenterie », dit le major Hubert Neilson, détaché auprès d'eux par le régiment d'artillerie canadienne. Il n'expliquera jamais comment un simple morceau de tissu peut protéger de tels fléaux et, après quelques jours sur le Nil, plus personne ne prendra la peine de s'en ceindre.

La distribution se termine par une paire de lunettes dont les verres, teintés bleu foncé, « protégeront vos yeux du terrible soleil tropical », dit le docteur. Dans leur bel étui gravé « B. Laurence, optician – London », elles deviendront un des trésors favoris des voyageurs qui, peu nombreux à les chausser pendant l'expédition, les rapporteront au Canada où elles se transmettront, reliques et souvenirs, de génération en génération.

Joe et Matthew ont, comme d'autres, emporté dans un sac de cuir un coutelas de chasse, des bourses pleines de tabac de cérémonie et deux paires de mocassins de daim brodés, qu'ils vont vite préférer aux brodequins qui leur sont octroyés. Joe a aussi pris son revolver à six coups, enveloppé dans une pièce de coton huilée, et trois boîtes de balles.

À bord, la nourriture est riche et copieuse, servie à heures fixes dans de la vaisselle de métal et de porcelaine. Tout est gratuit, une aubaine et un émerveillement pour des volontaires habitués, sur les chantiers d'abattage d'arbres en forêts ou sur les radeaux de rondins, à payer de leur poche des assiettes de ragoût de porc aux haricots. Il y a même des livres et des magazines, en français et en anglais, des jeux de cartes et de société…

Après l'embouchure du Saint-Laurent et avant d'attaquer la traversée transatlantique, l'*Ocean King* fait escale pour s'approvisionner en charbon à Sydney, en Nouvelle-Écosse, où trois hommes désertent. Dès que s'éloignent à l'horizon les côtes canadiennes, pour dix jours de traversée à destination de Gibraltar, la houle du large imprime au navire un roulis dont souffrent les voyageurs, en particulier les Indiens. Si Matthew parvient au bout de quelques jours à surmonter le mal de mer et à parcourir les coursives, Joe passe ses journées prostré sur sa couchette, livide, dormant le plus possible.

À Gibraltar, le colonel Charles Denison, officier commandant le contingent des voyageurs, donne l'autorisation de descendre à terre. Les hommes passent la journée au soleil, sur les remparts du Rocher, à admirer la vue sur la baie, le trafic dans le détroit, fascinés par la colonie de singes qui jouent sur la falaise.

Quand il est temps de regagner le bord, deux Indiens ojibwa qui ont abusé de rhum et de vin rouge dans une taverne tiennent tête à coups de poing, dos au mur, à une dizaine de policiers et de locaux, qui doivent demander des renforts pour parvenir à les capturer et à les reconduire, braillant des chants de guerre, mains attachées dans le dos, à bord du paquebot, où ils sont mis aux arrêts et punis de vingt dollars d'amende.

La croisière en Méditerranée se déroule comme dans un rêve, sur une mer calme, à l'abri de bâches tendues sur le pont. Les hommes se livrent à des compétitions de tir à la corde, des concours de bras de fer, des lancers de fer à cheval. Le chapelain du bord, le père Arthur Bouchard, qui a voyagé et vécu au Moyen-Orient, donne des conférences, des lectures, des conseils sur les choses à faire et celles à éviter lors des contacts avec les autochtones. Le soir, on sort les guitares et les guimbardes.

« Nous avons vu des dauphins faire la course avec notre bateau, des baleines et des tortues de mer, dans une eau bleue et transparente comme nous n'en connaissons pas de ce côté de l'océan », raconte Joe Rochelle.

Au large de l'île de Malte, l'*Ocean King* dépasse un vapeur plus petit qui transporte vers Le Caire « nos bateaux, nos baleinières construites en Angleterre pour remonter le Nil », explique le colonel Denison. « À cette allure, nous serons en Égypte avant eux. C'est bien. »

Début octobre, le vapeur accoste sur un quai bondé à Alexandrie. Il est entouré de navires de guerre de la Royal Navy, de felouques, de cargos et de bateaux de toutes tailles qui déchargent marchandises, véhicules, caisses de vivres et de munitions.

« Nous avons débarqué très vite, mais il nous était interdit de quitter l'enceinte du port, dit Joe. Nous avons attendu des heures sur le quai qu'on descende nos bagages et tout le matériel. Des Égyptiens venaient nous voir, nous parlaient dans leur langue, que personne ne comprenait. Le soir, les officiers sont venus nous chercher. »

Les voyageurs passent leur première nuit à terre sur le port, sous un hangar, sur des lits pliants, dans une chaleur moite et parfumée, aux côtés de soldats venus de tous les coins de l'Empire. À l'heure du dîner, Joe et Matthew sont invités à la cantine d'une unité de Gurkhas. Dans leur anglais scolaire, les petits soldats trapus des pentes de l'Himalaya et les Indiens mohawks des rives du Saint-Laurent racontent leurs terres natales, leurs voyages, leurs chasses et leurs combats. Les Gurkhas ne comprennent pas pourquoi Joe et Matthew n'ont pas d'uniforme. Les amis sont fascinés, eux, par les *khukuris*, longs couteaux recourbés que les Gurkhas portent dans leur étui sur le ventre. Ils proposent d'en acheter ou d'en troquer un ; les Gurkhas refusent en riant, resservant à la ronde du thé au lait et aux épices.

Le lendemain, des casques coloniaux blancs sont distribués aux voyageurs qui forment une colonne et marchent vers la gare. Un train spécial les attend : si le wagon des officiers est fermé par des vitres et ressemble aux premières classes des trains canadiens, ceux de la troupe sont ouverts à tous vents. Des bancs de bois alignés permettent aux voyageurs de s'entasser entre cantines, bagages et toiles de tentes.

« Dès les premiers tours de roue, se souvient Joe, accoudé, devant une bière, au bar en cuivre du restaurant où ils se sont arrêtés, juste après la sortie de la gare de Montréal, nous avons été couverts de sable et de terre projetés par le vent. En moins d'une heure, nous étions aussi noirs de peau que les Égyptiens. »

Il prend les mains de sa sœur, et tente de lui faire tourner la tête, pour la détourner de Matthew, qu'elle ne lâche pas des yeux depuis qu'il est apparu sur le quai.

« Et cette chaleur !… Emma, une chaleur comme tu n'en as jamais connu. Il peut faire chaud, ici, en été, mais là-bas les odeurs sont si fortes, l'air si humide que j'en avais presque des vertiges. Pour échapper à la cohue dans le wagon et chercher un peu de fraîcheur, nous sommes montés nous asseoir sur le toit. Le ciel et, au loin, le fleuve, c'était magnifique ! »

Après le départ, la voie ferrée longe la rive du Nil. « Vers Alexandrie, il est aussi large que le Saint-Laurent à Kahnawake, mais sans rapides, et avec une couleur ocre, presque dorée que je n'avais jamais vue sur aucune rivière », décrit Joe.

Près de son estuaire, le fleuve nourricier alimente à perte de vue des marécages dans lesquels se prélassent les buffles ; les paysans, immergés jusqu'à la taille, repiquent le riz ou assemblent des fagots de longs roseaux. Sur les collines, le vert des terrasses évoque pour certains les jardins d'Éden, les lectures de la Bible à l'école de la mission jésuite quand ils étaient enfants.

Puis c'est le désert à perte de vue. Le train siffle pour écarter des rails les dromadaires et leurs conducteurs, qui empruntent la voie en guise de piste. Lors des arrêts dans de petites gares isolées, les voyageurs se précipitent sur les fontaines, remplissent bouteilles et gourdes qu'ils emmaillotent de chiffons humides.

Le train traverse sans s'arrêter les faubourgs du Caire. Vue des wagons, la ville semble immense, grise, basse, poussiéreuse et surpeuplée à des Canadiens qui, à quelques exceptions près, n'ont jamais vu plus grand que Montréal, ses quais de bois, ses rues rectilignes et ses immeubles récents.

« Un officier est venu nous dire que, si la mission se passe bien, nous pourrions peut-être nous y arrêter un jour ou deux sur le chemin du retour, avant de reprendre le bateau, dit Matthew. Nous étions curieux de voir ces fameuses Pyramides et le Sphinx que le père Bouchard nous avait montrés en gravures. »

Ils arrivent dans une petite gare à la sortie du Caire. Une heure de pause pour le dîner (corned-beef, pain et thé) servi à bord des voitures, et c'est le départ, de nuit. Destination Assiout, port fluvial, terminus de la voie ferrée, qu'ils atteignent au petit matin. Une flotte de felouques, de barges et de vapeurs, certains battant pavillon britannique, est à l'ancre près des berges.

« Comme on nous avait parlé de splendides catacombes antiques à Assiout, nous avons demandé la permission d'aller les visiter, mais les officiers ont refusé, raconte Joe. Ils disaient qu'il n'y avait pas de temps à perdre, que la vie du général Gordon et de ses hommes était entre nos mains. Si nous parvenions assez tôt à Khartoum, nous pourrions les sauver. Si nous traînions en route, ils allaient tous périr. »

Ils forment une colonne, bagages dans des charrettes, jusqu'à la rive du Nil. Ils croisent des prisonniers soudanais, immenses, d'un noir presque bleu, têtes baissées, attachés les uns aux autres par des colliers de fer reliés à des chaînes, surveillés par des soldats égyptiens qui leur adressent sourires et phrases en arabe.

« Un convoi fluvial nous attendait sur le Nil, poursuit Matthew. Deux petits vapeurs, des barges et des chaloupes, celles que nous devrons piloter plus haut sur le fleuve. »

Chaque bateau à moteur prend en remorque une barge et un chapelet de canots. En attendant le départ, on distribue aux voyageurs ustensiles de cuisine et provisions, que les cuisiniers entament pour préparer le déjeuner. Chacun s'installe ; on déplie sur les barges et les canots les couvertures et les toiles de tentes en prévision du voyage, destination Assouan.

« C'était un peu comme des vacances, sourit Matthew. Tirés par les vapeurs, à l'aise dans les canots, nous avons dormi, regardé les paysages. Des monuments antiques, il y en a à chaque détour du fleuve. Parfois, c'étaient des temples immenses, creusés dans le roc. Parfois, des statues de personnages, assis ou debout, de plus de vingt mètres de haut. Mais nous ne pouvions presque jamais aller les voir. Les quelques Égyptiens qui étaient à bord avec nous les regardaient à peine et, ne parlant ni anglais ni français, ils étaient incapables de nous expliquer ce que nous voyions. Mais c'était splendide. »

À cause des bancs de sable, il n'est pas question de naviguer de nuit. En fin d'après-midi, le colonel Denison désigne l'emplacement du bivouac. S'il est proche d'un site antique, il autorise un petit contingent à aller le visiter, mais la priorité est de se rendre au marché pour acheter poissons, légumes et dattes pour améliorer l'ordinaire.

Un soir, quatre ou cinq voyageurs s'éloignent du bivouac au crépuscule. Peu après, un coup de feu retentit.

« Ils étaient en train de voler des pastèques dans un jardin, et ils se sont fait prendre par des Égyptiens, dit Joe. Tandis qu'on les poursuivait, un de nos hommes a tiré au pistolet et tué un villageois. Ça a failli tourner à l'émeute, et nous avons dû lever le camp avant l'aube. Le lendemain, le colonel a tenté de savoir qui avait tiré, mais il n'y est pas parvenu. Il a fait payer une amende aux gars qui étaient à terre et a ordonné la confiscation des armes personnelles. Comme je n'avais jamais sorti mon revolver de mon sac et n'en avait parlé à personne, seul Matthew savait que j'en avais un. Je n'ai rien dit et je l'ai gardé. »

La discipline est renforcée. Il est désormais interdit de quitter le bivouac.

La troupe arrive à Assouan après être passée sans s'arrêter près des sites antiques de Thèbes et de Louxor. Sous bonne escorte, hommes et équipements sont transférés dans les wagons, sur une ligne de chemin de fer d'une dizaine de kilomètres construite pour contourner la première cataracte du Nil, infranchissable à contre-courant. Là, un vapeur avec, en remorque, une quarantaine de chaloupes les attend : destination Wadi Halfa, le fort où s'est rassemblé le corps expéditionnaire anglais pour marcher sur Karthoum. C'est la dernière partie du voyage derrière un bateau à vapeur. En fin d'après-midi, ils admirent les temples majestueux d'Abou Simbel, les statues colossales de Ramsès II taillées dans la falaise ocre, proches de la frontière avec le Soudan.

Accoudé au bar, Joe Rochelle termine sa pinte de bière rousse, en commande une autre. « Nous nous disions qu'au retour ce serait formidable d'avoir le temps de visiter ces temples, mais nous savions qu'il fallait faire vite. »

Le vapeur dépasse Wadi Halfa de quelques kilomètres, jusqu'au point où le Nil se divise en plusieurs bras, dont aucun n'est navigable. C'est là que les attendent, alignés sur la berge, près d'un immense camp militaire, les dizaines de canots auxquels ils vont devoir faire remonter le courant. Ils accostent et dressent les tentes pour la nuit.

Le lendemain, le chef de l'expédition, le général Wolseley, leur rend visite. Il serre des mains, inspecte les embarcations, s'isole avec le colonel Denison et les officiers. Avant de repartir, devant les voyageurs assemblés sur la rive, il remercie « nos frères canadiens d'avoir entrepris cette odyssée, du Saint-Laurent au Nil, des étendues enneigées au désert, pour mettre au service de l'Empire et d'une noble cause leurs extraordinaires talents de bateliers, qui ont fait leur renommée dans le monde entier ».

« À la fin de son discours, deux gars ont apporté un des deux canoës en écorce d'orme rouge, peints aux couleurs du clan du Loup, que nous avions emporté avec nous depuis Kahnawake, explique Joe. Le grand chef anglais ressemblait à un enfant recevant un cadeau… Il a retardé son départ pour faire un tour sur le fleuve, avec quatre des nôtres qui, pagayant de toutes leurs forces, filaient aussi vite que les bateaux à vapeur. »

Le second canoë a été offert au colonel Denison, qui a passé à son bord des heures et des jours, profitant de la maniabilité de l'embarcation pour descendre et remonter le Nil autour des convois de chaloupes.

La première tâche des voyageurs canadiens est de faire remonter sur environ cinq kilomètres une section de rapides à une centaine de canots, vides au départ et que les soldats anglais attendent en amont.

Les deux mâts sont dressés, les voiles larguées, six hommes dans chaque embarcation : ils avancent à un bon rythme contre le courant. Les pilotes mohawks lisent les remous dans l'eau boueuse, slalomeent dans le fleuve à la recherche des meilleurs passages, font glisser les canots entre les rochers qui affleurent, se défient pour avoir l'honneur d'arriver les premiers. Pour passer le principal obstacle, une chute d'eau d'environ deux mètres, ils attrapent les cordes que leurs lancent des chameliers soudanais qui les attendent sur les berges. Un seul homme, le barreur, reste à bord, hommes et animaux tirent de toutes leurs forces. Le canot, sans sa cargaison, saute l'obstacle, et la progression reprend.

« Nous avons monté les chaloupes, redescendu à pied sur le sentier longeant les rapides, en avons remonté d'autres, raconte Matthew. Il faisait chaud, certes, mais c'était supportable. À vrai dire, on s'attendait à pire… Mais, tu te souviens, on avait eu raison de se méfier des vêtements qu'ils nous avaient donnés sur le bateau, ajoute Joe. Ils étaient beaucoup trop chauds, des trucs anglais pour chasser sous la pluie… Moi, j'ai échangé tout ça à des locaux contre trois chemises de coton blanc, celles qu'ils portent tous. » Il tapote le casque colonial blanc, maculé de boue, accroché à sa ceinture. « Mais ce truc-là, en revanche, c'était parfait. On l'a tous rapporté. Pour cet été sur le Saint-Laurent, il n'y a pas mieux… »

Après ce premier test réussi, l'état-major demande que trente-six Mohawks partent en avant pour la troisième cataracte, où ils seront chargés de tester la résistance des canots et leur capacité à remonter des rapides avec leur chargement d'hommes, d'armes et de munitions. Là, la charge des canots est de plus de deux tonnes, avec huit soldats anglais ou égyptiens à bord et un pilote mohawk.

Ici, dans la haute vallée, le Nil fait parfois moins de trois cents mètres de large, avec des bras, des îles innombrables. Les courants sont puissants, les rapides redoutables. C'est là que les voyageurs canadiens vont faire remonter les canots sur les parties les plus difficiles du fleuve.

En faisant le geste du barreur accroché à sa barre, Joe Rochelle décrit « des rapides difficiles à affronter, parce qu'ils changeaient d'un jour à l'autre avec le niveau du fleuve. Nous avons demandé aux officiers de rester dans le même coin, de faire des allers-retours sur quelques kilomètres. Comme ça, après quelques jours, nous connaissions les bons passages. Les soldats anglais passaient d'un canot à l'autre, c'était plus efficace. Je peux dire que nous avons fait du sacrément bon boulot », dit-il en tapant sur l'épaule de son futur beau-frère.

Bien qu'ils restent longtemps au même endroit et remontent des dizaines de fois la même portion de rapides, ils n'arriveront pas à faire connaissance avec les Soudanais.

« Nous campions près d'un village, mais, à part ceux qui travaillaient pour nous, ils nous ont toujours semblé hostiles, regrette Matthew. Les enfants fuyaient à notre approche, les femmes voilées rentraient à la hâte dans leurs petites maisons de terre entourées de murets. Parfois on nous jetait des pierres. Même ceux qui étaient payés, pour le ravitaillement ou pour tirer les chaloupes, ne parlaient que quatre mots d'anglais, ou bien faisaient semblant. Je ne sais pas s'ils ont même compris pourquoi nous étions là, ni pourquoi nous avons fait remonter autant de canots vers le Sud. Je crois qu'ils avaient surtout peur des soldats et de leurs armes. »

« Cela dit, poursuit Joe, il y avait pas mal de gars chez nous qui ne comprenaient pas bien ce que nous faisions là ni pourquoi il fallait faire passer les rapides à autant d'hommes et de matériel. Ces histoires de rebelles et d'officiers assiégés, ça nous paraissait bien loin… Moi, je posais des questions aux officiers quand j'en croisais, mais souvent ils n'en savaient pas plus, ou ne me répondaient pas. »

Le télégraphe a été coupé par les insurgés. Les nouvelles arrivent par bribes, de l'amont ou de l'aval. Khartoum, affamée, ne va pas tenir longtemps. Des renforts, des canons, arrivent du Caire. Les Mohawks redescendent souvent, à vide, en quelques heures les rapides qu'ils ont mis trois jours à remonter, pour charger de nouvelles cargaisons d'armes, de vivres et de munitions. Assis entre les caisses, les militaires rament en cadence. Un pilote indien est à la barre, un autre à l'avant, avec une perche pour sonder le fleuve ou écarter la proue des rochers.

« Sur notre section de fleuve, il y avait deux chutes trop hautes pour être franchies, ajoute Joe. L'armée y avait installé deux camps, avec des centaines de soldats et de porteurs égyptiens et soudanais. Ils vidaient les canots, portaient tout à dos d'homme sur deux ou trois cents mètres et nous remettions à l'eau plus haut. Vers la fin décembre, un capitaine nous a dit qu'il y avait urgence, que Khartoum allait bientôt tomber. Alors ils ont envoyé une colonne à dromadaire à travers le désert, pour couper tout droit et éviter une grande boucle du Nil. Mais d'après ce qu'on nous a dit elle est arrivée trop tard. »

Le 28 janvier 1885, les renforts atteignent Khartoum et découvrent un champ de ruines, une ville pillée, incendiée, jonchée de cadavres. Deux jours plus tôt, les dernières lignes de défenses ont cédé, des milliers d'insurgés ont franchi les remparts et pris la capitale du Soudan. Les hommes du Mahdi lui ont apporté, fichée sur une lance, la tête de Gordon Pacha. Le chef rebelle mourra quelques mois plus tard, dans des circonstances mystérieuses, mettant fin à la révolte.

« Là où nous étions, bien en aval sur le Nil, nous n'avons rien su avant une bonne semaine, poursuit Matthew. La mort du général anglais était triste, mais cela ne voulait pas dire la fin des opérations, au contraire. Ils étaient encore plus pressés de monter des troupes pour poursuivre les rebelles et tuer leur chef. Mais notre contrat de six mois se terminait, il fallait prendre une décision… »

Le jeune homme se tourne vers sa fiancée, qui n'a pas lâché sa main depuis qu'il est descendu du train. Il lui sourit : « Pour moi, rien à faire. Je devais rentrer. Et la plupart des Mohawks ont fait de même. »

Malgré les primes, des salaires mensuels augmentés à soixante dollars et la promesse de nouveaux équipements, tous les hommes de Kahnawake, à l'exception de deux jeunes aventuriers, refusent de se réengager pour six mois. Les Canadiens ont souffert de la chaleur, et les mois qui arrivent vont être plus chauds encore. Tous savent que dans la réserve une importante réunion au cours de laquelle des redistributions de terres vont être décidées est prévue le 1er mai. Les absents, qui ne peuvent se faire représenter, n'auront rien.

Les voyageurs de Kahnawake font leurs adieux et, en chaloupes, vapeurs et trains, prennent le chemin du retour. Au fil du courant, tout est plus rapide. À leur arrivée au Caire ils ont la surprise de trouver, sur ordre du général Wolseley qui veut « récompenser les voyageurs qui ont fait un excellent travail dans les rapides du Nil », un programme de visites, organisées par l'agence de voyages Thomas Cook.

De sa sacoche en cuir, Joe Rochelle sort une feuille de papier cartonné qu'il déplie et dont il lit les premières lignes. « Aux voyageurs canadiens : les voyageurs sont informés que les dispositions suivantes ont été prises pour leur permettre de voir Le Caire et les pyramides aux frais du gouvernement de Sa Majesté. »

Suit le programme d'une journée de tourisme de luxe, avec train spécial à destination du centre-ville, voitures à chevaux pour la visite du pont de Ksar el Nil, la place Abdin, le palais, la mosquée du sultan Hassan, avant le bazar et les jardins d'Esbekiya.

« J'ai acheté ça pour toi chez un bijoutier chrétien du bazar, dit Matthew à Emma en sortant de sa poche une petite bourse de cuir rouge. À l'intérieur, un collier de cinq rangées de boules d'or ouvragées, légères comme des bulles, qu'il lui passe autour du cou avant de l'embrasser.

« En début d'après-midi, nous sommes arrivés devant les pyramides de Gizeh où, sous une tente, un déjeuner nous attendait. Des guides nous ont conduits sur place. Nous avons fait un tour sur de petits chevaux. J'ai escaladé une des pyramides presque jusqu'au sommet ! Ce sont les tombeaux, avec des entrées secrètes, des plus grands pharaons d'Égypte. Un spectacle inoubliable, des monuments majestueux. Nous avons vu le Sphinx aussi, il est immense… »

En fin d'après-midi, retour à la gare et départ pour Alexandrie.

Le 6 février 1885 au matin, un transport de troupe anglais quitte le port. Une première escale à Malte, une seconde à Cobh, en Irlande, où les voyageurs montent à bord d'un paquebot, destination Halifax, sur la côte canadienne. Dans cette ville de Nouvelle-Écosse les attend le train à vapeur qui, au matin du 6 mars, les ramène à Montréal.

9

New York City

novembre 1970

À seize ans, c'est la première fois que John LaLiberté va quitter la réserve sans l'un de ses parents. Un incendie accidentel, un court-circuit dans les combles, a endommagé le troisième étage du collège de Kahnawake. Les pompiers sont intervenus, les dégâts sont légers mais les classes seront fermées une semaine, le temps de réparer la toiture et de refaire des planchers : les cours sont annulés.

« Maman, s'il te plaît, laisse-moi rejoindre Pa à New York. Je vais m'ennuyer, ici, il y a longtemps que je ne suis pas allé le voir là-bas. Je lui ai parlé hier, il est d'accord, il va appeler ce soir. S'il te plaît, Man, je peux y aller en voiture avec Sal et les frères Jones. Ça ne coûtera rien. Et je remonterai vendredi soir avec Pa. Il m'a dit que j'étais assez grand pour l'accompagner sur la tour pendant une journée, voir comment il travaille ; il n'y a aucun danger, le superviseur est d'accord. »

À la tombée du jour, le téléphone sonne dans la cuisine de la maison de bois gris. En quelques phrases, Louise est convaincue. Elle sait combien son père manque à son aîné. Il partira dimanche soir avec une équipe qui redescend à New York. Il passera la semaine à Bay Ridge et à Manhattan, avec Jack, et remontera avec lui à Kahnawake pour reprendre les cours, juste avant Thanksgiving.

À dix-neuf heures, la Chevrolet Caprice du cousin Sal se gare devant l'entrée. Depuis sa petite enfance, comme beaucoup de ses copains d'école, John a vécu au rythme des départs dominicaux de son père. Les week-ends, il lui semblait que Jack venait à peine d'arriver, ils avaient joué au lacrosse ou au baseball le samedi, il avait réparé trois planches sur la façade et déjà, le dimanche après-midi, il préparait son sac. Le garçon et son petit frère pleuraient, suppliaient Jack de rester, ne comprenaient pas pourquoi, comme tant d'autres pères de la réserve, il devait aller si loin et rester si longtemps pour gagner sa vie. L'été, pendant les vacances, ou entre deux chantiers, son père restait parfois plusieurs semaines à la maison. Ses fils espéraient qu'il était rentré pour de bon, qu'il ne repartirait pas, qu'il allait trouver un travail normal, comme les Blancs de Chateaugay qui rentrent tous les jours en fin d'après-midi, mais un dimanche soir une grosse voiture revenait qui l'emportait, destination New York, Boston ou plus loin encore.

Arrivé à l'âge où la présence des parents devient moins nécessaire que celle des copains, ses sentiments envers le métier de son père avaient changé. La fierté de le savoir occupé à bâtir des géants dans le ciel d'Amérique, le statut social dans la réserve des familles d'*ironworkers*, le respect de la tradition familiale, le bon salaire, les cadeaux rapportés de la grande ville, la dernière paire de Nike pas encore en vente à Montréal, et l'habitude prise ont rendu ces absences plus supportables. Il y avait parfois à la télé des reportages de chaînes américaines sur les *skywalkers*, leur courage et leur adresse hors du commun.

« Les hommes d'ici, c'est ce qu'ils font. Et ils le font mieux que les Blancs », disait, les yeux brillants, la Mère du clan lors des réunions dans la longue maison.

Les deux frères Jones (Louise ne retient jamais leurs prénoms, ils se ressemblent et ne sourient jamais) sont installés à l'arrière. Sur la banquette, un carton de trente-deux Budweiser leur sert d'accoudoir central. « Sal, s'il te plaît, veille à ce qu'il ne boive pas de bière, il vient d'avoir seize ans. Et je t'en supplie, ne roule pas trop vite. Vous avez toute la nuit. Tu sais combien des nôtres sont morts sur la route entre ici et New York. La Mère dit toujours que les accidents de la route ont tué plus que les chutes sur les chantiers… »

« Sûr, Louise, pas de problème, ne t'inquiète pas, je roule doucement. Il n'y a pas grand-monde à cette heure et en cette saison. On t'appelle dès notre arrivée. On le pose à Bay Ridge avant d'aller bosser. Allez, viens, petit, monte devant. »

John écourte l'embrassade, pose le sac de sport à ses pieds, s'installe sur le fauteuil de cuir rouge. Au coin de la rue, Sal fait rugir le huit-cylindres. Un des Jones lui tend une bouteille ouverte, l'autre lui tape sur l'épaule. « Bienvenue dans le vrai monde, mon gars. Tu vas voir, de nuit, le voyage passe comme un rêve. Ça va t'aider à t'endormir. New York t'attend. À toi la grande ville ! »

John sourit, se cale dans le siège, boit une gorgée de bière pour se donner une contenance et regarde défiler les grands sapins couverts de la première neige d'automne. Sal glisse une cassette de Johnny Cash dans l'autoradio, et les grands reprennent en chœur le refrain, *Because you're mine, I walk the line !* John voudrait bien lui aussi, mais il ne le connaît pas, ne bredouille que deux ou trois mots.

Bientôt, c'est le poste-frontière. « Bienvenue aux États-Unis. » À la vue de la Caprice et de ses occupants, autocollant du syndicat, plume d'aigle suspendue au rétroviseur central, un dimanche soir, à cette heure, le douanier reconnaît un équipage de monteurs d'acier. Sal ralentit, baisse à moitié sa vitre.

« Salut les gars ! lance le fonctionnaire, tout sourire sous sa casquette. Vous avez passé un bon week-end ? Ce match de lacrosse, vous l'avez gagné ? Faites gaffe sur la route, et aussi où vous mettez les pieds sur le chantier. Alors, ces tours, elles montent ?

– Plus vite que tu le crois. Ils disent qu'on va poser la dernière poutre de structure avant Noël. Les plus beaux gratte-ciel du monde, ça, c'est sûr ! Salut Ned, à vendredi soir.

– *Onen !* (Au revoir, en mohawk) répond le douanier, un vrai visage-pâle.

– Mais Sal, ils ne demandent pas nos papiers pour passer la frontière ? demande John comme la voiture accélère dans la nuit.

– Non, plus depuis longtemps. Dans les années 1920, un gars de chez nous, Paul Diabo, de la grande famille Diabo de Kahnawake, a été arrêté à Philadelphie alors qu'il construisait le grand pont sur la rivière Delaware. Les Mohawks étaient déjà réputés comme constructeurs de ponts. Ils l'ont inculpé pour travail au noir et immigration illégale parce que, selon eux, il était canadien et n'avait pas de permis de travail. Ça faisait des années qu'il bossait aux États-Unis, comme tout le monde, et personne ne lui avait jamais rien demandé. La tribu s'est cotisée pour lui payer les meilleurs avocats. Résultat : un juge fédéral nous a donné raison en remontant à un traité passé il y a cent cinquante ans, du temps de la colonie anglaise. Ce traité prévoit que, comme nos terres, les terres ancestrales des Iroquois étaient à cheval sur les deux frontières bien avant la venue des Blancs, et que nous avons le droit de passer d'un pays à l'autre à notre guise, et de travailler où nous voulons. Pour nous, cette frontière n'existe pas. Parfois, de petits nouveaux nous contrôlent parce qu'ils ne sont pas au courant, mais les autres leur expliquent. Ils nous voient passer toute l'année, certains sont devenus des copains. »

Le ronronnement du moteur, les roulements de chaloupe de la Chevrolet, le chauffage à fond et une troisième bière ont raison de l'excitation de John, qui pique du nez tandis qu'ils filent entre les arbres noirs des Adirondacks.

L'arrêt à la station-service de Pottersville lui fait ouvrir un œil. À l'aube, le ciel blanchit à l'est sur la vallée de l'Hudson, Sal le réveille d'un coup de coude : « Regarde, John, nous allons franchir le fleuve, passer le pont George Washington, l'entrée dans New York. Au moins trente gars de chez nous ont participé à sa construction dans les années 1920. Deux sont morts, un est tombé à l'eau. Je crois bien que c'était un Rochelle ou un LaLiberté, faudra que tu demandes à ton père. On pourrait passer par un tunnel, ce serait plus rapide pour Bay Ridge, mais apprends qu'un *ironworker* n'entre dans la ville que par ce pont. Par ailleurs, ça manque de dignité ! »

Ils descendent sur la voie express le long de Manhattan. John ne quitte pas des yeux la *skyline*, la silhouette que les gratte-ciel dessinent dans le ciel. Ils se garent devant l'immeuble de quatre étages dans lequel Jack loue, avec deux autres Mohawks, l'appartement du rez-de-chaussée. Sal et les Jones vivent à deux rues de là. Une enveloppe est punaisée sur la porte. « Fils, il a fallu que je parte plus tôt. Les clefs sont chez Denny, tu te souviens, les pancakes ? demande Joyce. Je serai là vers quatre heures, on ira manger des pizzas. À ce soir. Dad. »

« Bon, petit, faut qu'on file. Ça va aller ?

– Oui, oui, merci, Dad a dû partir, mais je le rejoins tout à l'heure. Merci pour tout. Bonne semaine. »

La Chevrolet repart, direction le nord de Brooklyn ; ils vont être en retard pour l'ouverture du chantier. Sur le trottoir, son sac à la main, John tourne sur lui-même, aperçoit l'enseigne du restaurant au coin de la rue. À peine est-il entré que la serveuse, une grande brune, maigre comme un clou, longue tête de cheval entourée de cheveux raides, lui sourit : « Bonjour, mon grand, tu veux petit-déjeuner ?

– Bonjour, je cherche Joyce. Elle travaille aujourd'hui ?

– Elle sera là dans une heure. Tu veux manger quelque chose en attendant ?

– Oui, je veux bien. Vous avez des flocons d'avoine et du sirop d'érable ?

– Oh, toi, tu viens du Canada. Mais tu es bien jeune pour un *ironworker*…

– C'est mon père, il s'appelle Jack. Jack LaLiberté.

– Jack… Ah, oui ! Joyce va être contente. Installe-toi. Les flocons, c'est OK, pour le sirop d'érable, je vais voir. Je peux envoyer quelqu'un en acheter. »

Une jeune femme blonde en robe de service, la trentaine fatiguée, cheveux retenus en chignon, quelques kilos en trop, pousse la porte, passe derrière le comptoir, revient avec un serre-tête en papier et un tablier rose. Elle reconnaît chez le jeune homme attablé que sa collègue lui désigne le nez aquilin, les yeux clairs, les sourcils fournis de son père.

« Ah, tu es John, le fils de Jack. Bienvenue à New York. Comme tu as grandi ! Tu ressembles de plus en plus à ton père. Vous avez les mêmes yeux. Tu te souviens, tu es venu manger avec ton petit frère il y a un an ou deux, avant d'aller voir les *twin towers*. Mais tu es un vrai jeune homme, maintenant. J'ai les clefs, Jack a dîné ici hier soir, il les a laissées pour toi. Tu veux encore un peu de café ? D'autres flocons d'avoine ?

– Non merci, madame.

Elle sourit, le plus gentiment possible : « S'il te plaît, appelle-moi Joyce. Je connais ton père depuis longtemps.

– Je voudrais les clefs, s'il vous plaît. Je vais aller à l'appartement, j'ai passé la nuit dans la voiture.

– Oui, bien sûr, je vais les chercher. Cette nuit de dimanche à lundi sur la route, si tu décides de suivre la tradition familiale pour devenir charpentier d'acier, c'est la première d'une longue série, mon grand. Autant t'habituer. »

Pour régler les trois dollars cinquante de l'addition, il casse le billet de vingt que lui a donné sa mère au moment du départ.

« Jack m'a dit que tu allais rester quelques jours avec nous, que ton école était fermée après un incendie. À bientôt, John, je suis sûre que nous nous reverrons », lui lance Joyce en passant un coup d'éponge sur la toile cirée.

Dans le couloir de l'appartement, il devine la chambre de son père : sur les trois c'est la seule à peu près rangée, le lit fait. Il se reconnaît, enfant, sur les photos épinglées au mur au-dessus de la table en bois de caisse servant de bureau. Avec sa mère et son frère sur un canoë, la famille posant devant une chute d'eau, sur la pelouse devant la maison, sur une place de Montréal. Des battes de lacrosse, faites à la main par son grand-père, sont posées dans un coin. Jack dit souvent qu'il veut s'y mettre, à Brooklyn, mais qu'en dehors des universités, auxquelles il n'a pas accès, il n'est pas facile de trouver un terrain en gazon. Il traverse la cuisine, évier plein de vaisselle sale, dizaines de bouteilles de bière vides ; la salle de bains, étonnamment propre, trois brosses à dents dans le verre en faïence blanche.

Dans le salon, barreaux aux fenêtres donnant sur la rue, il allume la télévision, s'installe dans le plus grand fauteuil, et s'endort. La sirène d'un camion de pompiers le réveille. Il fouille dans le frigo famélique, se fait un sandwich avec du pain de mie et de tranches de fromage au goût et à la consistance de plastique. Il attrape dans l'entrée une veste de grosse toile de son père, en retrousse les manches et sort. Il débouche dans la 3e avenue, marche d'un pas souple et léger, sourit aux passants. Dans une épicerie tenue par un couple de Polonais, il achète un Coca-Cola et des barres de chocolat. « Vous savez où je peux trouver un marchand de comics, s'il vous plaît ?

– Plus bas, dans la 46ᵉ, juste après le pressing ; tu verras une enseigne avec Superman. C'est au premier étage, par l'escalier extérieur en fer. »

Dans la boutique, le vendeur, à peine plus vieux que lui, énorme dans un tee-shirt trop petit, casquette des Yankees rabattue sur le nez, lève à peine les yeux quand il fait sonner la clochette de la porte. Des bacs et des bacs de BD, neuves ou d'occasion, plus qu'il n'en a jamais vu. Jack lui en rapporte chaque fois qu'il revient à Kahnawake ; maintenant, il est sûr qu'elles viennent de là. Il feuillette, choisit, repose, hésite, admire pendant près d'une heure, pour ressortir avec un *Ghost Rider (Is he alive or dead ?)*, un *Captain Marvel*, un *Buck Rogers*, un *Batman Family* et deux *Wonder Woman*, sa préférée.

Il fait doux pour un après-midi de novembre, il s'assied sur un banc, dans un minuscule square sur la 48ᵉ, et dévore comics et chocolat jusqu'à ce que les premières gouttes de pluie le ramènent à l'appartement. À travers la porte d'entrée, clefs dans la serrure, il entend à l'intérieur la sonnerie du téléphone. Il ouvre, court jusqu'à la cuisine.

« John, hello fiston ! c'est papa. Bon, tu es là. Sal m'a appelé ce matin au Trade Center pour me dire qu'il t'avait laissé à la maison. Je termine, je prends le métro et je suis là dans moins d'une heure. Un peu plus tard que d'habitude parce qu'aujourd'hui il y avait sur le chantier des journalistes qui nous ont interrogés sur notre travail, figure-toi. Marrant, non ? Tout va bien ? Tu as déjeuné ?

– Oh oui, Dad. Je suis allé acheter des comics. Dis, on pourra aller à Coney Island tout à l'heure ?

– Si tu veux, on aura le temps. À tout à l'heure, mon grand. »

John est toujours plongé dans les aventures spatiales de Buck Rogers quand la porte s'ouvre. Il se lève et, dans le couloir, sourit à son père, en veste de toile noire. Il aurait envie de lui sauter au cou mais, depuis un an environ, il ne sait plus bien comment faire. Il sent qu'il ne peut plus l'embrasser comme un enfant, mais il ne va quand même pas lui serrer la main, comme font les cousins plus âgés avec son oncle… Il sent que Jack est lui aussi un peu mal à l'aise. Ils s'en sortent par une accolade, John embrasse le col de cuir, Jack lui tape trois fois dans le dos.

« Comment va, fiston ? Tu ne t'es pas trop ennuyé en attendant ? Tu pouvais retourner chez Denny si tu avais faim, tu sais ? Joyce aurait pris soin de toi…

– C'est bon, je me suis fait un sandwich avant de ressortir.

– Je suis content que tu sois là. Tu vas voir, les deux tours ont bien monté, ce sont des géantes extraordinaires. Demain, tu passes la journée avec nous, tu comprendras mieux ce qu'on fait. Comme ça, tu sauras si ça te tente, si ça pourrait t'intéresser. Tu as l'âge de faire tes choix, maintenant. Ta mère n'est pas trop pour, bien sûr, mais moi, c'était pareil avec ta grand-mère… Je ne te pousse pas, c'est à toi de voir. Si tu as le vertige ou si ça te semble trop dur, si tu préfères continuer l'école, je serai d'accord. Tu te souviens que ton cousin Max est resté deux mois avec nous, au printemps. Il a bien accroché, maintenant il est depuis septembre à Broadview, Illinois. Il a commencé le programme d'apprentissage réservé aux Indiens, je crois qu'il est content. »

John rougit, ne sait que répondre. Pas question de lui parler de l'été dernier, des rasades de bourbon pour chasser la peur et ne pas perdre la face, sur le pont Victoria, devant les copains. On verra bien.

« Ce soir, nous allons chez les frères Vitone ; tu sais, les Italiens que tu connais. Ceux qui sont montés pour le pow-wow, l'été dernier. Ce sont de bons copains, nous dînons souvent chez eux, je leur ai dit que je venais avec mon aîné, ils nous attendent. Tu vas manger la meilleure pizza de Brooklyn, donc de la ville et du pays, fils.

– On a le temps d'aller à Coney Island avant ?

– Si tu veux, mais alors il faut partir de suite. Tu es prêt ? »

La première fois qu'il était venu, avec sa mère et son frère qui devait avoir deux ou trois ans, voir son père à New York, il les avait emmenés au Luna Park et, depuis, pour lui, comme pour des millions de personnes, les manèges, stands forains, montagnes russes, marchands de hotdogs du plus fameux parc d'attractions d'Amérique sont entrés dans la légende familiale. Même si, à son âge, la magie des trains fantômes et des illuminations lui font moins d'effet, il meurt d'envie d'y retourner.

Peu après, le métro aérien survole les champs de course pour chevaux de bois et les alignements de baraques foraines, éclairés par des milliers d'ampoules en cette fin d'après-midi d'automne. Ils descendent à la station *Coney Island – Stillwell Avenue*.

« Je peux avoir un hotdog de chez Nathan, Pa ? », demande John en passant devant le fameux restaurant jaune et vert, qui occupe tout un pâté de maisons.

– John, on dîne dans une heure, arrête un peu. Viens, on va tirer à la mitraillette. »

Malgré le crachin, il y a foule sur la promenade de bois. Des pêcheurs en cirés verts et chapeaux lancent leurs lignes dans l'Atlantique sans remonter grand-chose. À l'aide d'une canne, des jeunes garçons sortent de l'eau une petite cage en fil de fer dans laquelle s'est fait prendre un crabe, appâté par un morceau de saucisse.

Le stand de tir Dillinger est un peu en retrait des estrades de planches ; façade noire, décorée de cibles et de voitures de police des années 1920. Un dollar pour deux chargeurs ronds de répliques de mitraillettes Thomson à air comprimé. Reliées par des flexibles à un générateur, elles envoient, avec une précision relative, des volées de petits plombs vers des cibles de papier. Il faut, avec cent projectiles, en déchirer entièrement le cœur rouge. S'il reste un seul morceau de papier coloré, c'est perdu. John, radieux, les yeux brillants, lâche une longue rafale qui s'éparpille sur la cible. Quand il lève son doigt de la détente, il n'a presque plus de munitions, le centre rouge est à peine entamé. Il tire ses derniers plombs, bien au centre, mais il est loin du compte. À côté de lui, son père le regarde en souriant, épaule et tire par saccades, trois ou quatre plombs à la fois, qui déchiquètent le centre coloré.

« Top ! Vas-y, Pa ! » Le cercle rouge disparaît peu à peu. Mais, le dernier plomb parti, une particule écarlate reste accrochée au cœur de la cible. « Bien tiré, l'Indien, pas loin. Tu dois être un sacré chasseur, lui lance le tenancier avec un sourire factice. Deux autres chargeurs ? »

Cinq dollars plus tard, des morceaux de papier rouge résistent toujours. John a imité la technique de son père, précisé ses tirs. « Dites donc, l'ami, lance Jack au forain ; votre truc, là, c'est pas une arnaque ? C'est infaisable avec les chargeurs que vous nous donnez. J'en suis déjà de cinq dollars, moi... »

Le sourire disparaît sur le visage du patron. « Bill ! Viens voir ! » Un garçon blond d'une douzaine d'années écarte un rideau, passe du côté des clients, approche une caisse de bois sur laquelle il monte pour être à la bonne hauteur, attrape une mitraillette, enclenche le chargeur et, par petites rafales, déchiquète entièrement le centre de la cible avec la moitié des munitions. Sans un mot, sans tourner la tête vers eux, il repose l'arme, soupire et disparaît.

« Bon, viens, John, je connais un autre truc super. Toi et ton frère étiez trop petits la dernière fois que nous sommes venus avec maman. »

Ils descendent la promenade, passent devant la tour Parachute Jump : quatre-vingts mètres de haut, un treillis d'acier en forme de champignon géant. La « tour Eiffel de Brooklyn », construite dans les années 1930 pour entraîner les sauteurs de l'armée américaine, a été rachetée et installée à Coney Island par les propriétaires du parc d'attractions Steeple-Chase. « Ils ont fermé ça il y a deux ans, dit Jack. Dommage, tu pouvais descendre en parachute au bout d'un câble, ce devait être marrant, plusieurs copains m'en ont parlé. J'espérais qu'ils auraient rouvert. »

Un peu plus loin, ils arrivent à Racing Le Mans, une baraque sur les planches, au pied d'une grande roue blanche. Dans de grosses boîtes vitrées, surmontées d'un volant, il faut, avec le pare-chocs d'une voiture miniature, faire rebondir vers le haut des balles de caoutchouc et les empêcher de retomber dans un trou. Chaque rebond donne des points, qui s'affichent sur un compteur mécanique. Ils rient aux éclats, sautent en l'air, se tapent dans les mains. John égale puis dépasse son père.

« Dis donc, toi, tu bouges bien le volant… Tu seras un bon conducteur, on dirait… On continuera les leçons de conduite le week-end prochain, tu vas bientôt pouvoir passer ton permis. À Montréal, c'est plus facile… Allez, viens, on va dîner. J'ai dit aux Vitone qu'on serait là vers huit heures. »

Sur l'avenue, Jack arrête un taxi qui les dépose devant la pizzeria Calabrese, à trois rues de l'appartement. À côté du four à bois en briques qui chauffe la pièce, la photo encadrée d'un village accroché aux pentes d'une montagne aride. Les nappes en coton blanc sont brodées d'inscriptions rouges *Calabria*. Des clients, petits, râblés, entre deux âges, sont assis au bar, dos à la porte, bouteilles de bière en mains, tournés vers un écran de télévision qui diffuse un match de basket.

« Ah, Tool, te voilà. Tu avais raison, il a bien grandi ton aîné. Tu t'appelles John, c'est ça ? demande, d'une voix rocailleuse, avec un terrible accent italien, un serveur d'au moins soixante-dix ans à l'éclatante chevelure blanche et aux yeux rieurs.

– Oui, monsieur.

– Et tu vas suivre ton père dans le ciel ? Tu sais qu'ici on les appelle les *skywalkers*, ces fous qui risquent leur vie vingt fois par jour pour construire les gratte-ciel. Depuis les trottoirs, tout le monde les regarde, personne ne comprend comment ils font pour travailler et ne pas avoir le vertige à des hauteurs pareilles.

– Je ne sais pas encore, monsieur, peut-être… Pour l'instant, il faut que je termine l'école, on verra dans deux ans. Mais pourquoi pas ? Le vertige, je ne sais pas… Je crois que je peux faire avec.

– Ah oui, vous autres, les Indiens vous ne l'avez pas…

– Ah Mario, s'il te plaît, arrête de répéter les âneries que tu entends derrière ton bar, rigole Jack. Et pourquoi nous n'aurions pas le vertige ? On a quelque chose en plus, en moins ? Nous sommes faits comme vous, comme n'importe qui. Il y a chez les Mohawks la même proportion de gens qui ont et qui n'ont pas le vertige. La différence, c'est qu'on apprend tout jeune à le surmonter. On sait vite, à l'âge de John et même avant, si on sera capable de marcher sur l'acier en hauteur. Si c'est non, on n'insiste pas et on fait autre chose. Plus de la moitié des hommes de Kahnawake sont comme ça. Si on est comme mon fils, qui cavale avec ses copains la nuit sur les arches du vieux pont au-dessus du Saint-Laurent, on se dit pourquoi pas et on tente le coup. Il sait que c'est un chouette métier, que les salaires sont bons et qu'il n'y a pas mieux pour la couverture sociale. C'est dans la famille depuis trois générations. Moi, à onze ans je savais que je deviendrai *ironworker* comme mon père. »

John se cache derrière le menu, fait semblant de lire la liste des pizzas. Il n'a jamais parlé à son père des expéditions nocturnes sur le pont Victoria. Il croyait que c'était un secret ; il ne sait pas comment son père l'a appris. Et il lui a encore moins dit que, la première fois, à jeun, il avait été paralysé de peur.

« D'ailleurs, si les Indiens avaient un don particulier, ils tomberaient, se blesseraient et mourraient moins que les autres. Mais je t'assure, Mario, il y a chez les Mohawks autant d'accidents que chez les Irlandais de Terre-Neuve ou les gars du Sud. C'est-à-dire beaucoup. On sait s'y prendre, parce que nos anciens, les marcheurs du ciel, nous ont montré la voie. Ils nous ont donné des conseils, que l'on se passe de père en fils et d'oncle à neveu, mais c'est tout. Je voudrais bien savoir quel est le premier crétin qui a inventé cette fable des Indiens qui ne connaissent pas le vertige... »

Il se tourne vers John. « Bon, fiston, tu as choisi ? Moi ce sera une calzone, Mario, comme d'habitude, avec une Bud.

– Une Regina, s'il vous plaît. Et un Coca. »

Vers neuf heures, la pluie s'est arrêtée, ils rentrent à pied. Jack salue d'un signe de tête les trois Cubains aux cheveux blancs qui tirent sur leurs cigares, devant chez Humidor. Dans la vitrine, un néon rouge clignote : *Havanitos.* Plus loin, les tables du café-pâtisserie Mazzola sont occupées par des ritals du même âge, lunettes de soleil en pleine nuit, qui font semblant de ne pas le reconnaître.

Les chauffeurs de chez Joe's Car and Limo, limousine service 24/7 pour JFK, La Guardia et Newark, font de grands gestes, proposent d'entrer boire un coup. « Merci, les gars, pas ce soir... Oui, c'est mon fils, il s'appelle John. » L'un d'eux, un réfugié politique arabe qui passe sa vie assis comme une vigie sur le pas de la porte, s'est fait tatouer *Brooklyn* en lettres gothiques sur l'avant-bras.

Au rez-de-chaussée d'une maison voisine, Robert Madison est à son établi, portes ouvertes sous le porche. Ciseaux à bois en main, des copeaux plein les bras et le pantalon, il sculpte dans une planche le manche d'un violon. À la retraite, il a quelques clients qui lui commandent pour pas cher des instruments pour enfants et débutants en bois de caisse, qu'il ne prend pas la peine de vernir, ni de teindre en foncé. Même entre les mains d'un bon musicien, leur son est insupportable.

« Bonsoir Bob ! Ça avance ? Quand t'attaques-tu à un violoncelle ?, lui lance Jack.

– Rigole, rigole, mais tu sais que je pourrais très bien. Trouve-moi un client prêt à lâcher trois cents dollars et tu verras !... »

Ils passent devant la bâtisse brinquebalante d'un ancien fonctionnaire de la ville, service de la voirie, licencié après un procès en corruption. Il a crié à la conspiration de la mafia – il avait sans doute raison –, n'a pas flanché, a fait deux ans de prison sur Rikers Island. Il a transformé le petit patio devant l'entrée en décharge, avec des tas de planches pleines de clous, un parasol à l'envers, des gravats de toutes sortes qui débordent et envahissent le trottoir. Sur l'une des poubelles il a écrit au marqueur, en lettres capitales : « À tous les voisins : occupez-vous de vos oignons ! »

Steve, un des colocataires, un Mohawk d'Akwesasne, est couché sur le canapé devant la télé, trois bouteilles de bière vides sur la table basse. « Salut, p'tit. Bienvenue dans la grande ville. Ton père m'a dit que tu nous accompagnais demain matin ? C'est bien. Tu vas voir le plus beau chantier du pays... je veux dire du monde. Bon, moi je vais me coucher. »

L'autre occupant de l'appartement, un lointain cousin de la branche Rochelle, est parti pour Miami. Un chantier de réparation de ponts, tout au sud, dans les Keys. Novembre et décembre au soleil de Floride : il a lâché du jour au lendemain son job sur le World Trade Center et a sauté dans sa voiture. Sa chambre est libre, John y pose son sac. « Bonne nuit, fiston. Brosse-toi bien les dents. Dors vite, réveil à cinq heures. Je suis content que tu sois là.

– Moi aussi. Bonne nuit, Pa. »

Dans le lit dont il n'a pas changé les draps, John peine à trouver le sommeil, se tourne et se retourne. Il se revoit en équilibre sur les poutres du Vieux Pont, devant les copains qui gloussent pour cacher la trouille ; la terreur quand, son tour venu, le vide semble l'attirer comme un sortilège. Et la fierté, le lendemain, d'avoir triomphé grâce au bourbon. Encore deux ans d'école, c'est sûr mais, demain, Jack va sans doute regarder en coin comment il se comporte sur le chantier.

Il ne fera bien sûr aucune pression, mais John se dit qu'il serait fier de voir son aîné respecter la tradition familiale. Ne pas le décevoir… Deux cousins plus âgés ont terminé le lycée et sont entrés dans l'administration à Montréal : dans des bureaux toute la journée, ça ne semble pas les ravir. Et les premiers salaires d'apprentis chez les charpentiers de l'acier sont bien meilleurs que les leurs…

Ils sortent avant l'aube de la maison, passent en chemin vers la station de métro devant Denny dont seule la cuisine est allumée. « Ça fait des années qu'on demande au patron d'ouvrir une demi-heure plus tôt pour pouvoir prendre le petit déjeuner chez lui, pas moyen. Il dit qu'il ne trouve pas de cuistot qui accepte cet horaire, dit Jack. Mais, bon, avec les flocons d'avoine, tu tiendras bien jusqu'à dix heures, non ? Tu accompagneras les punks chercher le breakfast à la pause. Tu vas voir, il y a un resto-épicerie qui fait les meilleurs bagels de la ville. À l'omelette, un délice. »

Ils sont ballotés dans la rame de métro presque vide à cette heure, qui remonte Brooklyn, passe sous l'East

River avant de sortir à Manhattan. Deux rues plus loin, John aperçoit la silhouette massive des deux tours.

« La nôtre, la Nord, est presque terminée, il ne manque que six étages, lui explique son père. Comme on les monte par éléments préfabriqués de trois, le squelette sera achevé avant Noël. Ce serait bien que tu puisses revenir pour la cérémonie qui accompagne la pose de la dernière poutre, le *topping-out*. Ce sont des moments qu'on n'oublie pas, et celle de la première tour du World Trade Center, ça va être quelque chose ! On verra, j'en parlerai à ta mère. »

Il montre son badge au garde de l'entrée : « Il est avec moi, c'est mon fils. » John approche de la base du bâtiment, entre palettes et flaques de boue. Il lève les yeux : les poutres semblent monter vers l'infini, se rejoignent, trois en une, continuent encore. Le sommet disparaît dans la brume. Certaines parties ont déjà été plaquées d'aluminium, d'autres montrent le squelette de fer rouillé. « Alors ? Pas mal, non ? »

John s'assied au bout d'un banc du vestiaire, dans un coin, pendant que son père enfile ses vêtements de travail, ajuste la ceinture de cuir, y glisse les outils. « La *spudwrech* de ton grand-père : tu vois les entailles ? Cette clef à mâchoire a construit l'Empire State Building. Il m'a raconté cent fois l'avoir reçue en cadeau pour ses dix-huit ans. C'était celle de son père. Une fois, il s'y est agrippé d'une main, au-dessus du vide, pendant près d'une minute, avant qu'on lui vienne en aide. Tiens, passe ça par-dessus ton pull, dit-il en lui lançant un épais sweatshirt à capuche, bien trop grand. Sur la poitrine est inscrit, sous un dessin stylisé de la *skyline* de la ville, *Local 40 – New York City Ironworkers*. Là-haut, la température n'a rien à voir avec celle du sol. Même quand il n'y a pas un souffle en bas, au sommet, il y a toujours du vent. Tu vas voir, c'est une autre planète. Aujourd'hui, avec ce qui vient de l'océan, tu vas sentir la tour bouger. »

Jack continue les présentations dans la nacelle de l'ascenseur extérieur qui grince le long de la paroi. À cette hauteur, il faut près de cinq minutes pour parvenir au sommet. « Mon fils… Mon aîné… Quinze ans… Non, il ne sait pas encore… Oui, c'est la première fois. »

Vers le soixantième étage, ils pénètrent dans les nuages, Manhattan disparaît, les gouttes d'eau en suspension ont un goût presque salé. On se racle la gorge, remonte les cols, rabaisse les bonnets sur les oreilles.

Les portes grillagées s'ouvrent. Une main a écrit 104 à la craie sur la rouille d'une des poutres porteuses. Le vent siffle et chante dans les structures, tourbillonne au sommet, hulule dans le squelette de métal. « Viens avec moi. »

Ils suivent des travées de planches jusqu'à une cabane provisoire, dans un coin, où est attablé, devant des plans imprimés en bleu délavé, Raymond Carter, le chef d'équipe, un vétéran, d'une famille irlandaise venue de Terre-Neuve.

« Ray, c'est mon fils John, dont je t'ai parlé. C'est aujourd'hui qu'il passe la journée avec nous.

– Ah oui, bonjour petit. Bienvenue au sommet du monde. Alors, tu en dis quoi ? C'est bien, non ? Ici, on écrit l'histoire dans le ciel. Sûr, tu raconteras cette journée à tes enfants… Bon, fais bien gaffe, tu suis à la lettre les instructions de ton père ou je serai obligé de te faire descendre. On n'en parle pas au chef de chantier parce qu'il va vouloir tout un tas d'autorisations et de feux verts pour les assurances. On s'arrange entre nous, de Mohawks à *Newfies*, mais pas de connerie, OK ?

– Oui, merci, monsieur. »

Il replonge le nez dans les plans. « Ray, appelle-moi Ray, mon gars. Salut, Tool. Bonne journée. Faites gaffe à l'élément 2A qui va monter. Il paraît qu'il a un défaut de fabrication, il faudra peut-être en découper un morceau et percer de nouveaux trous. Préviens-moi si c'est le cas, ils ont une nouvelle perceuse ultra-puissante à l'étage en dessous. Vous gagnerez du temps. »

Jack présente son fils aux membres du gang. Si, il y a plus de deux ans, il était le seul Indien parmi des Newfies, l'arrivée régulière de Mohawks sur le chantier a permis de constituer une équipe de vieux routiers à peau rouge avec lesquels il est presque inutile de parler pour se comprendre.

« Les gars, voici mon grand, John. Il est encore à l'école, dans la réserve. Il vient voir si son père exagère quand il dit qu'il a le meilleur job du monde. N'hésitez pas à lui demander d'aller chercher quoi que ce soit. Pour aujourd'hui, c'est le dernier des punks. »

Certains lui sourient, d'autres tournent à peine la tête, il reconnaît deux visages.

« Bon, fiston, pour l'instant, tu te mets là, sur cette caisse, tu regardes et tu ne touches à rien, OK ? Ça va, tu n'as pas froid ?

– C'est bon, Pa. Ne t'occupe pas de moi, tout va bien. »

Les grues kangourous, que l'on devine à peine dans le brouillard, se mettent en marche ; les bras géants dansent au-dessus des têtes, brassent les nuages. Un premier élément préfabriqué monte et sort de la brume comme par magie. Les hommes l'agrippent, le dirigent vers son emplacement, alignent les trous, le boulonnent en un tour de main. Ils décrochent les câbles qui remontent comme des serpents dans les airs avant de descendre vers la rue. Plutôt que de parler dans le téléphone, Jack a établi un code avec le grutier, qu'il connaît depuis vingt ans : un sifflement, qu'il fait sans les doigts, en repliant la langue dans sa bouche, signifie « Stop ! », deux veulent dire « Soulève ! » Pas règlementaire, mais rapide et efficace.

Des éclairs et des étincelles jaillissent sous leurs pieds, comme si un dragon crachait dans le ciel. « Les soudeurs du cent troisième étage, dit Jack avant que son fils pose la question. Nous fixons les pièces, ils terminent. Tiens, va demander une caisse de boulons de 13 au grand gars roux près de l'escalier de bois. »

Deux heures plus tard un adolescent à peine plus vieux que lui vient chercher John qui, assis sur une poutre métallique, a perdu Jack de vue et commence à s'ennuyer.

« Ton père veut que tu descendes avec moi, c'est l'heure du café, dit-il. Tu vas entrer en apprentissage ?

– Non, pas encore… Enfin, je ne sais pas vraiment bien. Je dois terminer le lycée. Tu viens d'où, toi ?

– Du New Jersey, Newark. Mes deux oncles sont *ironworkers*. Mes parents n'étaient pas vraiment chauds, mais j'ai tenu bon. Mes oncles, je les adore. Ce sont les plus marrants de la famille ; à leur âge, ils ont chacun une grande maison, une voiture et une Harley. Dans ma famille, personne n'est jamais allé à l'Université, mais ils sont de loin les mieux payés. Et j'ai toujours aimé leurs histoires de construction… »

Dans l'épicerie-café du coin de la rue, qui a triplé son chiffre d'affaires depuis le début de la construction des *twin towers*, des jeunes gens en vêtements de travail font la queue devant le coin-cuisine. Ils repartent avec des cafés dans de grandes tasses en carton, des sandwichs et des bagels pour la pause de dix heures.

« Huit bagels, six à l'omelette et deux au pastrami, et huit cafés, dont six avec du lait, s'il vous plaît », demande le jeune homme, auquel John n'a pas osé demander son nom.

« Omelette, pour toi, c'est OK ?

– Oui, oui, bien sûr… John met la main à sa poche.

– Laisse, il y a une caisse commune pour les pauses, ce n'est pas à toi de payer. »

Pendant la remontée le long de la paroi, les mains chargées de cartons fumants, ils voient la brume se lever sur le port, dévoiler la statue de la Liberté sur son île, les grues des quais de Brooklyn et du port de Bayonne au loin ; le trafic intense des ferries, remorqueurs et cargos sur l'Hudson et l'East River. Devant le quai 66, le bateau-incendie des pompiers, rouge et blanc comme un gros jouet, teste ses pompes et lâche quatre jets d'eau dans les airs. Un paquebot noir et rouge à quatre cheminées arrive du large, deux longs coups de sirène font trembler les grillages autour d'eux. Il va s'amarrer sur le quai 59 et libérer sur l'île des milliers de touristes.

Les équipes saluent l'arrivée du ravitaillement en sautant des poutres et en descendant des échelles.

« Pour déjeuner, c'est plus compliqué, explique Jack à son fils en déballant son bagel. Il y a tellement de monde sur les tours, en plus des bureaux du quartier, que tous les *delis* et restos rapides sont pris d'assaut, il faut faire la queue et, avec le temps qu'on met pour descendre et remonter, c'est trop court. Alors tu vas voir, la direction fait monter des cantines roulantes. C'est pas terrible, mais vraiment pas cher. On se rattrapera ce soir : Joyce va nous préparer des pâtes, recette de sa mère, chez Denny. »

Tout l'après-midi, l'adolescent est réquisitionné par des apprentis mohawks qui lui ont demandé de les aider à ouvrir des cartons de vis et d'écrous, les visser de quelques tours l'un sur l'autre et les lancer dans des seaux en métal. Après une heure courbé en deux, le mal de dos le fait s'agenouiller sur une planche, comme eux. Il tente d'engager la conversation : les deux garçons, venus d'une réserve dont il n'a jamais entendu parler, lui répondent par monosyllabes. Quand les cartons sont vides, il s'approche de la paroi, passe la tête entre les poutres et, giflé par le vent du large, regarde le soleil sur la côte du New Jersey. En se penchant davantage, il aperçoit jusqu'à Sandy Hook, le « crochet de sable » qui ferme au sud le port de New York et, au loin, la côte du New Jersey.

Un contremaître passe et le sermonne, se demandant ce que fait sur le chantier un garçon si jeune, avec un casque trop grand et l'air de n'avoir pas grand-chose à faire, quand retentit la sirène.

Quinze heures trente, fin de la journée. Dans la file d'attente devant l'ascenseur, John enlève son casque quand son père, en riant, lui donne une petite tape sur le crâne.

« Pour faire partie du club de la tortue, il faut survivre à quelque chose qui te tombe sur la tête, fiston. Et sur les chantiers, le danger vient plus souvent du haut que du bas. Alors le casque, il reste sur ta tête jusqu'au vestiaire. »

Ils sont dans la rue. John a un peu mal au dos, aux genoux, mais le sourire aux lèvres.

« C'est maintenant qu'on sent que les tours bougent, tu ne trouves pas ? demande son père. Quand on est descendu à terre, le trottoir ondule sous les pieds. Il paraît que les marins ressentent la même chose en débarquant au port. Viens, on ne va pas rentrer de suite, je vais t'emmener quelque part. »

Ils prennent le métro, destination le quartier des fleurs, le long de l'Hudson, vers la 34e rue. Là, entre plantes et arbustes en pots qui encombrent les trottoirs, ils poussent la porte d'une boutique à la devanture de bois marquée Dave's New York, vêtements de travail.

« Je ne sais pas si elle te servira un jour à marcher dans le ciel, mais on va t'acheter ta première paire de Redwing, mon grand. La neige est déjà tombée à la maison, tu auras les pieds au chaud là-dedans. »

Hautes, à lacets, en cuir fauve, semelles blanches sans talons, John les a toujours vues aux pieds de son père, même en été. Le vendeur, un petit Noir à l'air futé, a au premier coup d'œil repéré le charpentier de l'acier. De bons clients, il se précipite. « Bonjour les gars, vous tombez bien, on vient de déballer les vestes fourrées.

Il va commencer à cailler, au sommet de ces nouvelles tours, non ?

– Il nous faut plutôt une paire de Redwing pour ce gentleman. Tu fais du combien maintenant, fils ?

– Quarante-trois, je pense.

– Il va encore grandir. Allez nous chercher un bon quarante-quatre. Il mettra de grosses chaussettes. »

Le jeune homme remonte de la réserve avec deux grosses boîtes de carton frappées de l'aile rouge. Il y en a une demi-douzaine à la maison de Kahnawake, dans les rayonnages de l'atelier.

Quelques pas sur la moquette, elles sont trop grandes, ses orteils flottent mais John n'ose pas le dire. « Avec de bonnes chaussettes, ça ira, Pa. »

Ils en choisissent deux paires, Jack ajoute des gants de rodéo *made in Wyoming*, les meilleurs gants de travail qui soient, deux XL et une L. Il paie en liquide. John insiste pour garder ses bottes de cuir aux pieds, les vieilles Nike dans le sac de papier brun.

Ils parlent peu sur le chemin du retour. Jack feuillette un *Daily News* trouvé sur une banquette du métro. John tente de se regarder marcher dans les vitrines, en vain. À la sortie de la station, à Bay Ridge, son père lui met une main sur l'épaule.

« Le père de Joyce est écossais, mais sa mère italienne, d'un petit village de Sicile. Tu vas voir, elle fait des pâtes délicieuses, avec des aubergines, la recette s'appelle « Norma ». Le mardi soir, elle remplace le cuisinier, et tout le quartier débarque chez Denny. Passons à la maison prendre une douche. Il ne faut pas arriver tard, après sept heures, il n'y en a plus… »

Dans le restaurant, ils s'installent près de la porte, à une table où les rejoignent des amis du quartier. L'un est mécanicien chez les pompiers – « Je bichonne les gros camions rouges » –, l'autre détective privé – divorces et filatures –, après dix-sept ans comme policier de base puis inspecteur au NYPD dans un commissariat du Queen's.

Les présentations faites, Jack se lève et disparaît derrière la porte de la cuisine. Quand une serveuse pousse le double battant pour sortir avec son plateau, John aperçoit Joyce dans les bras de son père. Ils s'embrassent. Elle tourne la tête, ouvre les yeux, voit la porte ouverte, le repousse, rajuste son tablier. John a tenté de détourner le regard ; trop tard, il a vu. Le souffle coupé, il rougit, n'entend pas la question que le détective pose sur sa scolarité, se lève pour partir, en esquisse le geste, se rassoit. Il attrape à deux mains le verre d'eau plein de glaçons, avale une gorgée au moment où Jack revient et s'installe face à lui.

« Vous, les gars, vous connaissez les pâtes de Joyce. C'est toi qui vas avoir une surprise, fiston… John, ça va ? Tu as l'air bizarre…

– Non, non, Pa. Ça va. Un peu crevé, c'est tout.

– Ne t'inquiète pas, on mange et on va se coucher. Moi aussi, je suis cuit. Tu as pu voir une journée sur la tour. Tu comprends pourquoi nous sommes les mieux payés des métiers de la construction, non ? C'est physique et technique, il fait froid et il fait chaud, c'est dangereux et crevant. Mais tous les soirs, avant de rejoindre l'ascenseur, tu te retournes et tu regardes ce que tu as fait dans la journée. Tu te souviens où c'en était le matin : il y a un morceau supplémentaire, tu vois naître le bâtiment. À la fin, il est à toi pour toujours, ton nom est inscrit dessus. Des années après, quand tu passes dans la rue, tu te dis : j'ai construit ça. Tu le montres à tes enfants. Et si tu es bon, les chefs de chantiers sont prêts à payer pour te garder. Il y a deux ans, un contremaître sudiste faisait un peu trop de blagues racistes sur les Indiens : les deux gangs de Mohawks ont menacé de partir, c'est l'abruti qui a été viré. De bonnes équipes, sur la vie d'un chantier, ça peut faire une différence de plusieurs semaines, parfois des mois. Et à New York plus qu'ailleurs le temps c'est de l'argent. »

Il vide la moitié de son verre de bière, pose la main sur celle de son fils qui fixe son assiette avec obstination.

Joyce apporte le grand plat fumant, sourit à la ronde, propose le parmesan, évite de croiser le regard de John. Elle n'est pas sûre qu'il les ait vus mais, en devinant son trouble, ses mains qui tremblent, la façon dont il détourne la tête pour éviter de la regarder, elle comprend. Deux ans qu'elle partage la vie de « son Indien », les soirs de semaine, à Brooklyn, le lit trop étroit dans son petit deux-pièces, sans rien espérer en échange. Et surtout pas qu'il quitte femme, enfants et « la réserve », ce lieu étrange qu'elle peine à imaginer. Elle voit des scènes tirées de westerns, des tipis, des masures de bois entourées de carcasses de voitures aux confins du Nouveau-Mexique, des reportages à la télé sur le suicide des adolescents, les casinos avec têtes de chefs emplumées en néon, ou les records d'alcoolisme. Rien qui ressemble aux récits de Jack et aux rares photos qu'il lui a montrées, grandes maisons de bois, berges du fleuve, pelouses et terrains de sport. Elle avait prévu, comme tous les soirs quand Jack est là, de s'asseoir près de lui à la fin de son service. À Bay Ridge, leur romance est connue de tous. Prétextant du travail en cuisine, elle retourne s'y cacher. Elle attendra demain pour lui en parler, il faudra décider quelque chose si le petit reste ici jusqu'à la fin de la semaine.

« Bon, demain, pas la peine de te lever en même temps que moi, dit Jack à son fils sur le trottoir quand ils retournent à l'appartement. Ray est revenu me voir tout à l'heure, pas moyen que tu reviennes sur le chantier cette semaine. Il a eu des réflexions, on a demandé qui tu étais, il se mettrait en tort face à la compagnie, surtout pour des questions d'assurance. Mais c'était bien que tu voies de près, non ? Tu as une idée plus précise maintenant. Ça t'aidera à te décider. Tu as des choses prévues pour demain et jeudi ? Des endroits où tu voudrais aller ? J'aurais bien pris une journée pour visiter New York avec toi mais ce n'est pas possible. On a plus d'une semaine de retard sur le planning, le boss veut à tout prix faire le *topping-out* avant Noël.

– Madame Deer, la professeur d'art, a appris par maman que je venais à New York. Elle m'a demandé d'aller voir les toiles du peintre Picasso au Metropolitan Museum, de rapporter des photos, des documents pour faire un exposé. Ne pas perdre une semaine, et faire quelque chose d'utile, elle a dit. Il est où, ce musée ?

– Au milieu de Central Park. Super-idée ! Ça fait des années que je vis ici toute la semaine, et même certains week-ends, et je n'y suis jamais allé. Il paraît que c'est formidable. Je te montre comment t'y rendre sur le plan du métro, tu me raconteras. »

Le lendemain, Jack et Steve ferment doucement la porte et marchent, sous une pluie fine et drue, vers la station de métro. Les charpentiers du fer ne travaillent pas sous la pluie, trop dangereux ; mais, pour être payé de sa journée, il faut se présenter, pointer son nom et attendre la décision du chef de chantier. Chez les Mohawks, on aime les vendredis matin pluvieux, qui permettent de prendre avec des heures d'avance la route du Nord. Mais aujourd'hui c'est mercredi et le ciel semble s'éclaircir.

John n'a pas de réveil, la chambre est sombre, il se réveille tard. Son père a laissé sur la table du petit déjeuner, à côté d'un paquet de céréales et d'une bouteille de lait, un billet de dix dollars, deux jetons de métro. « À ce soir, fiston ! Amuse-toi » griffonné sur le dos d'une enveloppe.

John sort vers midi. La pluie a cessé, il fait froid : il marche sur le trottoir, demi-tour, rouvre la porte et enfile la veste fourrée de son père, pendue à la patère dans le couloir.

Sur le plan du métro, à l'entrée de la station, il repère les lignes et les deux changements que Jack lui a indiqués.

Assis dans le wagon, il regarde les voyageurs, mélange d'hommes d'affaires en costume, de touristes et d'employés courant d'un job à l'autre. Il sort sur l'avenue Lexington, demande son chemin, arrive devant l'immense façade et les escaliers monumentaux du Metropolitan Museum. Un peu intimidé, il interroge un gardien près des colonnes de l'entrée à propos des toiles de Pablo Picasso. L'employé lui indique la caisse, puis le stand Information, où une bénévole souriante, mamie à la retraite aux cheveux teints de reflets violets, lui remet un petit plan imprimé sur du mauvais papier en disant : « Deuxième étage, Art moderne, tout droit et à gauche après les escaliers. »

Au cent quatrième étage de la tour Nord, le travail a commencé en retard. La pluie a cessé, mais les ouvriers ont attendu, des tasses de café à la main ou même dans les *delis* des environs, à portée de voix, que les contremaîtres et les représentants du syndicat décident que les planches et les poutres de métal sont assez sèches pour qu'on puisse marcher dessus sans risquer de glisser.

Comme d'habitude, la grande gueule irlandaise du syndicat Local 40 a réclamé une heure de plus ; comme d'habitude, Raymond Carter a refusé et ordonné la mise en route des grues pour neuf heures, « avec pénalités pour les fainéants qui attendent qu'on leur prépare les lieux au sèche-cheveux. On a une tour à terminer, ici ! Et on est en retard ! »

« La plupart du temps, je suis plutôt d'accord avec le syndicat, les patrons nous pressent trop pour qu'on reprenne le boulot quand la pluie a cessé, dit Jack dans le vestiaire en serrant sa ceinture à outils. Mais là, bon, ça va. Avec ces éléments extérieurs préfabriqués, ça fait presque deux ans que je n'ai pas marché en équilibre sur une poutre, au-dessus du vide comme dans un immeuble classique. Si ça se trouve, je ne saurais plus faire… »

Les premiers caissons de métal ruisselant d'eau apparaissent dans le ciel. Avec de grands chiffons, les *ironworkers* essuient les emplacements où ils doivent reposer. « Klonk ! », le premier est en place, les clefs à mâchoire pénètrent dans les orifices, les trous s'alignent, les boulons suivent.

Derrière Jack, de l'autre côté de la tour, un hurlement. On crie dans le téléphone, à l'intention du grutier : « Soulève ! Soulève ! Putain il a un doigt coincé ! Soulève, nom de Dieu ! » Tout le monde accourt. Un jeune gars, nouveau sur le chantier, se tient la main qu'il vient de libérer au moment où la pièce d'acier est remontée. Son gant droit se tache de rouge. Livide, il s'assied par terre. Un des chefs d'équipe, diplômé de secourisme, lui tend une bouteille d'eau. On lui apporte une serviette, il retire doucement le gant : les dernières phalanges de l'annulaire et du petit doigt sont en bouillie, les ongles ont disparu. « Ne regarde pas ! regarde pas petit. On va te faire descendre et te conduire à l'hôpital. Ça va aller. »

Il enveloppe la main dans la serviette. « Tu vas pouvoir marcher ou tu veux qu'on monte le brancard ?

– Non, ça va, je vais me lever. Deux minutes. J'ai mal au cœur. Encore un peu d'eau, s'il vous plaît. »

La quarantaine d'hommes de l'étage sont rassemblés en cercle, certains ont enlevé leur casque, tout s'est arrêté. Le blessé se lève, soutenu par deux costauds et se dirige à petits pas vers l'ascenseur. Le sang commence à traverser la serviette. Quand les portes de la cabine se ferment, il fait un petit signe de la main gauche et tente de sourire.

« Bon, dix minutes de pause, annonce Ray Carter. Fumez une clope, tout va bien, il s'en remettra. Ce ne sera pas le premier d'entre nous avec un doigt raccourci !

Il lève sa main gauche qui n'en compte que quatre, tente de faire sourire à la ronde, mais ça ne marche pas.

« On va m'appeler dès que le médecin du Downtown Hospital aura posé son diagnostic, je vous donne des nouvelles cet après-midi. »

Les équipes se reforment, chacun a une histoire de doigt ou d'orteil écrasé à raconter. Il n'y a pas de coques métalliques de protection dans les chaussures Redwing car, sous les tonnes de pression d'une poutre, elles sectionneraient les pieds.

On recoiffe les casques quand les moteurs des grues se remettent en marche. La matinée avance. Peu à peu, le ciel se couvre et noircit à nouveau sur l'océan. Les hommes lèvent la tête, regardent les nuages courir vers eux depuis l'horizon, précédés des rafales d'un vent d'orage. Juste avant midi, les premières gouttes s'écrasent sur le bois et le métal. Occupé à visser un boulon gros comme le poing, Jack n'a rien vu venir. Il est surpris par la pluie salée qui tombe d'un coup, comme une retenue d'eau qui aurait sauté.

« Crac ! » L'éclair passe tout près, frappe un coin de la tour, immédiatement suivi d'un coup de tonnerre qui fait trembler toute la structure. Il y a toujours un paratonnerre sur les immeubles en construction, ici, c'est une perche métallique de cinq mètres vissée juste au-dessus de sa tête, mais l'histoire des charpentiers du fer en Amérique est pleine de gars foudroyés qui n'auraient pas dû l'être.

Avant un autre éclair, la sirène d'évacuation retentit, les outils sont glissés dans les ceintures ou lâchés sur place, c'est la course vers l'ascenseur extérieur. À l'autre extrémité de la tour, Jack visse les derniers tours de son écrou. Il range sa *supdwrench* dans son étui, se redresse sans hâte. Pour évacuer, soit il contourne la fosse centrale, la cage des futurs ascenseurs, soit il coupe droit en marchant, sur de larges planches, au-dessus de quatre-vingt-quinze étages de vide. Cohue sur la coursive, il est déjà trempé : il prend au plus court, tourne à gauche, ralentit pour ne pas risquer de glisser sur le bois de la passerelle, deux ouvriers le suivent.

Il est presque de l'autre côté quand la boule de feu explose devant lui, le projette à plusieurs mètres de haut. Quand il retombe sur les planches fixées par de simples clous, abîmées par la foudre, elles craquent et cèdent sous son poids. Il bascule dans le vide en hurlant, fait des moulinets avec les bras pour tenter de s'accrocher à quelque chose, son cri se perd dans le gouffre.

Derrière lui, les deux hommes, bousculés par le choc, sont parvenus à rester, à genoux, sur des planches parallèles. L'un est blessé au visage, son œil semble touché ; l'autre recule à quatre pattes, crie de toutes ses forces : « Tool, Tool ! Oh mon Dieu, Jack ! Jack est passé dans le trou. Au secours ! Au secours ! Faites quelque chose ! »

Ils sont seuls à avoir vu l'accident. Alertés par les cris, les autres se retournent, ont du mal à comprendre. Raymond Carter attrape par le col celui qui semble indemne, le relève : « Quoi Jack ? Il est où ? Il est où ?

– Dans la fosse, il est tombé dans la fosse de l'ascenseur. L'éclair, les planches ont cédé. C'est pas possible, Ray, Tool est passé dans le trou ! »

Malgré les trombes d'eau, le chef d'équipe enlève son casque. La pluie ruisselle sur ses joues, lave ses larmes. Il lâche le carnet qu'il tenait, essuie ses yeux avec la manche, approche de la fosse, se penche en avant, ne voit rien. Quatre-vingt-quinze étages. Jack LaLiberté est mort.

Raymond Carter se rue vers l'ascenseur extérieur, bouscule à coups de poing une dizaine d'ouvriers qui n'ont rien compris.

« Bordel écartez-vous ! Laissez-moi passer ! Poussez-vous ! » Quand la cabine arrive, il attrape par la veste le préposé et lui crie de le descendre de suite, sans faire monter quiconque. Il tente d'expliquer, en criant dans le talkie-walkie, le drame au chef de chantier qui saisit un mot sur quatre. Il ne comprend que « Envoyez le doc ! » La nacelle s'immobilise, il arrache presque la grille en l'ouvrant, court une dizaine de mètres et s'arrête net. Jack gît sur le ventre, en travers sur un tas de linteaux et de gravats. Sans l'angle atroce que fait sa jambe droite cassée, on pourrait croire qu'il dort. Le choc a fait voler son casque, son visage est intact, yeux ouverts, bouche ouverte comme dans un cri silencieux. Un filet de sang coule de ses narines.

Ray Carter se penche sur le corps, pose deux doigts sur la veine jugulaire inerte. Il approche l'oreille de la bouche. Rien. Jack ne respire plus, c'est fini. Il lui ferme les yeux, pose la main sur sa joue, se relève. Dans son dos, les hommes arrivent, se signent, enlèvent leurs casques. Ray, dégoulinant de pluie, attrape un morceau de bâche et couvre le corps. Le docteur du chantier est là dix minutes plus tard. Rien à faire. Au loin résonne la sirène de l'ambulance des pompiers, bloquée dans les embouteillages.

« Bon, fini pour aujourd'hui, annonce Ray Carter. Que quelqu'un aille prévenir son frère, Tom, il est sur la tour Sud je crois, et l'amène ici. » Par la ligne intérieure il prévient le chef de chantier. Peu après, résonne la trompe annonçant la fin des travaux pour la journée. Tom LaLiberté sort en courant de l'ascenseur, voit la bâche. Il s'approche, Raymond Carter lui met la main sur l'épaule. Il s'agenouille près du corps de son frère, découvre sa tête et, sans un mot, lui caresse la tempe. Puis il psalmodie à voix basse, les yeux fermés, un chant mortuaire en mohawk. Il se relève, s'essuie les joues avec la manche. « Je vais prévenir Kahnawake. Son fils aîné, John, est ici, à New York, mais je ne sais pas comment le joindre. »

Il faudra deux heures pour les constats, l'arrivée des experts, du chef de chantier et du fils du patron de Koch Erecting. Puis les pompiers enferment le cadavre dans une housse et l'emportent sur un brancard à roulettes qui entre à peine dans l'ascenseur de chantier.

Dans la cuisine de Denny, avec le bruit de la friteuse, Joyce n'a pas entendu le téléphone sonner. « Joyce, pour toi, le World Trade Center ! »

C'est la première fois, son sang se glace. Elle avance à petits pas, sans respirer, soulève le combiné posé sur l'étagère. « Allô, oui, c'est Joyce... » Elle le lâche d'un coup, s'adosse au mur graisseux, fléchit les genoux, ferme les yeux, glisse lentement jusqu'à se retrouver assise sur les talons. Un long gémissement sort de sa poitrine. Son amie Helen a compris, elle se penche vers elle, la prend dans ses bras, tente en vain de la relever. Joyce bascule sur le côté, se recroqueville sur le carrelage en sanglotant comme une enfant.

La salle du restaurant se remplit d'amis, d'*ironworkers* du quartier, mohawks ou non, de voisins venus aux nouvelles. La moitié de la caserne de pompiers de l'avenue, quatre policiers en uniformes, les employés et clients de la pizzeria Calabrese. Joyce se tient la tête dans les mains, hoquète, fixe une tasse de thé froide. Elle lève les yeux et aperçoit John marchant sur le trottoir au bout de la rue. « Steve, Steve, le petit ! Oh mon Dieu, Steve, le petit ! Il est là, il arrive ! Vite, vas-y. »

Le colocataire de Jack se précipite vers la porte, court vers l'adolescent qui le reconnaît à peine. Il s'arrête à un mètre, les yeux pleins de larmes, le prend dans ses bras et le serre à lui briser les os.

10
Kahwanake (Canada)

18 septembre 2001

Wild Bill Cooper a travaillé quinze ans aux côtés de mon père. Au Canada, jusqu'à Vancouver, dans les grandes villes du nord-est des États-Unis, partout où les constructeurs avaient besoin d'une bonne paire de connecteurs de l'acier. Ils arrivaient pour les derniers étages, les plus hauts, à la fin du chantier, quand les banquiers deviennent nerveux, les patrons angoissés et les contremaîtres irascibles. Sur certains immeubles complexes, quand les entrepreneurs peinaient à constituer des équipes capables de travailler vite et bien à de telles hauteurs, ils pouvaient obtenir de belles primes.

Un automne, à la fin des années 1960, ils étaient partis pour Colorado Spring en avion, *business class*, trois mille dollars en cash dans des enveloppes à leur arrivée. S'ils étaient loin de chez eux et ne connaissaient personne parmi les charpentiers du fer, ils forçaient sur la touche indienne, accrochant des plumes d'aigle à leurs casques, des franges de cuir et des broderies de perles aux étuis de leurs clefs à mâchoire, s'interpellant en mohawk comme pour se passer des consignes secrètes.

« Avec ce qu'ils nous payaient, il fallait leur en donner pour leur argent, rigolait Wild Bill. Dans certaines villes, même les chefs croyaient que, parce qu'on était indiens, on n'avait pas le vertige. On ne les contredisait pas, on en rajoutait. On bossait à la même vitesse que les autres, mais ils auraient juré que nous étions plus rapides. »

Ils se connaissaient si bien qu'ils avaient à peine besoin de se regarder ou de se parler. Les pieds sur trente centimètres d'acier, à deux cents mètres dans le ciel, Jack devinait comment la poutre suspendue aux deux filins allait arriver dans son dos. Bill savait presque à la seconde près combien de temps Jack allait mettre pour l'attraper, aligner les trous, enfiler les huit boulons, en serrer deux. Il le regardait faire du coin de l'œil, anticipait chaque geste, préparait la manœuvre suivante. Ils sifflaient parfois pour se prévenir, un code qu'ils partageaient, imitant des chants d'oiseaux. Ils l'avaient inventé enfants, vers dix ans, lors de leurs premières parties de chasse sur les berges du Saint-Laurent. Ils passaient leurs journées dans les arbres, construisaient des cabanes secrètes, tiraient à l'arc sur les poissons du fleuve, chevaliers et dards de sable, piégeaient les lapins blancs dans les neiges.

Si Bill n'était pas aux côtés de Jack le jour de sa mort, lors de la construction du Trade Center, c'est qu'il travaillait sur la tour Sud. Il était arrivé tard à Manhattan, les équipes étaient constituées. Ils avaient fait des pieds et des mains pour changer de gang et se retrouver ; c'était pratiquement acquis quand Jack a été touché par la foudre et projeté dans la cage d'ascenseur.

« À la mort de ton père, j'ai perdu un frère. Ensuite, rien n'a été pareil, me dit Wild Bill. Je n'ai jamais retrouvé de compagnon de travail ; j'ai tenu trois ans, puis j'ai eu mon accident et j'ai raccroché. »

À l'intérieur de la longue maison de Kahnawake, la cérémonie d'hommage au World Trade Center, aux victimes et aux sauveteurs va commencer. Les tambours prennent le rythme, les femmes entonnent les chants, suivies par les enfants et quelques hommes. La fumée des feuilles de tabac qui se consument dans les coupes de terre monte dans la pièce. « Viens, sortons », dit Bill. Sous le porche, il tire de sa poche une blague à tabac en daim, roule une cigarette entre ses doigts de géant, l'allume. Je fronce les sourcils, il sourit. « Soixante-douze ans, des poumons de jeune homme. À mon âge, on ne risque plus rien. Bon, fils, il faut que je te dise quelque chose. Quelque chose que j'aurais dû te révéler depuis longtemps. J'ai failli le faire plusieurs fois. J'attendais le bon moment et là, il est plus que passé... Tu te souviens, quand nous avons ramené le corps de ton père... Tu avais quel âge ? Quatorze, quinze ans ? Après son enterrement dans la réserve, nous avons raconté que nous avions fait une cérémonie à sa mémoire, le soir de l'accident, au sommet de la tour Nord. Que nous avions brûlé des feuilles de tabac, gravé son nom sur une poutre pour qu'il y reste à jamais.

– Oui, je me souviens. J'ai imaginé cette scène des centaines de fois. Je vous en voulais de ne pas m'avoir pris avec vous. J'aurais voulu que tu montes me chercher...

– En fait, il y a autre chose... »

Bill s'assied sur l'un des rocking-chairs, désigne l'autre du menton et s'approche pour que nous puissions parler sans être entendus de ceux qui arrivent, certains en coiffures et tenues traditionnelles. Tous le saluent d'un signe de tête ou de la main.

« Tu te souviens qu'on avait dit à ta mère que la clef à mâchoire de Jack avait été perdue dans la chute et jamais retrouvée ? C'est faux. Elle était dans son étui. C'est moi qui l'ai enlevée de sa ceinture, sur son corps qui ne bougeait plus, avant que les flics arrivent et que les pompiers l'emmènent. »

J'approche mon fauteuil du sien, regarde le sol entre mes pieds, incapable de lever les yeux. Je revois les danses traditionnelles lors des funérailles, la veste brodée, trop grande, qu'on m'avait forcé à revêtir, la plume d'aigle dans mes cheveux, la haie d'honneur des monteurs de l'acier, casque à la main à l'entrée du cimetière. L'image des *twin towers* gravée sur la dalle de marbre noir. Jack LaLiberté – 1936-1970.

« Avec ton père, c'est quelque chose dont nous avions souvent parlé. Elles étaient si belles, si grandes, ces tours… Quatre ans de travail, un chantier exceptionnel. L'Empire State Building de notre génération. Nous étions sûrs de ne jamais travailler sur un projet plus beau, plus grandiose. Alors nous avions prévu de cacher nos *spudwrenchs* quelque part dans l'armature, avant de partir. Qu'elles y restent à jamais, une part de nous, en souvenir, en secret. Un *ironworker* n'aime pas se séparer de son outil mais là, ça valait la peine.

Alors, le soir du *topping-out* de la tour Nord, deux ou trois semaines après la mort de ton père, avec ton oncle Tom et deux autres Mohawks, vers minuit, nous nous sommes glissés dans le chantier. Nous sommes montés au sommet et avons soudé sous une poutre une boîte de métal. Nous avons mis des choses dedans, dont la clef de Jack, avant de la fermer pour toujours. Quand j'ai vu sur CNN la première tour s'effondrer c'est d'abord à elle que j'ai pensé. C'était la tour Sud, mais je savais que, si elle était tombée comme ça, l'autre n'allait pas résister. J'ai revu la clef, sa cachette, le sourire de ton père, sa démarche de lynx sur les poutres et les clins d'œil qu'on s'adressait quand on avait bien bossé. Ces salauds de musulmans qui ont commis ces attentats l'ont tué une seconde fois.

– Tu veux dire que, là-dedans, dans ces tonnes de gravats, de métal et de morceaux de corps humains, dans cet enfer, il y a la clef de mon père ? Celle avec laquelle je jouais quand j'étais petit, qui était si lourde que je devais la porter à deux mains ?

– Yep, fils. Elle est là-dessous, quelque part. Et maintenant que tu le sais, tu vas la trouver.

– La trouver !… Je voudrais bien mais, là, Joe, tu rêves. Tu as vu les images ? Tu as compris ? Tout a été pulvérisé. Des camions de pompiers ont été aplatis en crêpes de cinquante centimètres. Les carcasses des avions ont disparu. Deux Boeings entiers. On ne retrouve rien d'identifiable. Rien qui ressemble à un bureau, une chaise, une armoire. Les corps, à part, parfois, ceux des pompiers protégés par leurs vestes, ont été pulvérisés. La *spudwrench* de Dad, ce n'est pas une aiguille, c'est un atome dans une meule de foin.

– Ces clefs sont indestructibles. On se les passe de génération en génération. Elle est peut-être cassée ou tordue, mais elle est là, quelque part. Elle t'attend. Tu dois la retrouver. C'est à toi de le faire. C'était déjà un objet sacré avant la catastrophe. Tu dois la ramener ici, sa place est sur ta cheminée ou au mur de la longue maison. »

Wild Bill n'en dit pas davantage, « au sommet de la tour Nord », c'est tout.

Dans le magma de Ground Zero il est quasiment impossible de se repérer, de comprendre où l'on est, ce que sont, ce qu'étaient les morceaux de métal qui subsistent. Seuls quelques ingénieurs penchés sur leurs plans savent à peu près où est quoi, comprennent comment se sont effondrées les deux géantes. Tour Nord ou tour Sud, j'aurais été bien en peine de savoir ce que j'avais pénétré et fouillé au cours des premiers jours.

Maintenant je sais. Je sais que la clef à mâchoire de mon père, celle qui aurait dû pendre à ma ceinture, que j'aurais dû, le jour de ses dix-huit ans, donner à mon fils si j'en avais eu un, est quelque part là-dessous. Mes chances de la retrouver sont quasiment nulles, mais je vais la chercher.

Dans la salle, les tambours et les chants s'apaisent. Une jeune fille en robe brodée de perles, natte de jais jusqu'à la taille, apparaît sous la véranda. Dans un sourire elle me dit : « Vous êtes bien John LaLiberté ? Le conseil m'envoie vous chercher. Voudriez-vous prendre la parole quelques minutes ? Vous êtes le seul ici à avoir vu la catastrophe de l'intérieur…

– Bien sûr, j'arrive. »

Wild Bill prend ma main entre les siennes, grandes, sombres, larges, entailles et cicatrices : « Vas-y, petit. Raconte-leur. Mais ne dis rien à propos de la clef. Je suis désormais le seul à connaître ce secret, les deux autres sont morts il y a quelques années. Dans le nuage de fumée qui est monté dans le ciel de New York, il y avait l'âme de ton père, l'âme de nos guerriers depuis le commencement du monde, de tous les nôtres qui sont morts ou ont été estropiés en bâtissant les ponts et les gratte-ciel de l'homme blanc, en plus des âmes des pauvres innocents qui venaient d'arriver à leurs bureaux pour une journée de travail et n'ont rien compris de ce qui leur arrivait. Les âmes des pompiers qui se sont sacrifiés en montant dans les escaliers chargés comme des mulets combattre un feu qu'ils savaient invincible. Nous sommes fiers de ce que vous faites à Manhattan. »

Nous nous levons, il me prend dans ses bras. Je mets ma tête dans son cou, il me donne six tapes dans le dos puis m'écarte de lui, ses yeux plongent dans les miens : « Va ! »

Ils sont une centaine, en demi-cercle autour de l'estrade et d'un micro sur pied, à m'attendre dans la pièce. Les chefs et les Mères de clans en tenue d'apparat alignés contre le mur, les enfants qu'on attrape par le col pour qu'ils cessent de jouer à cache-cache, les adolescents qui se regardent en coin. Les chants se font murmures, les battements de tambours s'estompent à mon approche. Je tapote le micro.

« Bonsoir. Je connais la plupart d'entre vous. Pour les autres, je m'appelle John, je suis *ironworker*. Fils de Jack LaLiberté – les anciens se souviennent de lui, on l'appelait Tool, il est mort en construisant les tours jumelles – et de Louise Dubois, du clan de l'Ours. Voilà, nous sommes arrivés tout à l'heure de New York. Nous travaillons dans les ruines du World Trade Center, qu'ils appellent Ground Zero. Tous les monteurs d'acier qui sont ici, leurs familles… En fait, tout le monde à Kahnawake comprend pourquoi ils ont besoin de nous. Nous découpons l'acier, les milliers de tonnes de poutres tordues et de ferraille entassées à la place des deux tours. »

Personne ne bouge, les joueurs de tambours ont posé leurs mains à plat sur les instruments, les regards sont tournés vers moi. Un homme aux cheveux blancs murmure à l'oreille de sa femme, qui lui arrive à l'épaule.

« Les hommes blancs nous voient sur les gratte-ciel en construction, ils nous observent depuis les fenêtres de leurs bureaux ou des trottoirs pendant leur pause déjeuner. Ils savent que les Mohawks construisent leurs immeubles, mais la plupart ne savent pas que nous les déconstruisons aussi, les découpons en morceaux quand il faut les faire disparaître. Juste après la catastrophe, nous avons compris qu'ils allaient avoir besoin de nous. La poussière des tours n'était pas encore retombée que nous sommes passés à nos chantiers, avons pris les chalumeaux, les bouteilles de gaz, les pickups et sommes descendus *downtown*. »

Je parle une demi-heure ; raconte le feu, la chaleur, la fumée, les odeurs, le danger, la flamme bleue qui mord l'acier, le masque dans lequel tu étouffes mais qu'il faut garder pour ne pas t'intoxiquer, les semelles qui fondent, les mains brûlées à travers les gants, les lames d'acier qui déchirent les vêtements et parfois la peau, les pinces géantes des pelles mécaniques, le grondement des bulldozers, la poutre découpée qui se cabre, la sirène des alertes quand il faut tout lâcher et détaler pour revenir au même endroit une demi-heure après, la peur quand tout s'effondre autour de toi, la camaraderie qui te fait serrer dans les bras des inconnus, les aboiements des chiens, l'horreur des corps morcelés que nous voyons avant les pompiers parce que nous sommes devant eux pour ouvrir la voie, les images qu'on ne peut chasser quand, le soir à l'hôtel, on essaie de dormir, les larmes qui creusent des sillons sur les visages mangés de poussière, les mains si douloureuses qu'on ne peut les fermer, le dos en feu, la toux qui te prend et ne te lâche plus, la bouteille d'eau comme une délivrance ; la fatigue, la colère, la frustration de ne trouver aucun survivant. L'espoir qu'il en reste. Ils doivent être là, dessous, pas loin, prisonniers des entrailles du monstre. Ce soir, demain, peut-être.

Je m'interromps pour une gorgée d'eau, ils applaudissent. Cela coupe mon récit, je ne sais plus que dire. Un des chefs de clan s'approche du micro pour poser une question, j'y réponds. Puis une autre. Une autre encore.

Ils veulent savoir si seuls les Mohawks sont descendus découper l'acier.

« Non, bien sûr. Il y a des *ironworkers* de partout. De New York, du New Jersey, du Connecticut et bien au-delà. De Californie, même. Certains ont des équipements inconnus. »

Si les sous-sols, les parkings des immeubles ont été fouillés.

« Oui, hélas, plusieurs fois, de fond en comble. Ils sont vides, les gens ont eu le temps de les évacuer avant que les tours ne s'effondrent. Ce n'est pas là que nous trouverons des rescapés. On y croyait au début, plus maintenant. »

S'il y a des chances de dégager des survivants.

« Ils disent que c'est possible, se basent sur des rescapés de tremblements de terre secourus longtemps après. Mais, depuis trois jours, j'en doute.

Si on sait désormais combien de personnes étaient dans les tours le matin du 11.

« Pas vraiment, les estimations varient terriblement. Il était encore tôt, les bureaux n'étaient pas pleins, mais il va falloir sans doute des mois pour établir la liste des morts et des disparus. »

Si nous avons tout ce qu'il nous faut, sur place.

« Presque ; il manque encore des grues géantes pour soulever les plus grosses pièces, mais elles viennent d'arriver de Chicago et sont en cours de montage. »

Si les torches à plasma découpent mieux et plus vite que les chalumeaux classiques.

« Vous n'avez pas idée ! »

Si nous sommes logés dans des cabanes de chantiers.

« Pas du tout, dans les plus beaux hôtels de Manhattan, cinquante dollars la nuit, prix fixe. Nourriture gratuite partout, impossible de payer un verre de bière. »

Si nous sommes tous volontaires.

« Bien sûr, mais, depuis mardi, ceux qui avaient un autre boulot y sont retournés. Les gars venus d'ailleurs repartent. Ceux qui restent ont été engagés, c'est devenu un job. Comme aucun autre, mais un job, désormais. Nous avons un contrat, tarif syndical, le syndicat gère les embauches. »

Si nous n'avons pas peur des gaz qui se dégagent, de leur toxicité.

« Très ; il faut s'astreindre à porter le masque en permanence. J'ai bricolé le mien pour y intégrer le micro du talkie-walkie. Mais certains ne les portent pas, ils n'arrivent pas à respirer avec, même s'ils savent que c'est dangereux. »

Si nous comprenons pourquoi les tours se sont effondrées si vite, sur elles-mêmes comme des châteaux de cartes.

« Pas vraiment. Certains gars disent que leurs pères les avaient prévenus, que les vieux trouvaient que ces étages, ces grands espaces vides qui ne tenaient que par le squelette extérieur ne leur semblaient pas très solides, surtout en cas d'incendie. Mais il va falloir attendre l'enquête des ingénieurs pour être fixés. »

Si nous pensons à eux, aux anciens, à ceux qui les ont construites.

« Tout le temps. »

La Mère du clan de la Tortue met fin à la séance en s'approchant : elle couvre mes épaules d'une couverture sur laquelle des dizaines de mains ont brodé les tours jumelles, intactes dans le soleil couchant, survolées par un aigle. À leurs pieds, sur l'esplanade, marchent un loup, un ours et une tortue.

Andy est assis à l'écart, au bout d'un gradin de bois, bouteille de bière entre les pieds. Il sourit, me fait un clin d'œil. Je le rejoins en serrant au passage des mains, claques sur l'épaule, « bravo », « bien parlé John », « Tool serait fier de toi. »

Je le présente à quelques-uns, Tami et ma mère nous rejoignent. Ma fille étale sur le sol la couverture.

« Elles auraient dû broder ton nom, peut-être, et celui de grand-père…

– Peut-être, mais c'est bien comme ça aussi, non ? Il est temps d'aller se coucher, princesse. »

Nous quittons la longue maison, je l'attrape et la hisse sur mes épaules comme quand elle avait cinq ans. Elle proteste au début puis sourit à la ronde, tient la couverture pliée dans ses bras comme un bébé.

Pendant que, dans la cuisine, sa grand-mère réchauffe le ragoût et les pains de maïs, elle reste avec nous sous le porche, assise sur les marches, écoutant les conversations des voisins venus partager une bière. Ils ont apporté les albums photo pleins de clichés des deux chantiers héroïques, égrènent les souvenirs, plaisantent, ressuscitent les morts, trinquent à leur mémoire, maudissent cet Arabe dont ils n'avaient jamais entendu parler, Oussama quelque chose. Personne ne sait qui est ce type, ce terroriste, ce que lui et ses hommes reprochent à l'Amérique. Et surtout comment on peut se suicider en précipitant des avions sur des buildings, uniquement pour tuer des gens qu'on ne connaît pas et qui ne vous ont rien fait.

Vers onze heures, j'envoie Tami au lit. Nous baissons la voix et restons deux heures encore sous le porche. Dans le jardin commencent à s'entasser les paires de gants de travail neuves, les bottes Timberland à peine portées, les chalumeaux dans leurs emballages. Je m'engage à les emporter à New York. Certains proposent de l'argent pour acheter ce qui nous manque. Je refuse.

« Je sais que des souscriptions ont été ouvertes. Voyez avec le syndicat, ils vous diront que faire. »

Le lendemain, j'accompagne à pied Tami à l'école, salué comme une célébrité. Nous déjeunons, toujours entourés, dans la salle de restaurant du club des Chevaliers de Colomb. C'est là que les monteurs d'acier à la retraite passent leurs après-midi. Il n'en manque pas un aujourd'hui ; ils posent des questions techniques, disent leur peine et leur colère, échafaudent des théories, certains proposent de descendre avec nous, d'autres leur rient au nez, tous s'arrêtent de parler et fixent l'écran de télé à chaque flash spécial. En arrière-plan, derrière le journaliste en direct de Manhattan, les colonnes de fumée grise semblent ne jamais devoir diminuer.

Deux hamburgers, une seule bière, et nous repartons pour New York en milieu d'après-midi. J'aurais pu rester plus longtemps, peut-être un jour ou même deux, mais j'ai hâte de retourner à Ground Zero, Andy aussi. L'espoir, même ténu, subsiste. Pompiers, flics et sauveteurs ont besoin qu'on découpe pour avancer vers le cœur des décombres. Comme des combattants quittant le front après des semaines acharnées, je me rends compte que le retour à la vie ordinaire est déroutant, frustrant, décevant. Difficile de l'avouer, d'expliquer l'intensité des émotions, l'importance des enjeux, la force des sentiments.

Je ne le sais pas encore, mais Ground Zero a commencé à agir sur certains d'entre nous comme une drogue.

« Dedans » c'est dur, épuisant, effrayant, dangereux, mais nous nous sentons plus qu'utiles : indispensables, admirés, investis d'une mission patriotique, sacrée, presque divine ! Difficile, presque douloureux de s'en éloigner. « Dehors », une fois passée la joie de retrouver les siens, la vie ordinaire semble fade, mièvre, médiocre, sans importance. « Ils ne savent pas, ne peuvent pas comprendre. Il faut avoir vu. »

À peine arrivé à Kahnawake, sans passer voir celle qui est encore ma femme, j'ai hâte de reprendre la route, de redescendre à New York, de retourner à la pointe blessée de l'île, de retrouver mes frères d'armes, de reprendre le combat, le chalumeau. Quand Louise comprendra que je suis reparti sans la contacter, elle saura, comme je le sais aujourd'hui, que je signerai le prochain formulaire de demande de divorce qu'elle enverra.

Tami et sa grand-mère font de grands signes sur la pelouse devant la maison et disparaissent dans le rétroviseur. Nous roulons en silence, radio éteinte, sièges arrière rabattus pour caser les cartons de matériel. Nous en avons laissé deux fois plus, le syndicat va affréter un camion.

Le nuage qui monte de Manhattan est visible à des kilomètres, il s'élève comme un signal de mort, une blessure dans le ciel, visible depuis les forêts de la vallée de l'Hudson. Après le pont George Washington, à l'entrée dans Harlem, le barrage de police provoque un bouchon de plusieurs kilomètres. La carte d'accès à Ground Zero sert de coupe-file, notre cargaison est inspectée jusqu'à la dernière paire de chaussettes.

Jeudi matin, 20 septembre. Nous sortons du métro à la station City Hall avant sept heures. Premiers barrages de police, que tentent vainement de franchir des journalistes et des équipes de télévision.

Aux portes du chantier, un attroupement d'une centaine d'hommes en tenue de travail. Personne ne passe. Qu'est-ce encore ? De nouveaux badges ? Risques d'effondrement ? Flics et vigiles disent avoir reçu des consignes, il faut faire patienter les relèves du matin, les équipes de nuit peuvent sortir. Quelqu'un va venir nous parler. Regards, haussements d'épaules. La file d'attente s'allonge devant les deux *delis*.

Un contremaître de chez Bovis et un ingénieur de la mairie arrivent. L'ingénieur porte à sa bouche un porte-voix :

« Bon, les gars. Écoutez-moi. Il y a un problème. On ne va pas pouvoir reprendre tout de suite ce matin. Comme vous le savez, le Trade Center a été construit sur la berge de l'Hudson, sur d'anciens remblais, des terres gagnées sur le fleuve. Donc, avant de pouvoir creuser sur six niveaux, pour les fondations et les sous-sols, ils ont construit un mur de soutènement étanche, pour isoler le chantier, empêcher les infiltrations d'eau. On appelait ça la baignoire. Ça a été un énorme boulot. À l'époque, personne ne savait faire un truc pareil aux États-Unis ; c'est une boîte italienne qui a envoyé ses ingénieurs. » Murmures de désapprobation dans l'assistance.

« Alors, bien sûr, depuis le premier jour la question se pose : dans quel état est la paroi de la baignoire ? Le mur a-t-il résisté à la pression lors de l'effondrement des tours ? Des morceaux de métal n'ont-ils pas créé des brèches ? Va-t-il tenir ? Parce que, vous comprenez bien que, si ce mur ou seulement une partie cède, les eaux de l'Hudson engloutiront tout et ce sera une catastrophe dans la catastrophe. »

Il passe le porte-voix au cadre de chez Bovis, qui révèle que, depuis le 12 septembre, une équipe d'experts, ingénieurs et spécialistes descend tous les matins dans les bas-fonds, en partant des tunnels de travail dans les voies du Path Train, pour inspecter la paroi de la baignoire là où ils le peuvent. Ils prennent des risques dingues. C'est par endroit de la spéléologie ; ils sont en danger de mort à chaque minute. Pour l'instant, la paroi a résisté au choc, aux millions de tonnes de pression. Par endroits, c'est la masse formidable des gravats qui la maintient en place. Mais, depuis deux jours, les signaux d'alerte se multiplient.

« Il y a des fuites, des fissures, dit-il. Jusqu'ici, rien de grave, des pompes récupèrent l'eau et la rejettent dans l'Hudson. Mais les marqueurs posés il y a deux jours sur certaines fentes ont explosé. Elles s'écartent de quelques millimètres par jour, le mur étanche bouge. Vous imaginez la pression exercée de l'autre côté par les eaux du fleuve ? Si un pan de la baignoire cède, Ground Zero sera transformé en piscine géante. Pas besoin d'un dessin… Il faudrait alors compter le travail en années. Et, via les tunnels du métro, une bonne partie du sud de Manhattan pourrait être inondée. Inhabitable pendant des mois, peut-être davantage. Ça pourrait atteindre le New Jersey par les voies du Path Train. Il n'y a pas de mots pour un cataclysme pareil. »

Nous avions entendu évoquer cette baignoire, des pompiers en parlaient, des techniciens semblaient soucieux, le ronronnement des pompes sur camions était incessant par endroits, mais personne n'avait compris le danger. Donc en plus de l'asphyxie, de l'écrasement, de la chute, des brûlures, de la contamination par toute une liste de produits chimiques et de gaz, nous risquons aussi la noyade… Dans la rumeur qui monte du groupe rassemblé devant le portail on entend des « Putain, c'est tout ce qui nous manquait ! », des « Si c'est comme ça, moi j'arrête ! », ou des « Si ma femme apprend ça, c'est mon dernier jour ici ! »

L'ingénieur reprend le mégaphone pour annoncer que les recherches ont été suspendues dans la nuit, après la détection d'une fuite plus grosse que les autres qui a submergé les pompes. Pour l'instant, ils reportent la reprise par les équipes de jour, le temps d'augmenter le débit de pompage, de vérifier la situation et de s'assurer que le site ne va pas être englouti.

« Nous avons fait venir des spécialistes, ils sont à l'œuvre. C'est inquiétant, mais il faut rester optimiste. La plupart des ingénieurs descendus là-dessous pensent que le mur va tenir. Nous commençons demain l'installation de renforts aux points critiques. Merci à tous, rendez-vous ici dans trois heures. Et, s'il vous plaît, c'est important, pas un mot à quiconque à l'extérieur. Pas même à vos familles, ça les inquiéterait encore davantage. La dernière chose dont nous ayons besoin est un article à la une du *New York Post* du genre "Ground Zero menacé d'engloutissement." »

« Je m'en doutais depuis le premier jour, marmonne Andy comme nous rebroussons chemin en direction d'un café. Je me souviens des récits des anciens, qui avaient travaillé au-dessous du niveau du sol, à poser les structures des parkings souterrains. Ils disaient que ce mur étanche qui les séparait des eaux de l'Hudson était une merveille comme ils n'en avaient jamais vu. Je n'avais pas pigé son importance, maintenant si. »

Je lui pose la main sur l'épaule : « Si ça se trouve, la situation est moins dangereuse maintenant que plus tard. Tu as compris ce qu'il a dit : pour l'instant les décombres maintiennent le tout en place. Plus on va déblayer, plus la paroi de la baignoire risque d'être fragilisée. Espérons qu'ils vont trouver une solution d'ici là.

– On a les meilleurs ingénieurs du pays, je suis sûr… Peut-être du monde… T'en fais pas trop. On va boire un café, lire les pages sport du *Daily News*, on revient dans deux heures. »

Après une tasse au Mermaid Café – que la caissière refuse de nous faire payer « pour vous remercier de ce que vous faites… J'ai vu un reportage hier soir sur

CBS sur les *ironworkers* à Ground Zero, vous êtes des héros» –, Andy décide de pousser jusqu'à J and R, le magasin d'électronique qui vient de rouvrir sur la place de la mairie, pour acheter un lecteur MP3 à Karen, sa copine de Bay Ridge.

Je lui donne rendez-vous devant l'entrée principale et je repars vers Ground Zero. Je fais le tour des grilles, vers le World Financial Center et les tentes de la Croix-Rouge. Il est encore tôt, mais Mary Sullivan sera peut-être arrivée. Depuis notre dernière rencontre, son visage, ses boucles rousses, son sourire et son regard vert doré m'apparaissent quand je ferme les yeux. Je pensais à elle hier soir dans la voiture en redescendant vers New York. Je revois la façon dont elle a accepté de me donner son numéro, m'a tendu le carton sur lequel elle l'avait noté, m'a regardé tandis que je m'éloignais.

Une fille de l'Upper West Side, en temps ordinaire, ne serait pas du genre à s'intéresser à un monteur d'acier autrement que depuis un trottoir, la tête en l'air pendant quelques minutes. Mais nous ne vivons pas des temps ordinaires, et la volontaire de la Croix-Rouge semble apprécier ma compagnie…

«Mary ? Non, pas encore mais elle ne devrait pas tarder», sourit une grosse trentenaire blonde en pantalon de jogging blanc immaculé, chaussures de course, tee-shirt American Red Cross. «Elle devrait être là vers huit heures. C'est urgent ? Vous pouvez l'attendre, si vous voulez. Je m'appelle Judith. Vous avez besoin de quelque chose ?

– Non merci Judith, je suis un ami de Mary. Je vais l'attendre, si vous le voulez bien. Mon nom est John.»

Je m'installe sur un pliant près de l'entrée de la grande salle où cartons et caisses de matériel s'entassent jusqu'au plafond. Je vois du coin de l'œil Judith fouiller dans son sac à main, en sortir un téléphone, passer un appel. Quinze minutes plus tard, après avoir assuré une dizaine de fois à des volontaires en blanc et rouge que, « non, merci, je n'ai besoin de rien, j'attends simplement quelqu'un », j'aperçois Mary qui approche à grandes enjambées entre les engins de chantier. Son pantalon est plus court et plus moulant que la dernière fois. Au lieu d'un tee-shirt elle porte un chemiser blanc échancré, frappé du discret logo rouge. Je me lève. Elle me voit, enlève d'un geste la casquette qui serrait ses cheveux, passe sa main dedans. Elle a mis un rouge à lèvres éclatant, assorti à son vernis à ongles. Son sourire en dit plus long que n'importe quelle phrase. Je lui souris à mon tour, le plus gentiment possible. Je dois avoir l'air idiot. Je sens mes joues s'empourprer, comme quand j'étais adolescent et que je m'adressais aux Canadiennes françaises de Chateaugay qui, la plupart du temps, ne me répondaient pas.

« Bonjour, John. On m'a prévenue que vous étiez là ; j'étais en chemin de toute façon. Je ne vous ai pas vu depuis deux jours, je me demandais si tout allait bien…

– Hello Mary. Oui, oui, aucun problème. J'étais simplement monté dans la réserve, près de Montréal, voir ma fille pour la première fois depuis le 11. Elle a douze ans et s'inquiétait pour son papa en regardant la télé… »

Son sourire s'efface. « Ah, votre fille… Et sa maman ?

– Sa mère ? Je ne sais pas, je ne l'ai pas vue depuis des mois. Je ne t'ai pas dit que nous avions engagé une procédure de divorce ? Elle sait que je suis vivant, je pense que ça lui suffit. Au fait, on peut se tutoyer, non ? J'ai un peu de mal avec le vouvoiement…

– Bien entendu… Tu veux une tasse de café ?

– Avec plaisir… Je pensais que nous pourrions aller dans un Starbucks ou chez Mermaid, si tu peux. Ce n'est pas que je n'aime pas le café de la Croix-Rouge, mais quand même… J'ai un peu de temps, ce matin, il y a un souci sur le chantier, il est fermé, nous ne commençons que vers dix heures.

– Bien sûr… Attends-moi deux secondes, je préviens mon responsable. Il fallait que j'aille chercher des papiers à la mairie. Quel genre de souci ?

– Un truc d'étanchéité. Ils doivent consolider des murs dans un coin et ne veulent pas nous avoir dans les pattes. »

Je laisse casque et ceinture à outils sur une étagère, rajuste mon tee-shirt neuf qui porte encore les plis de l'emballage. Elle revient en trottant sur la pointe des pieds, légère et gracieuse comme une danseuse. Je regarde la ligne de ses cuisses, les muscles de ses mollets. « Allons-y… »

Nous marchons côte à côte sur les trottoirs vides à l'intérieur du périmètre interdit. Le nettoyage est presque terminé, il reste des traces de ce mélange de poussière, de béton et de cendres en hauteur, sur les boîtes aux lettres et dans les embrasures de fenêtres des immeubles évacués, ainsi que sur les fils électriques. Des employés municipaux passent les recoins au Karcher, brossent les trottoirs à grande eau, rincent voitures et mobilier urbain.

Une fois passée Canal Street et ses postes de contrôle, nous croisons des curieux, nez en l'air en direction du sud, et des employés de bureaux. Je ne sais à quelle distance d'elle me tenir : trop près, je la frôle et m'écarte comme si j'avais reçu une décharge électrique. Trop loin, nous avons l'air de deux inconnus cheminant dans la même direction. Pour meubler le silence je parle trop et trop vite, raconte Kahnawake, les rapides, la rive du Saint-Laurent à Montréal, la réunion d'avant-hier dans la longue maison, la chute de mon père, la tradition des *ironworkers* mohawks ; mais oui, nous avons le vertige…

Plus sûre d'elle, elle me regarde en coin, souriant comme si elle connaissait la suite de l'histoire, descend du trottoir pour laisser passer une poussette, rejette la tête en arrière, pose de brèves questions.

À cette heure, la file d'attente commence à l'extérieur du Starbucks de Park Row. Nous nous attablons au premier étage, entourés de touristes parlant des langues inconnues. J'ai pris un café noir, trop clair, trop chaud dans une tasse en carton. Elle une boisson étrange au nom italien, dans un récipient pouvant contenir un demi-litre. Remontant le temps, je ne sais comment nous en sommes venus à parler de Patricia.

« J'avais seize ans, comme elle. Je l'avais rencontrée dans le bus pour le centre de Montréal. Je m'étais assis plusieurs fois à côté d'elle, elle descendait à la première station après Kahnawake. Son père était italien, sa mère canadienne française. Elle m'a répondu en anglais, j'étais étonné qu'une French – comme on les appelait à notre âge – accepte de dire plus de trois mots à un Mohawk. Je sais, je n'ai pas vraiment le type indien, mais aucun Blanc ne descend à l'arrêt de Kahnawake. Ceux qui achètent des cigarettes détaxées viennent en voiture. »

Je lui raconte ma première romance, un an d'amour comme on aime à seize ans, les rendez-vous dans les cafés de Montréal, sur les berges du fleuve, en omettant les scènes trop intimes. « Quand une amie de ma mère nous a vus nous embrasser dans le bus, les choses se sont gâtées. Les couples mixtes sont mal vus chez les Mohawks. Il y a une loi, dans la réserve : on ne peut y rester si l'on épouse un étranger ou une étrangère à la tribu. Il faut partir.

Elle me regarde, étonnée. « Tu es sérieux ? À notre époque ? Ce sont des lois canadiennes ?

– Non, des pratiques assez récentes, en fait, internes aux Six Nations iroquoises, mais en vigueur, je crois, dans d'autres premières nations en Amérique du Nord. Elles peuvent varier d'une réserve à l'autre. Ce n'est pas une question de race : le métissage ne nous a jamais posé problème, il y a longtemps que nous sommes tous des sangs mêlés. Mais, depuis quelques années, les avantages fiscaux accordés aux Indiens attirent de plus en plus de monde. Si tu épouses une Mohawk et que tu viennes vivre dans la réserve, tu paies des impôts ou pas ? Cela fait-il de toi un Mohawk ? Et tes enfants, quel est leur statut ? Si tu crées une entreprise ? Et je ne te parle pas des réserves dans lesquelles il y a un casino. Ce n'est pas le cas chez nous, mais ailleurs, au Canada et aux États-Unis, certaines tribus sont assises sur des tas d'or. Tout le monde veut sa part du gâteau. Alors qui est indien ? Comment le prouver ? Un quart de sang ? Un huitième ? Moins encore ? Certains sont allés en justice, les procédures ont duré des années, ruiné des familles. Alors, à Kahnawake, le conseil a décidé qu'une commission statuerait sur qui a le droit de vivre dans la réserve.

– Et c'est ça qui t'a fait peur ? Qui t'a éloigné de cette Patricia ? Une commission ?

– Non, bien sûr, à seize ans on ne pense pas à ça. Mais ma mère est devenue folle d'inquiétude quand elle a appris que je sortais avec une francophone. Une de ses sœurs a épousé un Blanc de Trois-Rivières, ils voulaient s'installer à Kahnawake mais ils en ont été empêchés après des mois de procédure. Elle est allée vivre à Toronto ; nous ne la voyons plus. À partir de ce moment, ma mère ne m'a plus lâché. Elle exigeait que je rompe avec Patricia. Ça n'avait aucune influence sur moi, tu t'en doutes. À cet âge, plus on t'interdit quelque chose… Mais à la fin de l'année scolaire, je suis parti pour l'Illinois où j'ai commencé le programme d'apprentissage pour devenir monteur d'acier. Elle est allée à la fac à Québec : littérature, je crois. Nous nous sommes vus de moins en moins souvent, un week-end sur deux, puis sur trois et, un jour, j'ai reçu une lettre de rupture.

Mary me regarde avec tendresse, avance sa main comme si elle allait prendre la mienne, hésite, la pose tout près sur la table.

– Louise, ma future ex-femme, est la fille de voisins, une famille d'*ironworkers* de la réserve. Le mariage a été arrangé par nos mères quand nous étions enfants. J'en riais quand j'avais douze ans, je n'en avais pas vingt quand il a été célébré. Je sais aujourd'hui qu'il y avait autre chose, une très vieille histoire, une espèce de faute, comme une tache sur notre famille remontant au siècle dernier, que ma mère a peut-être tenté de laver par cette union… Un accident, un pont qui s'est effondré. Une triste affaire ; je te la raconterai peut-être un jour, si tu veux… Excuse-moi, je ne parle que de moi, ce n'est pas dans mes habitudes. Et toi, tu es ou tu as été mariée ?

– Été. Il était pilote d'hélicoptère dans l'armée ; il a été abattu au premier jour de la guerre du Golfe. Son corps a brûlé, je n'ai enterré que des cendres et des os. C'est le seul membre de l'Air Force à avoir péri pendant cette guerre stupide. Des centaines de morts chez nous. Chez les Irakiens, on n'a même pas compté. Et pourquoi ?

– J'ai passé deux ans dans l'armée. Scout chez les Rangers, une tradition dans certaines familles mohawks. Mais je ne suis jamais allé à la guerre. Vous avez eu des enfants ?

– Non, pas eu le temps. Nous voulions avoir un bébé quand il est parti pour Koweit City. J'ai attendu deux semaines la confirmation de sa mort. Son copilote a survécu mais a perdu l'usage de ses jambes. »

Elle s'interrompt, regarde par la fenêtre les voitures sur la rampe d'accès au pont de Brooklyn.

« Ensuite, j'ai eu quelques histoires, vécu pendant deux ans dans le Massachusetts avec un agent d'assurances… Mais ça n'a pas marché. Je suis revenue à New York, je partage mon appartement avec une collègue de la maison d'édition. Elle voyage beaucoup, je suis la plupart du temps seule dans un trois-pièces que je ne pourrais pas m'offrir. »

L'idée de postuler à la Croix-Rouge ?

« Tout simplement, après un reportage sur ABC. »

Les soirées et les nuits en maraude dans le Bronx ou le New Jersey pour porter assistance aux sans-abris, les dimanches à remplir des cartons pour le Pérou, des missions de deux semaines, au Guatemala et à Porto Rico, dans des centres de distribution.

« Le 11 septembre, ils nous ont appelés en début de soirée. J'étais rentrée chez moi plus tôt, scotchée comme tout le monde à ma télé. Je savais qu'ils allaient faire appel à nous, ma tenue était prête sur mon lit, le sac dans l'entrée. C'est ce que j'apprécie dans ce volontariat : face aux drames, tu fais quelque chose, même si ce n'est que distribuer du café et des couvertures. Tu ne restes pas assis sur ton canapé à pleurer sur la folie des hommes, la cruauté de la nature ou l'injustice du destin. Au final, on ne comprend jamais rien… »

Je lui raconte l'après-midi du 11. Elle a compris dès le lendemain le rôle des découpeurs d'acier à Ground Zero. Ce besoin de faire quelque chose en prise avec cet événement qui a bouleversé le monde et déconcerté le pays, nous sommes des milliers à le satisfaire à la pointe sud de Manhattan. C'est ce que disent encore, neuf jours après, les volontaires qui persistent à faire la queue devant les points de recrutement où on leur explique que, non, merci, on n'a plus besoin de volontaires. Certaines personnes, elles sont nombreuses en Amérique, ne se supportent pas spectatrices. En agissant, ça va mieux, en tout cas moins mal.

Mary a encore trois jours de disponibilité, offerts par son employeur en solidarité avec la ville et les victimes ; ensuite, elle devra reprendre son travail au service « Vérification des données scolaires » de sa maison d'édition.

« Je reviendrai les week-ends, dit-elle. Tu penses être mobilisé au Trade Center pendant combien de temps ?

– Aussi longtemps qu'il le faudra. C'est mon nouveau job, désormais. Je suis aussi bien payé qu'ailleurs. Et je n'ai pas envie d'être ailleurs. Je resterais même gratuitement s'il le fallait. Personne ne sait combien de temps il va falloir pour fouiller et déblayer tout ça. Certains disent des mois, d'autres des années. On en saura plus dans quelques semaines. »

Je m'interromps au moment de lui parler de la clef à mâchoire de mon père. Plus tard, peut-être.

« Bon, dit-elle en regardant sa montre, il faut que j'aille dans un service de la mairie faire tamponner des documents… Tu m'accompagnes jusqu'à l'entrée ? »

En quelques pas, nous sommes dans le petit parc triangulaire qui mène à l'escalier monumental du bâtiment administratif de la ville de New York. Nous marchons côte à côte quand je sens sa main frôler puis se glisser dans la mienne. Je m'arrête, me tourne vers elle. Elle a penché la tête, me regarde en souriant. Comme j'hésite encore, elle plaque une main sur mon épaule, m'attire contre elle et m'embrasse. Elle se serre contre moi, mordille mes lèvres.

« J'ai compris que, si je ne faisais pas le premier pas, tu allais encore me parler de tes ex, de chalumeaux et de métal tordu pendant des heures », dit-elle en riant et en reprenant son souffle. Ses yeux brillent d'un éclat de joie et de triomphe. Je la saisis par la taille, la soulève, pose ma bouche sur la sienne. Elle passe ses mains derrière mon cou, me caresse la nuque.

« Il faut que je file. Je serai au poste de secours du Financial Center toute la journée… Tu passes tout à l'heure ? Sois prudent, là-dessous, et n'enlève jamais ton masque. Promis ? Ciao ! »

Sur la pointe des orteils, elle monte deux par deux les marches de la mairie, s'arrête sur le seuil de marbre, se retourne et me lance un baiser de la main avant de disparaître.

Je reste quelques secondes immobile, puis me dirige à pas lents vers le Sud et ses fumées. Mon sourire niais intrigue les passants. Certains me le rendent, d'autres s'arrêtent presque, se demandant où un travailleur du bâtiment en route vers l'horreur de Ground Zero peut-il trouver matière à se réjouir.

Je repasse à la Croix-Rouge récupérer mes affaires. Occupée à bander la main d'un policier, Judith me fait un signe de la main et m'adresse un sourire entendu. Je retrouve Andy devant le portail principal, toujours fermé. Je lui parlerai de Mary plus tard, ce soir ou demain.

« C'est dingue ! Chez J and R ils ont dû jeter tout ce qui était en vitrine, tu te rends compte ? La poussière est entrée dans le magasin qui est pourtant bien loin du Trade Center. Elle a tout bousillé. Ils ont tenté de nettoyer les appareils, rien à faire. Un vendeur m'a dit qu'il n'avait jamais vu une mixture pareille. Un talc toxique qui a pénétré partout. Tu as raison, Cat, il faut que je m'habitue à ce putain de masque. Tu as fait comment, au juste, pour passer le micro du talkie dedans ? »

Une rumeur parcourt la centaine d'hommes massés devant la porte principale. Les vigiles vont arriver, ça va bouger. Puis plus rien. Enfin, deux costauds vêtus de noir, en casquettes et rangers, approchent de la grille, ouvrent les battants. « Bon, les gars, rendez-vous sur l'esplanade, côté est. Le boulot va reprendre, il y a de nouvelles consignes. »

L'ingénieur du matin nous apprend que les experts sont remontés avec des informations rassurantes sur le mur de la baignoire. La taille des fissures n'augmente plus, des pompes supplémentaires ont été installées qui permettent d'évacuer l'eau plus vite qu'elle ne pénètre dans les sous-sols. Les contrats ont été passés avec une entreprise spécialisée qui commencera bientôt la mise en place de renforts aux points névralgiques. Ils vont forer en diagonale jusqu'à atteindre la roche primaire, glisser à l'intérieur des trous des câbles d'acier fixés au fond par du béton puis tirer sur ces câbles, qu'ils appellent *tie-backs*, qui vont comme épingler sur le sol la paroi de la baignoire.

« Le travail peut reprendre, dit-il. Les équipes constituées hier poursuivent aux mêmes emplacements. Le signal d'alerte habituel retentira en cas de problème. Qu'il s'agisse de risques d'effondrement ou d'inondation, la consigne est bien sûr de quitter les lieux le plus vite possible. Vous lâchez les outils, sortez des cabines des engins et courez vers les points de dégagement. Bon courage à tous, pensez à changer les cartouches de vos masques, portez-les en permanence. »

11
Québec

avril 1907

Ce matin de fin avril à Kahnawake, Manish Rochelle et Robert LaLiberté bouclent leurs sacs. Pantalons de grosse toile, brodequins, chemises de laine, un pull-over, deux casquettes. Dans leurs sacoches à outils encore neuves – achetées chez Marquette, à Montréal –, de grosses clefs en alliage noir, un marteau de cinq livres, trois paires de gants épais montant jusqu'à mi-coude. Dans un étui de cuir, quatre raquettes de lacrosse, une dizaine de balles. Les deux cousins vont partir dans une heure, avec une trentaine d'autres, pour Québec. Ils retournent, en aval de l'autre grande ville de la province, sur le chantier du nouveau pont sur le Saint-Laurent. Ils ont été engagés au printemps 1905 sur le projet le plus grandiose et le plus prestigieux d'Amérique du Nord : un ouvrage géant, avec une portée libre en son milieu pour laisser passer les paquebots qui remontent ce que l'explorateur français Jacques Cartier a baptisé « la rivière du Canada ». Montréal a désormais deux ponts sur le fleuve. Québec rêvait depuis vingt ans de s'affranchir de cet obstacle et de relier par voie ferrée l'intérieur des terres aux grands ports libres de glaces en hiver. L'emplacement, entre deux falaises, était évident : en algonquin, *Kebec* signifie « là où le fleuve se rétrécit ». Lors d'un voyage à Paris, en 1891, le Premier ministre de la province, Honoré Mercier, les plans de la ville en main, a rencontré le célèbre ingénieur Gustave Eiffel, dont le cabinet a préconisé l'édification d'un pont en cantilever, sans aucune pile dans le lit du fleuve, à la fois parce qu'il est à cet endroit trop profond, et qu'il est impossible d'y restreindre la circulation maritime. Sur ces conseils, l'appel d'offres a été lancé, remporté par la Phoenix Bridge Company de Phoenix-ville, en Pennsylvanie. Il est prévu que l'ouvrage soit assez large pour permettre le passage de deux voies ferrées, deux voies de tramway et deux routes, en plus d'une passerelle pour piétons.

Sur les soixante-dix monteurs d'acier que compte la réserve à l'orée du XXe siècle, la moitié ont été embauchés sur ce chantier hors normes. Avant même l'achèvement, en 1886, du pont de la Canadian Pacific à Kahnawake, l'habileté, le courage et la force de travail des Mohawks étaient reconnus par tous.

« Je le savais, je l'avais deviné, je l'avais dit, se félicitait le contremaître Charles Dubois, premier à avoir autorisé Manish Rochelle, Robert LaLiberté puis les autres à monter sur l'ouvrage pour y travailler. Leur mettre des outils de riveteurs dans les mains, c'était comme réunir les œufs et le bacon. Ils étaient faits pour ça. Peut-être parce qu'ils sont indiens, on dirait qu'ils ne connaissent pas le vertige. Je ne sais pas d'où cela leur vient, mais ils étaient en quelques semaines aussi à l'aise sur le pont que les plus chevronnés de mes gars… Et bien moins exigeants. »

« C'est quand même marrant, ce truc de vertige, dit Manish à son ami quand ils se retrouvent dans la grande rue de Kahnawake, en route pour la gare où ils vont retrouver les autres. J'y repense mais, tu te souviens, l'an dernier, plusieurs gars, sur le pont, à Québec, nous ont fait la réflexion en nous voyant marcher au-dessus du fleuve. Ah ! oui, vous les Indiens… Ce n'est pas plus mal, au fond. Laissons les Blancs croire que les

Mohawks ont ce don pour le travail en hauteur et un courage hors du commun. Ça les impressionne et ça aidera à en faire embaucher d'autres.

– Et, à ce tarif, les volontaires ne manquent pas, poursuit Robert. Un neveu de quatorze ans me tanne pour que je l'emmène avec nous. Je lui ai dit que l'été prochain, peut-être… »

En 1886, à Kahnawake, les deux adolescents, suivis d'une quinzaine d'autres, ont si vite appris le métier de monteur d'acier et de riveteur qu'ils ont été engagés par la Dominion Bridge Company sur le chantier suivant, un ouvrage ferroviaire entre les villes jumelles de Sault-Sainte-Marie, dans l'Ontario canadien, et Sault-Sainte-Marie, dans le Michigan américain. Il a été baptisé le « pont Soo » et, avec l'aval de Dubois et de quelques autres, les premiers Mohawks formés à ce nouveau métier ont fait venir frères, cousins, amis et camarades et se sont chargés de leur apprentissage. En quelques mois, des dizaines d'Indiens, venus de Kahnawake puis d'autres réserves mohawks au Canada et dans le nord de l'État de New York, où le mot était passé, pointaient à la caisse du chantier. Une fois formés, ils partaient pour d'autres projets, par équipes de quatre, deux ouvriers et deux apprentis. Avec le boum de la construction, la réputation des charpentiers de l'acier indiens s'est répandue sur les chantiers de l'Est américain.

« Tu te souviens, sourit Manish, il ne fallait pas longtemps pour savoir qui pourrait faire le job, et qui ne serait pas capable de marcher sur les poutres avec tout l'équipement. L'oncle de ma mère, tu vois lequel, n'a pas fait trois pas au-dessus du vide qu'il faisait demi-tour en jurant ; on ne l'a jamais revu.

– Et le petit jeune qui avait menti sur son âge, le fils du ferronnier… Il vient avec nous à Québec ? Un vrai chat, il courait sur les poutres, j'avais peur rien qu'à le regarder. Il va falloir qu'il se calme, celui-là, s'il veut rester en vie. »

C'est sur le pont de Soo qu'est mort le premier monteur de fer indien. Un matin, Joe Diabo, membre de ce qui allait devenir une des plus fameuses familles de la réserve, a glissé sur l'arête d'une poutre, tenté en vain de se retenir à un câble. Son corps a été retrouvé peu après, flottant dans la Sainte-Marie.

Sur un continent en pleine expansion, où tout est à construire, où des milliers de kilomètres de routes et de chemins de fer doivent franchir des centaines de fleuves et de vallées, les ouvriers formés aux techniques modernes ne sont jamais assez nombreux. Dans le Centre et l'Ouest du Canada et des États-Unis, des projets de ponts et de viaducs sont mis en attente, au grand dam des officiels et des milieux d'affaires locaux, faute de main-d'œuvre. Les constructeurs de ponts et d'ouvrages d'art envoient en Europe des recruteurs, chargés, primes d'installation à l'appui, de convaincre de jeunes ingénieurs ou des contremaîtres aguerris de tenter l'aventure du Nouveau Monde. Alors, quand une communauté comme celle des Mohawks de Kahnawake s'organise, se spécialise dans l'assemblage des poutres d'acier et prend en charge, pratiquement seule, la formation des débutants, les contrats affluent.

« À Soo, comme à Québec l'an dernier, je ne me souviens pas d'avoir entendu une seule remarque raciste, dit Robert. Genre sales Peaux Rouges ou fainéants d'Indiens, qu'on nous lançait parfois quand on était gamins. Pour la première fois, j'ai l'impression d'être jugé sur mon travail et sur rien d'autre. »

À près de quarante ans, stature d'athlète et regard clair, Bruce Mondor est un des plus âgés du groupe qui se forme aux abords de la gare. Il a commencé sur le pont de Kahnawake, quelques jours après Manish et Robert, et il est rapidement devenu un des principaux interlocuteurs de la Dominion grâce à son calme, à sa maîtrise du français et des outils, et à son ascendant sur les hommes.

Il a entendu la remarque de Robert. « Ne te fais pas trop d'illusions, fils. C'est un boulot dur, effrayant, dangereux et, avec tout ce qui se construit, il manque de monde. Ceux qui y parviennent sont peu nombreux, et ceux qui le font bien moins nombreux encore. C'est pour ça qu'ils font de la place aux Indiens. Dans ce pays, quand tu sais faire quelque chose dont ils ont besoin et que rares sont ceux qui peuvent te faire concurrence, la couleur de la peau n'a plus d'importance. Ce serait la même chose si nous étions nègres, tu verras qu'un jour il y en aura avec nous sur les ponts. Ne crois pas qu'ils t'apprécient parce que tu es mohawk. Ils apprécient que tu bosses vite et bien, sans causer de problèmes et sans te mettre en grève pour une augmentation. Après, que tu portes une plume ou un chapeau melon, ils s'en foutent. C'est à nous de gagner notre place. Et ce pont, à Québec, c'est une chance unique. Après celui-là, nous irons dans tout le pays, et dans toute l'Amérique. Aucun autre boulot auquel nous pourrions prétendre ne paie mieux que celui-ci. Et l'on est dehors, dans le ciel, comme des oiseaux, pas enfermés dans une usine… »

La petite troupe, saluée à son départ par les familles et les amis, se penche aux fenêtres du train à vapeur qui, par le pont que la plupart d'entre eux ont construit, va les conduire à la gare de Montréal. Pendant que les wagons franchissent le fleuve, ils ont ce regard qui court le long des structures et des poutres d'acier, et ce sourire qu'aura, pour les décennies et les générations à venir, l'*ironworker* retournant sur un ouvrage ou un immeuble qu'il a bâti.

Certains ont prévu de revenir une fois ou deux à Kahnawake avant la fin de la saison des travaux, vers la mi-novembre, quand le fleuve s'habille de glace.

D'autres ont envie de faire venir leurs familles de temps en temps. D'autres encore, comme Robert et Manish, toujours célibataires, repartent pour l'aventure, ravis à l'idée d'agrandir leur horizon, de retrouver Québec et son animation, de revoir les serveuses blondes de l'auberge où ils résident, payant à la semaine leurs chambres en demi-pension dans le village de Saint-Romuald.

« Tu te souviens de la plus grande, Martine ? demande Manish à son ami. Je lui ai écrit deux fois, cet hiver, et elle m'a envoyé une carte, une vue des fortifications de Québec. Elle avait seize ans, dix-sept aujourd'hui… »

Après six heures de voyage le long des berges du Saint-Laurent, par endroits encore pris par les glaces, ils atteignent Québec. Certains y passent la nuit, dans les tavernes et auberges de la vieille ville, d'autres partent, louant des chars à bancs, pour Saint-Romuald. De nouvelles maisons d'hôtes y ont été construites pour loger les dizaines de travailleurs venus de toute la côte Est. À l'emplacement du pont devenu une attraction touristique, les treillis de poutres métalliques, dont les plus grosses pèsent près de cent tonnes, avancent l'un vers l'autre de plusieurs dizaines de mètres depuis chaque berge. Ils reposent sur de monumentales bases de pierres taillées. La jonction est prévue, si tout va bien, à l'été prochain. Les éléments, coulés dans les aciéries Phoenix, en Pennsylvanie, arrivent au fur et à mesure par le rail.

« Il paraît que cette saison nous serons une centaine à bosser chaque jour sur le pont, annonce Bruce Mondor comme ils s'installent à la grande table de bois brut de l'une des auberges. Une centaine, dont trente-cinq Mohawks ; nous sommes les plus nombreux sur ce chantier, plus nombreux que les Américains, je crois bien que c'est la première fois. Ce pont sera aussi indien que celui de Kahnawake. »

Dans le fond de la salle décorée de vues de Londres, Rome et Paris, Manish, qui s'est attablé seul, tente, en multipliant commandes et requêtes, d'attirer l'attention de Martine Doucette, la fille de l'aubergiste. Tout sourire, la jeune fille aux longues tresses entourant un visage de Madone est venue le saluer à son arrivée. « Bien sûr, je t'ai reconnu. Tu es Mike, enfin Manish, l'Indien de Montréal. Merci pour tes lettres, elles m'ont fait plaisir, et amusée aussi. Une bière blonde de Québec, comme l'an dernier ?

– Oui, merci. Tu as bien changé, cet hiver. Tu es plus belle encore. Tu as eu dix-sept ans ? »

Avant qu'elle puisse répondre, sa mère qui ne les quittait pas des yeux fonce sur eux depuis le comptoir, passe devant Martine, lui retire des mains le plateau de cuivre. « Laisse, je vais m'occuper de monsieur. Ta sœur a besoin d'aide en cuisine. »

Manish pique du nez dans son verre. Robert, qui, à deux tables de là, n'a rien perdu de la scène, éclate de rire.

Ils dînent tôt, soupe de légumes et viande de porc, rangent leurs affaires dans les armoires. Pour faire des économies, les ouvriers logent dans les combles en chambre de quatre, de six parfois. Les contremaîtres et chefs d'équipes ont des chambres individuelles. Pour les ingénieurs et les chefs comptables, Phoenix loue des maisons de bois.

Le lendemain à huit heures, plus de cent cinquante hommes sont assemblés, bottes dans la boue, sur la rive nord. Une trentaine ont passé l'hiver sur place, à s'occuper de la maintenance des outils plus qu'à autre chose : par moins vingt degrés, avec le vent du Pôle qui s'engouffre dans le lit du fleuve, et quelques heures de lumière par jour, il n'y a pas grand-chose à faire d'autre que d'alimenter en charbon les braseros pour se réchauffer. Il faut dégager les aires de stockage pour entreposer les poutres et les éléments massifs qui continuent d'arriver quand l'enneigement des voies le permet.

Les nouveaux arrivants sont venus de toute la région et du Nord-Est des États-Unis, il y a même quelques Bostoniens et New-Yorkais attirés par de bons salaires. Pour des « hommes de ponts » confirmés, de jolies primes ont été versées. Un émissaire s'est assuré en janvier à Kahnawake que les Mohawks, qui avaient fait merveille la saison passée, allaient bien revenir, et si possible plus nombreux. Une dizaine d'Allemands et de Suédois ont débarqué quelques jours plus tôt à Terre-Neuve. Le but est d'achever l'ouvrage à temps pour le tricentenaire, en 1908, de la fondation de Québec. Les mois à venir seront cruciaux. On parle de la venue du prince de Galles pour l'inauguration.

B. A. Yenser, le chef de chantier, et Norman McClure, représentant sur place du fameux ingénieur new-yorkais Theodore Cooper, auteur des plans de l'ouvrage, montent sur une charrette à bras.

« Bienvenue à tous pour cette nouvelle saison de construction du pont de Québec. Je reconnais pas mal de têtes, il y en a de nouvelles. Vous n'avez jamais été aussi nombreux. Comme vous pouvez le voir, nous ne sommes pas restés inactifs cet hiver, malgré le froid. Les deux parties du pont ont avancé l'une vers l'autre. Tout est en place, les matériaux sont là, ou ils vont arriver en temps utile. La course contre l'hiver prochain commence ce matin, alors que le Saint-Laurent charrie encore les glaces du précédent. Si nous voulons terminer ce pont à la date prévue chacun doit en mettre un coup. N'oubliez pas que la prime, si nous y parvenons, réjouira chacun. Bon courage, ne prenez pas de risques inutiles et bonne chance à tous ! »

De nombreux Mohawks ne parlent ni français ni anglais, les équipes indiennes sont homogènes, avec un ou deux responsables chargés de communiquer avec les contremaîtres et de passer les consignes. Parce qu'il a joué ce rôle la saison dernière, sans en avoir ni le titre, ni le salaire, Manish est pour cette nouvelle saison promu chef d'équipe. Quelques dents grincent chez les plus âgés, mais Charles Dubois impose sa décision : « Il va falloir gagner ta place, petit, lui dit-il autour d'un quart de café bouilli, comme les hommes se rassemblent en attendant que chauffent les moteurs des grues. Depuis le début, c'est toi qui te débrouilles le mieux là-haut. Si des anciens te donnent du fil à retordre, viens me voir. Mais, si ce sont des gens de chez toi, il faudra que tu te débrouilles, je ne veux pas m'en mêler. »

Au signal, une cinquantaine d'ouvriers montent à l'assaut des échafaudages de bois. D'autres, partis de la falaise, marchent sur les voies ferrées et gagnent les structures, au-dessus des eaux calmes et profondes. La première chose est de faire avancer, par des jeux de câbles gros comme le bras et de poulies géantes, la grue mobile montée sur rails chargée d'apporter les pièces à assembler. Il faudra la journée pour la mettre en place, graisser et tester ses engrenages, certains endommagés par le gel.

Le lendemain, les premières pièces d'acier sont levées, les braseros allumés, les rivets portés au rouge. Les premiers coups de masse résonnent. Les éléments sont si gros et lourds que des dizaines de bras doivent les saisir pour les mettre en place pendant que sont glissés les boulons provisoires. Deux ou trois gangs de Mohawks se chargent de l'un d'eux, pour éviter les incompréhensions et les malentendus. Sur un chantier où résonnent les ordres en français, en anglais, parfois en allemand ou en suédois, on apprend vite à se comprendre.

« OK, OK, vas-y, c'est bon… Descends doucement… Là, encore vingt centimètres, dix… Stop. Stop maintenant ! » À mi-chemin entre le grutier, au ras du sol, et son équipe de Mohawks qui a saisi une poutrelle latérale, accroché d'une main à un câble, en équilibre sur un pied, le reste du corps dans le vide, Manish Rochelle donne ses instructions. Après qu'il l'a réclamé pendant des semaines, l'été dernier, on lui a fourni un porte-voix de toile et de cuir dans lequel il crie alternativement en français ou en anglais.

Une fois en place, c'est aux riveteurs de jouer. Ils mitonnent depuis une heure leurs rivets dans les braseros. Le secret, et le tour de main, c'est de les porter à la bonne température : trop chauds, ils cassent ; pas assez, ils ne se déforment pas suffisamment pour pénétrer dans l'orifice.

« Là, tu vois, fiston, montre un Mohawk en bras de chemise, poignets de lutteur, suant à grosses gouttes sous son tablier, à son apprenti qui actionne un soufflet trop gros pour lui, c'est la couleur qui te donne la bonne température : rouge cerise, cerise bien mûre. Quand le rivet a cette couleur, tu as trente secondes, pas plus, pour l'attraper avec la pince et le passer à l'envoyeur. Ensuite ce n'est plus ton problème, ils se débrouillent avec. Toi tu attaques le suivant, celui que tu avais mis sur le côté, là où le charbon est moins chaud. Tiens, souffle donc un peu par ici… »

Vers dix-huit heures, le sifflet prévient les grutiers de soulever leur dernière pièce de la journée. Les coups de marteaux s'espacent, les moteurs toussent, puis s'arrêtent, les hommes descendent du pont ou des échafaudages. Ils passent pointer à la cabane de l'administration, puis vont déposer les outils dans les ateliers. La première bière de la soirée est souvent prise à quelques mètres de la sortie du chantier : attirés par ces dizaines de travailleurs bien payés, des bistrotiers de la région ont monté des stands. Certains ne sont que planches et tréteaux, barils de bière en perce sur trépieds ; on y boit debout pour étancher la soif de l'après-midi. D'autres sont de vraies tavernes, avec auvent en croûtes de bois, plancher de lames claires, comptoir de métal, miroirs importés d'Europe, piano mécanique, meubles taillés à la hache et serveuses en longues jupes de coton. Au comptoir de l'une d'elles, une dizaine de Mohawks racontent au patron les chasses de l'hiver, en raquettes dans les forêts, le long des lacs et des rivières. Venu de la région de Sept-Îles, l'aubergiste a laissé son frère, sa femme et ses enfants tenir l'auberge familiale et vient retrouver les bâtisseurs pour un nouvel été fructueux.

« Des amateurs pour un petit entraînement de lacrosse ? Le terrain derrière l'église vient d'être taillé, il faudrait s'y remettre, lance Manish en reposant sa deuxième pinte. J'ai des crosses pour ceux qui auraient oublié les leurs…

– Je ne sais pas où vous trouvez le courage de jouer après une journée sur le pont, souffle Bruce Mondor en commandant d'un haussement de sourcils une autre bière rousse. Moi, de reprendre le boulot après cinq mois à la maison, j'ai à peine la force de marcher jusqu'à mon lit. Ne comptez pas sur moi avant dimanche. »

Manish, Robert et trois autres Indiens passent à la pension se changer et, sacs de cuir à la main, à grandes enjambées pour s'échauffer, ils saluent le prêtre qui leur désigne du doigt, depuis les marches de son église, un espace dégagé, encore boueux par endroits. « On l'a préparé pour vous, les gars. Évitez les coins humides pour ne pas faire de trous. Vous devrez le partager avec les joueurs de baseball, OK ? Arrangez-vous entre vous. »

Les cages de bois et de cordages fabriquées au printemps dernier ont mal résisté à l'hiver, il faudra les refaire. En attendant, les cinq jeunes hommes se passent la balle en riant, de plus en plus loin, de plus en plus fort.

Les origines de ce jeu se perdent dans la nuit des temps, il existait sur le continent avant l'arrivée des Blancs. Les Iroquois en revendiquent la paternité, comme les Indiens des Grandes Plaines. La crosse est un long bâton, terminé par un panier ovale équipé d'un filet. Les joueurs s'envoient la balle le plus vite possible en la faisant voler dans les airs sur des dizaines de mètres. Pour marquer, ils doivent l'envoyer dans des cages défendues par un gardien presque aussi caparaçonné, lors des matchs officiels, que ceux du hockey. Les meilleurs joueurs peuvent intercepter en courant la balle au vol et, d'un coup de poignet, la renvoyer à l'autre bout du terrain. Les anciens racontent que, parfois, des parties dégénéraient en bagarres générales, voire en guerres ouvertes entre tribus. Les Blancs, surtout sur la côte Est du Canada et des États-Unis, s'y sont mis depuis quelques décennies, avec l'ardeur et le professionnalisme qui sont les leurs. Une de leurs équipes universitaires a récemment remporté une victoire historique devant seize équipes indiennes.

Le soleil passe derrière les arbres, ils rangent les crosses, cherchent deux balles égarées dans les fourrés, n'en retrouvent qu'une, retournent à la pension. On dîne tôt chez les Doucette : menu unique. Des chasseurs des environs ont un contrat d'approvisionnement en gibier, et des fermes fournissent œufs, volailles, maïs et porcs. Deux bières par personne, pas davantage. L'été dernier, les vapeurs d'alcool avaient provoqué des bagarres que le patron avait interrompues en tirant en l'air avec son fusil à canon scié, endommageant le plafond et risquant de blesser un couche-tôt.

Le matin à huit heures, l'heure du rassemblement au pied du géant d'acier, il fait encore un peu froid mais, au moment où les casse-croûtes sortent des sacoches, peu avant midi, la température est idéale. Une brise presque marine monte du fleuve. Les bateaux de travail, navires de commerce et de voyageurs qui passent sous l'ouvrage saluent les travailleurs de leurs cornes et sirènes. De la berge, les curieux se demandent comment des centaines de tonnes d'acier que rien ne soutient au-delà de la dernière pile en maçonnerie vont pouvoir tenir et continuer d'avancer vers le centre du fleuve avant d'être connectées en leur milieu. Alimenté par les pièces préfabriquées envoyées de Pennsylvanie et de deux autres aciéries américaines, le chantier avance plus vite que prévu. L'usage, chez Phoenix Co., était jusqu'à présent de pré-monter, dans la cour de l'usine principale, toutes les pièces d'un pont ou d'un ouvrage d'art pour en vérifier l'assemblage. Mais la taille du pont de Québec, le plus grand jamais construit par l'entreprise, ne le permet pas. Les éléments sont numérotés et envoyés, dans l'ordre du montage, par wagons spéciaux, dans un entrepôt proche de Saint-Romuald, relié au chantier par une voie ferrée. Un ingénieur est chargé de vérifier, au millimètre près, que poutres, poutrelles et platines de connexion n'ont pas souffert dans le transport.

Le pont de Québec est l'occasion pour les Mohawks de se retrouver nombreux sur un ouvrage plus grand et plus majestueux que ceux sur lesquels ils ont appris leur nouveau métier. Certains week-ends, des familles prennent le train de Montréal pour venir admirer la cathédrale de fer. Il y a dans les bureaux de l'administration une liste d'une dizaine de Mohawks prêts à abandonner leurs chantiers dans la région ou aux États-Unis pour rejoindre Mondor et les autres.

Un dimanche matin de début juin, Manish Rochelle a mis ses meilleurs habits, une casquette neuve, et a ciré ses souliers pour aller attendre, à la sortie de la messe, Martine Doucette, ses deux sœurs et leur mère. La famille a remarqué, depuis la saison dernière, le manège entre l'adolescente et l'Indien.

« Bonjour, madame, dit Manish en se découvrant. Permettez-vous que je raccompagne Martine en faisant un détour par le pont ? Il y a quelque chose dont nous avons parlé, hier soir à l'auberge, que je voudrais lui montrer… »

Prise de court, madame Doucette balbutie trois mots incompréhensibles, que sa fille traduit par un acquiescement. Elle attrape la main de Manish qui remet sa casquette, fait un geste joyeux à l'attention de ses sœurs qui rougissent à sa place ; ils s'éloignent d'un pas léger vers la rive du Saint-Laurent.

Deux heures plus tard, quand la jeune fille pénètre par l'entrée de service dans la cuisine, tous les regards se tournent vers elle.

« Ma fille, dit sa mère en laissant tomber sur la table le couteau avec lequel elle épluchait des pommes de terre, monte voir ton père. Il est dans le grenier de la remise, il t'attend. »

Marc Doucette adore ses filles et en particulier l'aînée, il ne lèverait la main sur elle pour rien au monde. Mais quand il l'entend monter à pas lents les barreaux de l'échelle, il tourne vers elle des yeux furibonds.

« Écoute, Martine, il faut que je te parle. J'espérais que cette histoire avec ce jeune Mohawk serait finie, qu'à ton âge tu commencerais à t'intéresser à un garçon de chez nous. J'espérais qu'il ne reviendrait pas cette saison. Je vois qu'il n'en est rien. Alors je vais te raconter une histoire de notre famille, une histoire qui va te faire comprendre pourquoi ta mère et moi ne pouvons pas laisser les choses continuer. »

Il remonte à plusieurs générations, à l'arrivée dans la belle Province, au début du XIXe siècle, de Marie Gabelot, aïeule de la mère de Martine. Comme nombre d'orphelines, adolescentes d'origine modeste et autres « filles à marier » embarquées, de façon plus ou moins volontaire, pour le Nouveau Monde, elle savait à peine, en quittant le port de La Rochelle, pour où elle partait et ce qu'elle allait trouver de l'autre côté de l'océan. C'était le Nouveau Monde : un mari et une vie meilleure l'y attendaient, c'est tout ce qu'on lui avait dit.

« Ton ancêtre a été mariée à un pays, un Charentais qui avait une ferme près de Sherbrooke. La vie était difficile, ils travaillaient dur mais ils étaient libres, avaient des animaux et quelques arpents de terre non loin d'une rivière, poursuit Marc Doucette en s'asseyant sur une commode aux pieds cassés, transformée en caisse à outils. Un an plus tard, une petite fille est née, j'ai oublié son prénom, ta mère s'en souvient. D'après ce qu'on raconte dans la famille, une tribu de Mohawks vivait non loin de là, au bord d'un lac, du côté américain de la frontière. Une nuit, on ne sait pas si cette Marie Gabelot a été enlevée ou si elle est partie d'elle-même, mais elle a disparu. Ton ancêtre est resté seul avec le bébé. Il l'a cherchée partout, dans les villages, jusqu'à Montréal, en vain. Un ou deux mois plus tard, cette Marie est aperçue par un Français coureur des bois. Habillée en sauvage, au sein de cette tribu, elle est occupée à couper du bois, à faire la cuisine.

– Elle était prisonnière ?

– On ne sait pas, je te dis. Ce qu'on sait, c'est que son mari a confié l'enfant à des voisins et qu'il est allé chercher la milice. Un matin, ils ont franchi la frontière et encerclé le village mohawk. Tandis qu'ils menaçaient les hommes de leurs fusils, les Indiens se préparaient à combattre. Alors Marie Gabelot est venue vers eux et leur a dit qu'elle était désormais la femme d'un Indien et qu'elle refusait de revenir au Canada. Qu'elle ne voulait plus voir ni son bébé, ni son mari. Les miliciens voulaient la capturer et l'emmener de force, les Indiens n'étaient pas nombreux et pas bien armés, ç'aurait été facile, mais son époux, ton ancêtre, a refusé. Il l'a maudite, et il est rentré dans sa ferme. Personne n'a compris. Il s'est trouvé une autre femme, elle aussi venue de France, avec laquelle il a eu cinq enfants. Quant à Marie Gabelot, on ne l'a plus jamais revue. »

Martine s'est assise aux côtés de son père. Cette histoire est bien triste, mais elle ne voit pas vraiment en quoi ça la concerne. C'était il y a si longtemps. Les Indiens avaient des plumes, des arcs et des flèches, sans doute ! Il y avait peut-être même des guerres contre eux…

« Ma fille, ils ne sont pas comme nous. Ce garçon, comment s'appelle-t-il au juste ?
– Manish.
– Tu vois, un prénom pareil, ce n'est pas possible… Ils ressemblent aux autres ouvriers sur le pont mais, crois-moi, ils ne sont pas comme nous. Ce sont de bons travailleurs, à ce qu'on dit. À l'auberge, ce sont aussi de bons clients, polis et qui paient toujours à temps. Mais ta mère et moi sommes sûrs que cette pauvre fille, Marie, a été enlevée, droguée ou quelque chose comme ça. C'est ce qu'on a toujours dit dans la famille. Abandonner son bébé, tu te rends compte ? Quelle mère peut faire ça ? Écoute-moi, Martine, c'est pour ton bien. Ta mère et moi avons pris notre décision : tu ne dois plus voir ce garçon, cet Indien. Ils n'enlèveront pas une autre fille de notre famille. À l'auberge, tu ne le serviras plus. Et je ne veux plus te voir lui parler.
– Mais, papa…
– Pas la peine de discuter. À ton âge, il y a des choses qu'on ne peut pas comprendre. Nous sommes là pour te protéger. Je te l'ordonne : tu n'approches plus cet Indien ou tu vas passer l'été chez les cousins de ta mère à Montréal. C'est dit, je n'y reviendrai pas. »

Martine éclate en sanglots, se lève d'un bond, se prend les pieds dans sa jupe, trébuche, se relève et se précipite vers l'échelle de meunier qu'elle dévale en hoquetant. Elle traverse la cour de terre battue qui sépare l'auberge de la maison de bois, monte à l'étage et se précipite dans la chambre qu'elle partage avec ses deux sœurs. Couchée sur son lit d'enfant, elle sanglote pendant une heure, puis s'endort.

Dans la cuisine où fument les marmites du déjeuner, ses cadettes, qui se doutent de la raison de la colère paternelle, tentent d'interroger leur mère. « Vous, ne vous mêlez pas de ça ! Vous étiez avec moi à l'église, vous savez très bien ce qui s'est passé. Que ça vous serve de leçon. Interdiction d'approcher un Indien. C'est moi qui m'occuperai d'eux désormais. »

Sur le terrain de lacrosse, Manish Rochelle arrive presque en retard, à grandes enjambées, un grand sourire aux lèvres pour le premier match dominical de la saison. Il a raté le pique-nique. Robert, qui sait pourquoi, l'accueille en l'interrogeant des yeux. « Tout va bien, je te raconterai. » L'équipe d'un quartier de Québec qui doit affronter celle des hommes du pont de Kahnawake n'est pas au complet. Sur une moitié du terrain, des joueurs de baseball de Saint-Romuald, arrivés plus tôt, refusent de laisser la place, désignant aux Indiens la partie du champ encore boueuse.

« Bon, ne faisons pas d'histoires, c'est le début de l'été, dit Bruce Mondor. Je propose qu'on fasse un petit entraînement puis qu'on répare les cages. Il faudra tailler quelques perches et trouver du cordage fin. »

Sur le chantier, la semaine débute par l'installation, sur la partie sud du pont, d'une des plus grosses poutres préfabriquées. Elle est arrivée dans la nuit, a été chargée sur la plateforme par une locomotive qui l'a poussée jusqu'au milieu de l'ouvrage, d'où la grue mobile l'a soulevée. Elle descend lentement, soutenue par les cordages passant dans de grosses poulies à quatre gorges. Une vingtaine d'hommes tire, pousse, tape. Elle est si lourde que, par moments, le moteur de la grue s'enroue, les engrenages patinent, les cordes fument. Il faut faire une pause, reprendre lentement, centimètre par centimètre. Quand elle est posée, des axes provisoires sont enfilés à coups de masse dans leurs logements.

« Manish, Manish, viens voir ici ! »

Sur un des côtés, deux Mohawks tentent depuis dix minutes d'aligner deux trous. Contrairement à l'usage, ce ne sont pas quelques millimètres qui séparent les deux orifices, mais deux ou trois centimètres. La poutre semble parfaitement à sa place mais il est impossible d'y enfiler les boulons provisoires. « On a tout essayé. Ce gros bébé ne bougera pas. Qu'est-ce qu'on fait ?

– Je ne sais pas ; l'écart est trop important. Ils ont dû se planter à l'usine en perçant les trous. Bougez pas, je vais chercher le contremaître. »

Sur les conseils de B. A. Yenser, venu jeter un coup d'œil sans s'attarder, une équipe spécialisée apporte, suspendus à des câbles, deux crics de plusieurs tonnes. En une heure, ils saisissent les pièces et, dans des grincements de métal tordu, les rapprochent assez pour que trois des quatre boulons puissent passer en force. « Pour le quatrième, on verra. Il faudra sans doute repercer », dit un chef d'équipe.

De l'autre côté, même problème sur deux poutrelles latérales. Les écarts sont bien supérieurs aux tolérances habituelles. Cette fois, quatre hommes avec des masses tordent les éléments pour les aligner.

« Je ne sais pas ce que fabriquent ces Américains, en Pennsylvanie, mais il faudrait qu'ils apprennent à percer les trous à la bonne place, non ? dit Manish au moment du déjeuner, assis sur une poutre, les pieds dans le vide au-dessus de l'eau. Je croyais qu'on vérifiait toutes les mesures à l'arrivée des pièces… »

Les jours suivants, le phénomène s'amplifie. Un élément sur deux, parfois davantage, ne s'insère pas dans les précédents. Il faut percer, tordre, forcer. Le travail ralentit, des heures perdues à connecter des pièces qui, en temps normal, devraient l'être en quelques minutes. Plus grave : par endroits, les monteurs d'acier remarquent que les espaces entre des pièces ajustées la veille au millimètre s'agrandissent.

Arrivé un matin avant l'ouverture du chantier, Manish et Robert grimpent dans les structures et, avec un mètre pliant, prennent des mesures, notent des écarts entre les poutres, des désalignements. Ils montrent leurs relevés au contremaître principal. « Putain, c'est pire que ce que je pensais. Prenez ce carnet, venez avec moi ; il faut montrer cela à McClure. »

Ils frappent à la porte de l'ingénieur Norman McClure. Penché sur sa table de travail, il les fait attendre puis les reçoit. « Oui, oui, je sais. Vous n'êtes pas les premiers à m'alerter. J'ai moi-même constaté une multiplication des malfaçons depuis quelque temps. Montrez-moi ce que vous avez… »

Il reporte au crayon sur les plans signés Theodore Cooper les écarts mesurés par les Indiens. Les chiffres s'ajoutent à d'autres. L'ingénieur en entoure certains en rouge. Ils concernent tous des éléments récemment mis en place, comme si toutes les pièces arrivées de Pennsylvanie étaient défectueuses en même temps.

« C'est étrange et surtout, je suis d'accord avec vous, c'est inquiétant. Merci, messieurs. J'ai déjà évoqué ces défauts avec Phoenixville. Je vais envoyer dans la journée un métreur qui va confirmer et préciser vos constatations. J'écris sur-le-champ à monsieur Cooper à New York pour l'informer de ces problèmes et lui demander son avis sur la marche à suivre.

– En attendant, monsieur, que doit-on faire ? Que dois-je dire aux gars ? demande le contremaître.

– Rien, surtout. Ce sont des défauts mineurs qui doivent avoir une explication logique. Je suis sûr que M. Cooper comprendra ce qui se passe et trouvera une solution. Vous savez, c'est le plus grand ingénieur américain de son temps, un des meilleurs du monde. Personne n'a conçu autant de ponts et d'ouvrages d'art dans ce pays. Rassurez les hommes et dites-leur que les défauts seront rapidement corrigés. »

B. A. Yenser referme le carnet, Manish Rochelle remet sa casquette. « Messieurs… »

En descendant les escaliers, le contremaître grommelle : « Moi, je ne suis pas ingénieur… Mais ce n'est pas mon premier pont et je crois ce que je vois… Et ce que je vois ne me plaît pas. Nous avons un problème, un gros. Ce ne sont pas des malfaçons : impossible qu'elles soient si nombreuses. Et elles auraient commencé plus tôt, depuis le début. C'est le pont lui-même qui a un problème. Et ils ont intérêt à le régler bien vite… En attendant, Manish, n'affole pas tes gars. On va voir ce que dit ce fameux Cooper. S'il est aussi bon qu'on le prétend. »

Le lendemain, alors qu'est partie pour New York une lettre détaillée, avec croquis et mesures, décision est prise de ne plus installer sur l'ouvrage que des pièces et des poutrelles légères, plus faciles à mettre en place. Il faut souvent, elles aussi, les faire entrer de force dans leurs logements. Sur une platine centrale, les hommes doivent utiliser des boulons, puis des rivets deux fois plus longs, commandés spécialement, pour relier des éléments.

Un matin, le télégraphiste frappe à la porte du bureau de McClure avec à la main la réponse de Cooper : « Ceci n'est pas sérieux. Faites pour le mieux. » L'ingénieur réunit contremaîtres et chefs d'équipes et leur annonce que le grand chef, au vu des données qui lui ont été envoyées, estime que ces défauts sont bénins et qu'il faut reprendre le rythme habituel.

« Pas graves ? grogne avec un accent irlandais un petit homme ventru aux larges favoris roux, mais il se fout de qui le grand manitou de Manhattan ? C'est lui qui doit connecter des pièces espacées de quatre centimètres ? J'ai un gars qui a failli passer à l'eau, hier, à force de taper à coups de masse comme une brute sur une poutre qui ne voulait pas entrer à sa place ! Et pourquoi il ne vient pas voir lui-même, votre Cooper, que personne n'a jamais vu sur le chantier ? Pas besoin de petits dessins, il comprendrait de suite. »

Les murmures enflent : « C'est vrai ça, pourquoi il ne vient pas voir ? C'est quoi, un ingénieur qui construit un pont à distance ?

– Messieurs, messieurs, s'il vous plaît. Certains d'entre vous le savent et je vous le confirme, Theodore Cooper n'est pas en bonne santé. Il espère pouvoir venir sous peu constater l'avancée des travaux mais, pour l'instant, ça lui est impossible. Vous connaissez sa réputation. Nous pouvons nous fier à son jugement. S'il estime que ces petits défauts ne sont pas graves, c'est qu'il a étudié la question. Je vous remercie donc de bien vouloir prévenir vos hommes. Nous avons pris du retard. Il faut le rattraper. »

« Ça ne passera pas chez les gars, murmure, en descendant les marches du bureau, un des chefs d'équipe. Ils sont inquiets et ont de bonnes raisons de l'être. Un Mohawk m'a dit que, l'autre soir, alors qu'il passait sous le pont pour rentrer à l'auberge, il a entendu un long craquement. Si on continue à ajouter du poids, on va à la catastrophe. »

Les ordres sont donnés. Des pièces monumentales, qui attendaient sur des wagons d'approcher la rive du fleuve, sont installées au prix de gros efforts et du percement de plusieurs trous supplémentaires. Les hommes râlent, jurent mais obtempèrent.

Un samedi soir – la journée de travail du samedi a été raccourcie, fin des travaux à quinze heures –, Marc Doucette a fait venir à l'auberge trois des plus fameux joueurs de cuillères, gratteurs de planche à laver et guitare de la rive sud du Saint-Laurent. Dans un coin de l'auberge, sur une estrade de bois, ils enchaînent les airs du pays, parfois une chanson de marins remontant à la Royale française. Un cochon de lait rôtit dans la cheminée, des tonneaux de bière ont été débarqués dans l'après-midi.

Ça fait une semaine que Manish Rochelle n'est pas parvenu à dire un mot à Martine. Elle lui fait les gros yeux quand il approche, lui fait signe d'attendre, lui fait espérer, par un petit mot remis par sa plus jeune sœur, un rendez-vous secret. Il a compris que les parents étaient intervenus. Madame Doucette se précipite sur lui dès qu'il entre, interdit à ses filles, par des mouvements de tête qu'elle voudrait discrets, de l'approcher. Il se doutait que ça allait arriver. Les Doucette sont accueillants envers les Mohawks, qui sont refusés dans certains établissements de la province, mais de là à laisser un Indien faire la cour à une de leurs filles… Il va falloir être patient. Manish espère, avant la fin de l'été, passer chef d'équipe, avec un bon salaire. Il sera alors peut-être possible de parler au père.

Depuis la table qu'il partage au fond de la salle avec quatre Mohawks (Robert, ce matin, a pris sa journée pour aller voir ses parents à Kahnawake), Manish observe en coin une équipe de charpentiers anglais. Leur accent est incompréhensible et leurs rires bruyants. Mais ce qu'il remarque c'est la façon dont leur chef, un certain Drummond, petit brun trapu, rougeaud, tatoué sur les deux bras, qu'il a côtoyé sur le pont il y a quelques jours, s'adresse à Martine. Il lui prend la main, tire sur sa jupe, tente, alors qu'elle passe près de lui, de la prendre par la taille. Elle se dégage en gloussant. Marc Doucette observe du coin de l'œil. Sous le bar ses mains cherchent à tâtons la crosse de son fusil. Martine se réfugie en cuisine. Quand elle réapparaît, Drummond a éclusé ses pintes de bière. Au passage de la jeune fille il lui attrape une fesse à pleine main, elle pousse un cri. Manish se lève d'un bond, renversant sa chaise. En quatre pas il est sur l'Anglais qu'il attrape par le col, sans un mot, et secoue. Il le soulève de son siège, le colle contre le mur. Drummond donne des coups de poing dans le vide sans toucher son assaillant. Avant que les autres Anglais, surpris par l'attaque, n'aient le temps de réagir, Manish, d'un coup de tête, casse le nez de l'homme qui s'effondre en criant. Ses amis se précipitent, ceinturent l'Indien par-derrière. Au moment où le troisième arme son bras pour frapper, le canon du fusil de Marc Doucette sur sa moustache l'arrête.

« Vous trois, dehors. Emportez ce gros porc qui salit mon plancher. Si l'un d'entre vous repasse ma porte, je tire sans sommation. Compris ? Toi, l'Indien, tu restes là. »

Drummond a sorti de sa poche un mouchoir à carreaux qu'il presse contre son nez. On le relève, il quitte la pièce en titubant. « Toi, sale Peau-Rouge, tu me paieras ça. Là, tu m'as pris par surprise, mais je sais qui tu es. Tu es l'un de ces putains de Mohawks, avec vos bobards sur le vertige. On se retrouvera sur le pont, ne t'inquiète pas, on va t'apprendre le respect de l'homme blanc ! »

Réfugiée dans la cuisine, Martine tente d'en sortir et d'aller vers Manish. Sa mère la retient par le bras. « Merci, l'Indien, dit son père en rabattant les chiens de son fusil. J'aurais pu m'occuper de ça, j'ai l'habitude. Allez vous rasseoir. Attendez un moment avant de monter dans vos chambres, je vais vérifier qu'ils ne vous attendent pas dans la rue. Vous n'avez pas d'armes à part vos couteaux ? »

L'orchestre reprend par un solo de cuillères qui donne le tempo. Un des contremaîtres du chantier quitte le bar où il était accoudé, s'approche de la table des Mohawks où Manish se rassied, salué par les sourires de ses convives.

« J'ai tout vu, tu as eu raison d'intervenir, Manish. Peut-être pas de lui casser le nez, mais, bon… J'en parlerai lundi à Yenser. On va s'assurer que vous n'êtes pas trop près de ces Anglais sur le chantier. Ce Drummond peut être dangereux, j'ai bossé avec lui il y a deux ou trois ans, près de Boston, c'est un bagarreur. À mon avis, le mieux serait peut-être de les envoyer sur l'autre rive… »

En fin de soirée, comme les musiciens rangent leurs instruments, Martine parvient à glisser un « merci

Manish » et un triste sourire au moment de quitter la salle. Deux Mohawks sortent les premiers, mains sur le manche de leurs coutelas, inspectent la cour et la rue, et accompagnent le jeune homme jusqu'à sa chambre, au deuxième étage.

Le lendemain, l'équipe de Manish et un autre gang de Kahnawake arrivent ensemble sur le chantier, en rangs serrés pour montrer leur force. Certains portent comme des tomahawks de grosses clefs anglaises, d'autres lancent des regards noirs vers les quatre Blancs qui se tiennent à l'écart, en conciliabule avec un contremaître. Drummond est défiguré, un pansement sur le nez. Ils sont envoyés pour la journée à l'entrée du pont gérer le débarquement du train.

Les problèmes d'ajustement se multiplient et empirent. Des écarts apparaissent entre des pièces montées il y a des semaines. Dans certains, on peut glisser le pouce. Les charpentiers, les contremaîtres, le représentant du syndicat consultés en sont persuadés : le pont bouge, et ça n'augure rien de bon. Ils placent des repères et des marques à la cire, qui sont explosés le lendemain.

Dans un autre courrier, au ton plus alarmiste, Norman McClure informe Cooper à New York et l'état-major à Phoenixville. Dans sa réponse, l'ingénieur en chef évoque l'hypothèse que les pièces défectueuses ont pu être endommagées pendant le transport, le stockage ou le montage. McClure vérifie, référence par référence, avec le responsable de l'entrepôt de La Chaudière, qui lui assure que les éléments étaient, au millimètre près, conformes aux plans quand ils sont sortis de chez lui. Il interroge les monteurs d'acier, aucun n'a souvenir d'une poutre tombée, tordue ou déformée avant le montage. « C'est plutôt après qu'elles sont déformées. Mais pas par accident, par nous, à grands coups de masse et de cric. Et c'est pas du boulot ! », dit l'un d'eux.

Chez les Mohawks, épuisés par des heures d'efforts pour ajuster des éléments qui ne s'encastrent plus, l'inquiétude monte. Manish va d'une équipe à l'autre, multiplie les croquis, les dessins, mesure les écarts. « C'est pas possible, ce pont bouge. Tout bouge, et ce n'est pas normal. Il faut tout arrêter : vous vous rendez compte qu'il peut s'effondrer sous nos pieds ? »

Il a parlé en anglais à une équipe de Blancs. « Eh, toi, l'Indien ! lui crie un contremaître qui l'a entendu ; tu vas arrêter de dire des trucs pareils ! Tu es qui, toi, pour dire aux ingénieurs ce qu'ils ont à faire ? Tu sais lire et écrire, au moins ? Alors, tu fermes ta gueule et tu fais ce qu'on te dit. Si je t'entends encore une fois, je te vire ! »

Manish se tourne vers les siens et lâche entre ses dents, en mohawk : « Il va falloir prendre une décision. Moi je dis que c'est trop dangereux. Il faut parler à McClure. Lui, il sait, il a compris depuis le début. »

Mais, en l'absence de Charles Dubois malade, impossible pour un monteur d'acier mohawk d'interpeller directement l'ingénieur. Ce soir, à la fin de la journée, Manish va tenter d'en parler à B. A. Yenser, le premier contremaître.

Le lendemain, dans une autre lettre, Norman McClure assure à son chef, toujours incapable à cause de son âge et de sa mauvaise santé de prendre le train pour Québec, qu'il est inconcevable que les pièces tordues – et elles sont si nombreuses désormais – l'aient été avant le montage. « Dans ce cas, il aurait été impossible de ne pas le voir », écrit-il.

En attendant la réponse, l'ingénieur prend sur lui d'interrompre les travaux. Il décide de se rendre en personne à New York pour persuader Theodore Cooper que la situation est grave, que la conception même du pont est peut-être en cause. Il ordonne la cessation des activités, l'évacuation du chantier et, à la mi-journée, il est dans le train, espérant voir Cooper dans ses bureaux le lendemain.

« Je vous l'avais dit, respire Manish Rochelle. Le boulot va sans doute prendre des semaines ou des mois de retard, mais c'est la bonne décision.

– Dis donc, Manish, tu n'as pas un peu fini de te prendre pour un ingénieur ? lui lance Bruce Mondor. Tu commences à nous fatiguer avec tes grands airs et ton petit carnet. Ce n'est pas parce que tu sais compter et que tu parles anglais que tu dois avoir un avis sur la marche du chantier. Avec tes réflexions, tu vas nous faire tous virer. Tu as un job de rechange, toi, peut-être ?

– Non, pas plus que toi. Mais tu vois bien qu'il y a un problème sur ce pont, non ?

– Ce que je vois, surtout, c'est que tu as une grande gueule et que tu vas nous attirer des ennuis. Moi, si les patrons disent que tout va bien, tout va bien. Et s'ils disent qu'il faut arrêter de bosser, on arrête. De reprendre, on reprend. Ce n'est pas un gamin qui a quitté deux fois sa réserve qui va me dire ce que je dois faire… »

Pour éviter de se confronter ouvertement à un aîné, Manish tourne les talons en direction de Saint-Romuald. Toute la journée, les hommes se reposent, font la sieste sur les berges, regardent passer les contremaîtres et les ingénieurs qui ont des mines de plus en plus sombres.

Le lendemain, à New York, quand Theodore Cooper arrive à son bureau du 35, Broadway Avenue, Norman McClure l'attend dans l'entrée. Quelques phrases, des plans annotés, et surtout l'angoisse qui se lit dans les yeux de son collaborateur suffisent à convaincre l'ingénieur. Il fait venir sa secrétaire et lui dicte un télégramme qu'il n'envoie pas à Québec mais à la maison-mère à Phoenixville. « N'ajoutez plus de poids sur le pont jusqu'à nouvel ordre. »

Mais, pour ne pas perdre la face, il n'ordonne pas l'évacuation du chantier, n'évoque aucun danger. Il demande à McClure de prévenir Québec. Le jeune ingénieur, dans sa hâte de filer à la gare de Pennsylvanie prendre le train pour Phoenixville, omet de le faire.

En début d'après-midi, le télégramme arrive sur le bureau de John Deans, ingénieur en chef de la Phoenix Co. Mais il est absent. Son secrétaire qui lit le message ne comprend pas la gravité. Il ne sera lu que dans l'après-midi, et aucune suite ne sera donnée. En attendant, à Québec, et contrairement aux instructions, ordre est donné de reprendre le travail.

12

Réserve mohawk de Kahnawake

novembre 1970

Une centaine d'hommes, deux colonnes au garde-à-vous, casques de chantier à la main, attendent, devant l'entrée du cimetière de Kahnawake, le cercueil de Jack LaLiberté. Immobiles sous le crachin, ils sont alignés au pied de l'arche de métal aux rivets apparents, surmontée d'une croix de fer et portant l'inscription « *Vea Kateri Cemetery* ». Quatre monteurs d'acier à la retraite et des apprentis viennent d'y mettre la dernière main et de l'ériger. Parmi les tombes de pierre ou de marbre, des croix et de petits monuments de métal avec des noms issus de lignées fameuses d'*ironworkers* : McComber, Deer, Diabo, Phillips, Beauvais, Rochelle, LaLiberté. Ces hommes endimanchés de sombre, raie sur le côté, cravates de lacets noirs, sont venus de toute la région, des réserves iroquoises, parfois de plus loin encore, rendre hommage à celui avec lequel ils ont travaillé et qui est « passé dans le trou ». Raymond Carter, le contremaître, est venu de New York avec sa femme et sa fille aînée. La famille Koch a annoncé la venue de l'un des siens, puis elle s'est décommandée et a fait livrer une gerbe. L'autorité portuaire, pour le premier décès sur son chantier des tours jumelles, a doublé la prime à la famille et envoyé un représentant.

Le cortège sort à pas lents de l'église. Quatre compagnons, Tom LaLiberté, Wild Bill Cooper et deux autres charpentiers du fer, portent le cercueil. Trois mètres derrière, Louise en noir tient par la main ses fils qui ont revêtu des tuniques de daim sombres. Des cousins en tenues traditionnelles rythment la marche en effleurant des tambours de peau. Sous l'arche, la procession s'immobilise puis repart, suivie du pas lourd des hommes et des femmes en deuil.

Devant la tombe creusée dans la terre noire, là où reposent huit membres de la famille Rochelle-LaLiberté, la foule s'assemble autour du prêtre. Les deux garçons se serrent contre leur mère.

« Il y a plusieurs années, Dieu soit loué ! que nous n'avions pas eu le malheur de porter en terre dans ce cimetière l'un des nôtres après une chute mortelle… Mais depuis le désastre de 1907, nous savons que les hommes de cette communauté peuvent être fiers d'avoir choisi un métier de bravoure, de danger et de sacrifice. Pour subvenir aux besoins de leurs familles, ils risquent leurs vies et édifient sur ce continent et au-delà les monuments de notre époque. Jack a péri, frappé par la foudre, en construisant les plus grandes et les plus belles tours que la terre ait portées. Elles resteront, comme la sépulture qu'il rejoint ici, un monument à sa mémoire. Dieu ait son âme. »

John LaLiberté pose sur le cercueil une petite croix de métal que lui a glissée dans la main, pendant la messe, Bill Cooper. « Elle est faite de morceaux d'acier des tours jumelles, Pete l'a fabriquée pour ton père le lendemain de sa mort », murmure Wild Bill. John ravale ses larmes, jette la première motte de terre sur le bois de chêne, passe la petite pelle à son frère.

Le soir venu, dans la maison commune, les tambours qui battent en sourdine et les chants de deuil murmurés remplacent les cantiques. Quatre danseurs tournent autour du poêle, la fumée de feuilles de tabac monte dans la pièce. Ce n'est pas une cérémonie, plutôt une veillée à laquelle le village est convié ; tous ceux de son clan et des clans amis, ceux qui ont connu Jack ou ont travaillé avec lui. Louise et ses deux fils sont assis au centre des gradins. Elle a revêtu une robe de daim brodée, natté ses cheveux noirs en deux longues tresses, pose la main sur la tête de Robert, regarde John en discussion avec son oncle, remercie les visiteurs.

« C'est sur le chantier où j'avais le moins peur qu'il est mort, dit-elle à une voisine. Il nous avait tellement dit que ces tours étaient sûres, qu'ils y prenaient malgré leur hauteur moins de risques que sur des immeubles ordinaires, qu'ils ne marchaient jamais sur des poutres isolées et ne risquaient pas de tomber, que j'avais fini par le croire. Il a fallu la foudre. Le feu du ciel, comme un signe. J'espère que les garçons ne voudront pas suivre cette voie… »

Un buffet a été dressé dans l'entrée par les voisines et les amies. Les dignitaires de la réserve viennent embrasser Louise et les garçons. Trop petits pour faire la différence avec une soirée ordinaire dans la salle commune, des enfants jouent à cache-cache, piaillent et se font gronder.

Vers minuit, les derniers visiteurs se replient à la maison. John voudrait résister au sommeil, mais il s'endort dans un fauteuil. Robert s'est glissé dans son lit. Louise refait du café, une voisine apporte des *kanataroks*, pains de maïs, Wild Bill une caisse de bière. Aux premières lueurs de l'aube, ils sont une quinzaine autour du poêle à bois.

Le lendemain dimanche, les visites et les condoléances durent toute la journée. En début de soirée, comme pour une fin de week-end ordinaire, Tom et Bill Cooper garent leur berline devant la maison. « Faut qu'on y aille, Louise. Ils nous ont donné deux jours pour accompagner Jack à la réserve mais, là, ils nous attendent demain matin. La structure de la tour Nord doit être terminée avant la fin de l'année. Plus que quelques poutres à poser. On reviendra pour Noël. »

Dans la voiture, Wild Bill ne lâche pas le volant, conduit d'une traite jusqu'à Brooklyn pendant que les autres dorment ou vident des bières. Il a roulé vite et arrive avant l'aube. Il se repose une heure sur le canapé du salon avant de partir pour Manhattan.

Lundi, au pied de la tour Nord, la réunion hebdomadaire commence par un hommage à Jack. « C'était l'un des meilleurs, il faisait honneur à la tradition mohawk, à ses ancêtres qui ont bâti cette ville et tant d'autres », dit Raymond Carter. Il rappelle que sa secrétaire a ouvert une enveloppe où l'on peut déposer de l'argent pour sa veuve et ses enfants.

« Le ciel l'a frappé, c'est un coup du sort, aucune erreur n'a été commise. Malgré la taille extraordinaire de ce chantier, Jack est le premier mort. L'armature de la tour Nord est aujourd'hui presque terminée. Faisons en sorte qu'il n'y ait pas d'autres morts. Pour lui, et sa mémoire. Nous devons assembler les derniers éléments avant Noël, nous nous y sommes engagés envers la Port Authority. Le *topping-out* est prévu avant la fin du mois, pas question de le reporter à janvier. Je compte sur vous, les gars. Soyez prudents et bon courage. »

Malgré le mauvais temps, le froid et parfois la pluie qui raccourcissent les journées de travail, les derniers étages avancent vite. Les techniques sont éprouvées, les équipes ont le tour de main, la planification des dernières pièces est plus simple. Le 15 décembre au matin, au milieu des poids-lourds et des camions de livraison, les équipes ont la surprise de voir des camionnettes de déménagement se garer sur l'esplanade. Les premiers locataires, des entreprises d'import-export conformément à la vocation du « Centre de commerce mondial », emménagent dans leurs bureaux des dix et onzième étages aux peintures fraîches. La tour résonne des cris et des coups des monteurs d'acier quand la Irving R. Boody Company passe son premier télex, confirmant à Ceylan une commande de thé pour la Colombie.

Le planning de construction prévoit que la dernière poutre préfabriquée de la tour Nord sera mise en place le 22 décembre. Tout est prêt ce matin-là, mais il tombe de la neige fondue, le sommet de l'immeuble se perd dans un épais nuage. Les officiels, élus et hiérarques de l'autorité portuaire sont décommandés, la cérémonie reportée de vingt-quatre heures. Le lendemain matin, les employés d'un traiteur de Brooklyn montent par les ascenseurs extérieurs tables, chaises, nappes blanches, sandwichs et caisses de bières. Il reste une poutre à fixer : comme de coutume, les hommes la signent au marqueur à tour de rôle. « Tom, à toi l'honneur d'accrocher le drapeau. En mémoire de Jack », dit Ray Carter en tendant à Tom LaLiberté une bannière étoilée. Dans une des bandes blanches, il inscrit le nom de son frère puis fixe le drapeau.

Sous la poutre, un grand oriflamme : *World Trade Center – North Tower Building Topping-Out – December 23 1970 – The Port of New York Authority.*

Vers midi, l'ordre est donné : la dernière pièce de métal en T s'envole, saluée par les klaxons des poids-lourds, les sirènes d'alarme, les badauds. Au sommet, elle est reçue par des dizaines de cols bleus et blancs, ouvriers, ingénieurs, administrateurs, qui la saluent par des vivats en brandissant leurs casques. Elle est mise en place au ralenti par des monteurs d'acier, un par équipe, choisis par les contremaîtres. Un élément de plancher suit deux minutes plus tard, sur lequel a été fixé un arbre de Noël décoré.

Dans un coin du dernier étage, une bière à la main, Wild Bill Cooper, Tom Laliberté et trois autres Mohawks regardent les officiels discourir à tour de rôle. « Extraordinaire réalisation… Merveille de notre temps… Génie humain… Exemple pour le monde… Grandeur de l'Amérique… »

« Comme d'habitude, ils sont là au début et à la fin, pour lever leurs verres, avec une visite de temps en temps pour se faire mousser, murmure Tom. Mais quand il neige ou que les pièces ne s'encastrent pas parce que quelqu'un s'est gouré dans les plans, c'est pour nous…

– Arrête de râler…, dit Bill. Ce n'est pas ton premier immeuble… C'est un *topping-out*, tu sais que c'est toujours comme ça… Ce sont eux qui paient, ils viennent avec les huiles et les banquiers, c'est normal. Ce soir. C'est pour ce soir, tenez-vous prêts. Après les festivités, la fin du montage, on pourra dire qu'on a oublié des choses, ça passera plus facilement. Les vigiles nous connaissent, il ne devrait pas y avoir de problème. Bon, moi, je file. Je dois passer à Staten Island chercher ce que j'ai commandé. Rendez-vous chez Hank à huit heures, on mangera un morceau avant d'y aller. Tom, tu t'occupes du poste à souder, OK ? »

Wild Bill s'éclipse par l'ascenseur extérieur au moment où Karl Koch prend la parole et salue l'achèvement de la tour Nord, le « plus beau chantier de ma vie ». En métro, par la ligne creusée sous les eaux du port, il arrive sur l'île de Staten, le « faubourg oublié. »

Les quartiers proches du terminal de la ligne de ferry, face à Manhattan, rappellent, avec leurs immeubles et leurs maisons de bois alignés, le reste de la ville. Mais la partie sud de l'île est une autre planète. Un morceau de Nouvelle-Angleterre planté dans la baie, avec ses champs clôturés de palissades de bois, ses jardins, ses murs de pierres, ses petites routes où l'on se salue. Des plages désertes, ignorées des touristes, des menuiseries datant des premiers colons, des fabriques où subsistent les outils importés d'Europe au XIXe siècle. Les habitants, qui travaillent sur place ou dans le New Jersey, vont rarement, certains même jamais, à Manhattan.

Dans la maison qu'ils ont construite de leurs mains, Larry et Julie Monday sont de ceux-là. Depuis qu'il a pris sa retraite de charpentier de l'acier, Larry n'a pas dû mettre trois fois les pieds sur l'île centrale. Julie un peu plus souvent, pour s'approvisionner en perles chez Plume Trading and Sales, sur Lexington Avenue. Membres de la tribu iroquoise des Oneida, ils sont descendus d'Ontario il y a longtemps.

À soixante-douze ans, ronde comme une poupée russe, le visage fripé comme une pomme reinette, des yeux rieurs presque fermés par de lourdes paupières, Julie est une des plus fameuses brodeuses des Six Nations. Les tribus de toute la côte Est lui commandent des ceintures wampum. Brodées de perles de couleurs et de coquillages rares, teintées par des extraits de plantes, ces étoffes sont utilisées par les Indiens pour raconter histoires et légendes, célébrer des événements, sceller des traités ou des alliances. Celles de Julie Monday sont si belles que parfois des Nations indiennes de l'Ouest lui en demandent. Le soir de la mort de Jack, quand il a décidé d'en faire broder une en mémoire de son ami, c'est à elle que Wild Bill a pensé.

Il descend à la station de métro Pleasant Plains et marche à travers champs où, par endroits, le vent a formé des congères, et arrive par-derrière à la porte du jardin. Par la fenêtre, il voit le vieux couple assis près de la cheminée. Larry est caché derrière un journal, Julie coud sur ses genoux une ceinture wampum bicolore. Il frappe à la porte. « Entre, Bill, on t'attendait. Tu vas dîner avec nous, il y a de la soupe de maïs.

– Bonjour, Julie. Tu as eu le temps de la finir ?

– Oui, j'ai terminé. J'en suis contente, je crois qu'elle te plaira. »

Elle ouvre le tiroir de son meuble à ouvrages, en sort un paquet enveloppé de papier de soie. Elle le pose sur la table, le déplie. La ceinture wampum fait vingt-cinq centimètres de large, brodée de fils d'or et de perles bleues, blanches et noires. Au centre, en coquillages pourpres, les deux tours jumelles, comme posées sur une mer de nuages. À côté d'elles, un ours debout sur ses pattes arrière, touché par un éclair. Brodé en lettres fines, *Jack Freedom, 1970*. Julie y a ajouté des signes tribaux, l'emblème des Six Nations iroquoises, un morceau de ciel étoilé.

« Elle est splendide, merci. »

En quelques mots Bill leur explique à quoi va servir la ceinture.

« Combien je te dois, Julie ?

– Dix dollars, le prix des perles et des fournitures. Mon travail, c'est un hommage à ton ami, même si je ne l'ai pas connu. Il n'est pas le premier des nôtres à mourir pour donner vie aux rêves des Blancs. Et celui-ci, à ce qu'on dit, est grand et haut. Il paraît qu'on les voit du nord de notre île, ces tours géantes. Il faudra que j'aille regarder ça... »

Son mari revient de la cuisine, des bières à la main. « On peut y aller dimanche, si tu veux. Moi aussi je suis curieux de voir des immeubles de cent dix étages. À l'époque où je connectais l'acier, personne n'aurait imaginé monter si haut. »

À table, Joe raconte la mort de Jack, l'éclair, la cage d'ascenseur, abîme noir de quatre-vingt-quinze étages qui l'a avalé, la douleur de la famille, les funérailles à Kahnawake, le regard perdu de ses fils, les poings serrés des amis.

« Quand je travaillais, je n'avais peur de rien sauf des éclairs, dit Larry, certains me traitaient de fou. Un jour, le sommet de l'immeuble sur lequel j'étais a été frappé, j'ai vu la boule de feu passer entre mes jambes, descendre le long d'une poutre. La chose la plus effrayante... Après, au premier coup de tonnerre j'étais en bas.

– Que la foudre touche un homme directement, comme Jack a été frappé, je croyais que sur un chantier c'était impossible, dit Bill. Il y a toujours un paratonnerre ; c'est même la première chose qu'on installe dès que l'immeuble monte. Moi aussi j'ai souvent vu la foudre tomber, mais c'était toujours au-dessus, sur l'antenne, reliée au câble de terre. Jack n'était pas en hauteur, il avait son casque de plastique, marchait sur des planches, c'est incompréhensible... Bon, il faut que je vous quitte. Merci. C'est pour ce soir. Vous serez les seuls à savoir, nous ne l'avons dit à personne, pas même à sa famille pour l'instant. »

Julie Monday replie la ceinture wampum, l'enveloppe dans le papier, la lui tend à deux mains. « C'est bien. Bon courage, William. L'esprit de l'ours est avec toi. »

La nuit est tombée quand il regagne la station de métro. Un changement pour Bay Ridge : il monte à son appartement. D'un placard de l'entrée, il sort un sac à outils de cuir vieilli, y range la ceinture wampum, referme, l'emporte.

Une demi-heure plus tard, il est devant le Hank's Saloon. Ce bar où l'on joue de la country music, sur Atlantic Avenue, était autrefois la Doray Tavern, point de ralliement des Mohawks. Ils étaient si nombreux – trois ou quatre cents familles regroupées non loin du siège du syndicat de Brooklyn – que, dans les années 1950, le quartier était surnommé Little Kahnawake. Ils y avaient leurs épiceries important des produits canadiens, leurs bars, une église où le prêtre presbytérien avait appris la langue pour dire la messe en mohawk.

La plupart sont partis, les familles sont remontées vivre dans la réserve, les hommes font pour le week-end le trajet par l'autoroute qui vient d'être inaugurée, divisant de moitié le temps de trajet. La taverne a été rachetée, rebaptisée Hank's. Il reste sur le miroir des autocollants du syndicat, *Local 361 Ironworkers*, des têtes d'Indiens stylisées peintes sur un mur, une publicité pour la bière Apache, une affiche Pontiac Service.

À l'intérieur, Wild Bill repère Tom LaLiberté, Julius Parker et Mark Cobell accoudés au bar. Tom discute avec un jeune homme, cheveux courts et drus, pommettes hautes et peau cuivrée, iroquois. Son visage lui rappelle quelque chose, peut-être un apprenti.

« Salut, Bill, dit Tom. Tu te souviens de Max, Max Rochelle, le neveu de Jack ? Il a passé quelques semaines avec nous sur la tour Nord l'an dernier. Là, il est à Broadview, en première année d'apprentissage.

– Ah oui, Max. Salut mon gars. Pourquoi viens-tu si tard ? Tu n'étais pas à l'enterrement. Tu n'as pas su pour Jack ?

– Bien sûr, ma mère m'a prévenu. Mais j'avais un stage obligatoire, trois semaines au fin fond du Nouveau-Mexique. Quand j'ai appris l'accident, j'ai demandé à partir, mais ils ont menacé de me virer. Mon oncle tombé d'une des tours de Manhattan, ça ne leur suffisait pas. Là, j'ai une semaine pour Noël.

– C'est pas grave, petit. Ce que nous allons faire ce soir est aussi important que les funérailles. Jack m'avait parlé de toi. C'est bien qu'il y ait quelqu'un de la famille en plus de Tom. »

Ils commandent des hamburgers qu'ils avalent en cinq minutes.

« Bon, on a le matériel ? Comment fait-on pour Max ? Il n'a pas de carte d'accès. Je ne suis pas sûr qu'ils les demandent, mais on ne sait jamais…

– Passons chez moi, c'est un peu plus haut sur Atlantic, dit Julius Parker, qui a travaillé des années aux côtés de Jack. Il y a un gars dans mon équipe, il n'habite pas loin, qui lui ressemble, à peine plus vieux. De nuit, les vigiles n'y verront rien. »

Ils partent à deux voitures, récupèrent le badge à en-tête du World Trade Center et, peu avant vingt-deux heures, arrivent devant l'une des entrées du chantier. Tom baisse la vitre, montre sa carte plastifiée. Le vigile le reconnaît.

« Salut, on vient chercher du matériel qu'on a laissé au dernier étage. Tu sais ce que c'est, pour le *topping-out*, ils font toujours de petites mises en scènes pour en mettre plein la vue aux crétins en col blanc. On a apporté des trucs qui n'avaient rien à voir, il faut qu'on les redescende. On devait venir plus tôt mais on s'est un peu attardés au saloon… Si le chef trouve ça demain matin, on va se faire engueuler…

– OK. Garez-vous au premier sous-sol, ils bossent dans les deux et trois cette nuit. Vous en avez pour longtemps ?

– Une heure, deux au maximum. Rien ne sort, on descend tout au trentième étage. »

La barrière se lève. Ils se garent près d'un ascenseur de fret. Avec l'arrivée des premiers locataires, les appareils définitifs viennent d'être installés, qui desservent jusqu'au trentième étage. Pour monter plus haut il faut prendre les monte-charges extérieurs. Tom et Julius Parker ont rempli une cantine de matériel : poste à souder, baguettes, plaques de fer, marteaux, scie à métaux. Bill a le reste dans le sac de cuir.

« C'est quelque chose que vous faites souvent ? demande Max Rochelle, rompant le silence comme ils montent les étages dans l'ascenseur neuf, bardé de plaques de contreplaqué.

– Jamais. D'habitude, nous nous contentons de signer ou de graver nos noms dans des recoins. Nous y avons pensé le soir de la mort de Jack. Il adorait cette tour et disait sans cesse : le plus beau job de ma vie. Elle n'était pas loin d'être terminée. Il ne les aura jamais vues finies. »

Ils traversent le trentième étage en marchant sans bruit entre machines, matériaux et outils. Tom, Bill et Mark, qui portent des mocassins de daim, comme des ombres, avec leur chargement, font des détours pour éviter les zones trop éclairées par les lampes de chantier. Max et Julius avancent sur la pointe des orteils. Le monte-charge est là, porte ouverte. Ils posent la cantine, referment la porte grillagée. Levier sur montée. Rien. À nouveau. La cage ne bouge pas. « Nom de Dieu. Alimentation coupée. La centrale est où ?

– Dans le bureau des chefs d'équipe. Il y a une permanence mais, si on va demander la mise en route, ils vont poser des questions. Je les ai vus faire : il faut noter dans un cahier, nom, horaire, signature… On ne peut pas faire ça. Il faut monter à pied. »

Ils sortent la caisse de fer, cherchent l'entrée des escaliers de béton brut à peine terminés. Elle est là, plongée dans le noir. Bill allume une lampe électrique, faisceau vers le sol. « On se relaie pour porter la cantine : tous les cinq étages. » Elle n'est pas trop lourde, Max insiste pour prendre le premier tour. Ils montent à pas de loups, comme des chasseurs sur la piste d'un cerf. Entre les cinquante-cinq et cinquante sixième étages, la voie est obstruée par des madriers. Ils sortent les gants, les déplacent sans bruit, reprennent l'ascension. Bill éclaire la voie quand il devine un obstacle.

« Tu crois qu'il y a des gardes au sommet ? murmure Julius Parker.

– Jamais. Je me suis renseigné. Il y en avait pour les préparatifs du *topping-out* mais, là, c'est fini. À condition d'être silencieux, on est tranquilles. »

Cent quatrième étage. Le vent de la nuit s'engouffre dans le couloir sans porte donnant, un étage plus haut, sur la terrasse. Il fait froid, autour de zéro, un crachin serré s'est mis à tomber. « Pas plus mal, souffle Bill. Il y aura moins de monde dehors. Des fois qu'un crétin ait l'idée de faire une ronde… »

Ils remontent les cols de leurs vestes, enfilent des bonnets. Les derniers pas, ils sont sur le toit. Deux balises rouges accrochées à des poteaux provisoires clignotent pour signaler l'obstacle aux avions. Elles éclairent assez, de leur lumière étrange, pour qu'ils n'aient pas besoin des lampes de poche. « On se repose cinq minutes : on a tout le temps, dit Wild Bill. Ensuite il faudra trouver le bon endroit. »

Max s'approche du bord du toit, s'accroche à un garde-fou, se penche. Le brouillard qui monte lui masque le pied des tours, étouffe la rumeur de la ville. Ils sont en plein ciel, au cœur de la nuit, posés sur les nuages. On n'entend que les cris des mouettes, parfois la corne de brume sur les quais de Brooklyn. Ils se séparent, torches à la main, explorent la terrasse.

« Ici ?

– Non, trop exposé. Il y a encore des semaines de travail sur le toit, faudrait pas qu'un curieux le trouve.

– Là ?

– Comment veux-tu souder dans un recoin pareil ? Il n'y a pas la place. »

C'est Mark Cobell, à genoux entre deux planches, qui trouve la cachette. En contrebas, à la jonction de deux poutres en T. Elles sont recouvertes de bois et devraient sous peu l'être par un élément de plancher métallique.

« Une fois le couvercle posé, invisible à tout jamais. »

Tom et Wild Bill s'agenouillent à côté de lui. « On peut travailler, et c'est assez petit pour ne pas attirer l'attention. Je crois que c'est bon.

– Ça marche, je prépare les plaques. »

Tom retourne à la cantine. Il en sort le poste à souder, trois plaques de métal prédécoupées, un masque de soudeur. Il les met en place.

« Il faut enlever cinq centimètres. Tiens petit, montre un peu ce qu'on t'apprend à Broadview : découpe-moi ça à la scie à métaux, bien droit et en silence. »

Pendant que Max raccourcit les plaques de fer, Bill ouvre sa sacoche. Il commence par la coupelle de terre cuite, qu'il pose sur le sol. Il ouvre les lacets d'une blague à tabac brodée de perles et compte six feuilles, qu'il pose dans le récipient. « Mark, passe-moi ce morceau de carton, s'il te plaît. Si le tabac se mouille il ne prendra pas. »

Quand les plaques sont à la bonne dimension, Bill sort une paire de longues pinces de son sac. « On va fixer la première. Max et Julius, prenez ces planches et cachez-moi. Je ne crois pas qu'on puisse nous voir, mais la lueur de la flamme est visible de loin. Il ne faudrait pas qu'un garde sur la tour Sud alerte les autres. »

Pendant que Tom maintient en place le morceau de ferraille, dans l'angle des deux poutres en T, Bill allume le chalumeau, règle la couleur de la flamme sur un bleu intense, descend le masque sur ses yeux. En trois points de brasure, la plaque est fixée. Quelques minutes pour terminer la ligne de soudure, taper dessus à petits coups de marteau, laisser refroidir.

« Merde, comment on va faire pour le couvercle ? demande le frère de Jack. Si tu le soudes, la chaleur va tout cuire là-dedans. La *spudwrench* ne craint rien, mais la ceinture va cramer…

– T'inquiète, dit Wild Bill. J'y ai pensé. J'ai apporté de la pâte à souder à froid. Tu mélanges deux ingrédients, une pâte et un liquide, ça donne une matière qui en durcissant devient aussi solide qu'une soudure. Ça tiendra pour toujours. »

Julius et Mark tiennent les planches verticales. Un morceau de carton épais sert de toit, protégeant de la pluie et des regards. À genoux dans cette cabane, Tom et Max aident Bill à souder les deux autres parois de la boîte de fer, sans regarder la flamme pour protéger leurs yeux. « Max, passe-moi la bouteille d'eau, c'est terminé, je vais refroidir. »

Le couvercle est découpé à la dimension. Wild Bill éteint le chalumeau. La pluie s'est changée en bruine. Il approche son sac de cuir, prend à l'intérieur la ceinture wampum, ouvre l'emballage de papier, la déroule sur le sol, l'éclaire. « Qu'est-ce que vous en dites ?

– Splendide, dit Julius Parker. Le ciel et les étoiles, l'éclair, l'ours… Elle est forte, cette brodeuse.

– La meilleure des Six Nations !

– Jack Freedom, je ne trouve pas ça terrible, dit Tom. Pourquoi a-t-elle fait ça ? Notre nom, c'est LaLiberté. Ça vient d'un Français coureur des bois, au tout début de l'ère des Blancs. C'est quand même plus joli, non ? »

Il approche la flamme d'un briquet des feuilles de tabac, souffle dessus. Les volutes de fumée odorante montent, tournoient, s'envolent. Bill pose sur le sol de ciment brut le badge *World Trade Center – Jack LaLiberté – Accès central*. Puis il prend dans le sac un objet enroulé dans un chiffon. Il le déplie : c'est la clef à mâchoire de Jack, qu'il a prise à sa ceinture à outils, juste après sa mort, avant que les pompiers n'emportent le corps. Il l'avait glissée à côté de la sienne, sans savoir pourquoi. Peut-être pour garder quelque chose de son ami, peut-être pour pouvoir la donner à son fils.

Bill pose le badge sur la ceinture wampum, la roule, noue les deux liens de cuir. Il se penche en avant et la dépose dans un coin de la boîte de fer. Tom prend la *spudwrench*, allume la torche pour la regarder une dernière fois, passe le pouce sur ses entailles. Il l'embrasse, la passe à Max qui fait de même. Le jeune homme se met à genoux, pose la clef doucement, comme si elle était en verre, à côté de la ceinture.

Tom sort de sa poche une croix de métal brut de la taille de sa main, rouillée, grossièrement soudée. « Nous avions ça dans un tiroir, à Bay Ridge. Jack disait que c'était une relique, fabriquée avec des morceaux de fer du pont de Québec, que notre ancêtre qui a survécu au désastre en 1907 avait récupérés. Je n'y ai jamais trop cru, mais maintenant je voudrais bien que ce soit vrai. »

Il la pose à côté de la clef à mâchoire, se relève. Au tour de Mark et Julius de s'accroupir. Ils posent sur le contenu de la boîte des feuilles de tabac fraîches qu'ils sont allés cueillir dans le jardin d'un chaman onondaga, au fin fond du Queen's, sans dire à quoi elles étaient destinées.

« C'est bien, maintenant. Tout est prêt. On referme. »

Bill mélange les deux éléments de la pâte à souder, malaxe à la main. Tom effleure des doigts les feuilles de tabac, sort de sa poche un billet d'un dollar canadien, le plie en quatre, le glisse dans un coin de la boîte. Quand le mélange est prêt, Wild Bill en enduit les rebords. « Tu peux y aller, Tom. »

Le frère de Jack met en place le couvercle, appuie fort avec les pouces. Les autres le regardent faire, se relèvent. Wild Bill ferme les yeux et entonne en marquant le rythme contre sa cuisse les première paroles du chant de Thanksgiving – *Ohen : tonkarihwatehkwen* – par lequel commencent et se terminent les cérémonies mohawks. Côte à côte, en cercle autour de la boîte scellée, ils se donnent la main et murmurent les paroles, marmonnant l'air quand ils ne les connaissent pas. Puis Wild Bill entame un chant de deuil dont il ne sait que le début. Les autres fredonnent, esquissent des pas de danse. Ils piétinent sans bouger, lentement, comme ils ont appris à le faire, enfants, dans la longue maison.

« Pour toi, mon frère. Pour toujours. Ton corps est à Kahnawake aux côtés des tiens mais ton esprit est là, sur ta tour, au sommet de la ville, en haut du monde. Avec les aigles. »

La pluie a cessé. Sur l'océan, le vent se lève, siffle et pleure entre les câbles et les poutres de métal. Un coin de lune rousse apparaît, projette des ombres fantastiques sur les nuages. Ils replacent les traverses, recouvrent le coin de plancher. Julius est descendu d'un étage, revient avec un seau de gravats fins et de ciment, qu'il répand en pluie.

« Invisible… Demain je m'arrangerai pour être dans l'équipe qui montera les éléments de plancher, je dirai aux gars de commencer par ici. Avant dix heures, ce sera recouvert. Personne ne saura jamais…

– Je n'en ai parlé qu'à Julie, la brodeuse, et à son mari. Des Oneida, un ancien de chez nous. Ils ne diront rien, chuchote Bill.

– C'est bien.

– Il faudra raconter ce que nous venons de faire à John, son aîné. Dans deux ou trois ans, quand il sera assez grand. Ce sera à toi de le faire, Tom.

– Je sais. »

Ils essuient avec les pieds leurs traces sur le sol, salissent les planches, recouvrent le tout de morceaux de métal, de vieux cartons. Ils remettent le matériel dans la cantine, la portent à l'autre bout de la terrasse, près du monte-charge. « Glissez-la sous cette bâche. Demain je la descendrai jusqu'au premier sous-sol. On va y laisser ton pickup, Mark. On la chargera dedans, personne ne posera de questions. »

Ils descendent sans se presser, mains dans les poches, en silence, jusqu'au trentième étage. Deux vigiles, surpris dans leur ronde, braquent sur eux leurs torches, vérifient les badges. « On a fini, les gars, rangé des outils et du matériel sortis pour le *topping-out*. On rentre à la maison, il se fait tard. »

Ils se serrent dans la cabine du Dodge de Tom, la barrière se lève, ils sont dans la rue. Au premier carrefour, Tom se range sur un arrêt de bus. Sans un mot ils descendent. Ils lèvent la tête, aperçoivent le sommet de la tour Nord pris dans les nuages. Tom enlève un gant et pose sa main sur l'épaule de son neveu qui, de la manche de sa veste, écrase une larme.

13
Québec

août 1907

Dans le bureau de la direction, sur la berge du Saint-Laurent, près du chantier du pont de Québec, la réunion se passe mal. Après une journée d'inactivité, quelles consignes donner aux hommes ? Certains insistent pour s'en tenir aux directives laissées par l'ingénieur McClure à son départ pour New York, d'autres sont inquiets, craignant une immobilisation du chantier pour des jours, des semaines, peut-être pour tout l'été. Edward Hoare représente la Compagnie du pont et de la voie ferrée de Québec. Soumis aux pressions de la ville et des milieux d'affaires, il redoute ce contretemps, minimise les ennuis techniques et exige la reprise du travail.

« Si ça continue, les effets sur le moral des hommes pourraient être terribles, dit-il aux cadres rassemblés. Nous pourrions en perdre une bonne partie, ce ne sont pas les chantiers qui manquent, au Canada comme de l'autre côté de la frontière. Nous pourrions en perdre tellement qu'il serait impossible de reprendre. Cela signifierait un an de retard. Faut-il vous le rappeler ? Les fêtes du tricentenaire, c'est l'an prochain ! »

Un coup de téléphone de Phoenixville emporte la décision : la direction de l'usine a évalué la situation et estime qu'en dépit des problèmes les conditions sont réunies pour une reprise du travail. Un contremaître traîne des pieds, des chefs d'équipes grommellent, mais les ordres sont clairs. Le matin du 29 août, la sirène du chantier retentit. Les ouvriers, qui s'attardaient dans les auberges, convergent vers la berge. Certains sont déjà partis en bateau pour passer la journée dans la vieille ville de Québec.

« Venez, les gars. Il doit y avoir du nouveau, dit Manish Rochelle à son équipe. Ils ont sans doute décidé de nous faire démonter certains éléments pour rectifier le tir. »

Quand ils entendent : « Bon, les défauts et les problèmes que nous avons tous constatés sont réels mais mineurs, et dans les tolérances admises, on reprend donc le travail, et il faut rattraper le temps perdu », Manish et quelques autres restent immobiles, stupéfaits. Les hommes se regardent, font la moue, haussent les épaules, puis se dirigent à pas lents vers l'entrée du chantier.

« Attendez, attendez ! crie le jeune Mohawk à son équipe, aux autres charpentiers qui tournent la tête. Comment peuvent-ils nous dire que tout va bien ? Vous avez vu comme moi ! Il y a un problème de structure sur ce pont. Si on ajoute du poids, tout va se casser la gueule. On va tous y passer ! Faut pas y aller, il faut exiger une enquête, des experts qui ne travaillent pas pour Phoenix, des ingénieurs compétents ! »

La troupe s'arrête, hésite. Un murmure monte et enfle.

« Il a raison, faut pas y aller… – Mais non, ça ira, ça arrive sur tous les ponts, des trucs pareils… – C'est qui, ce gars ? – Ça fait des jours que je te le dis… – Tu trouves ça normal, toi ? qu'un connard d'Indien… – Bon, allez, on y va… – Moi, je trouve qu'il a raison, j'ai la trouille… – Tu as bien vu que les poutres se tordent, non ? »

D'un bond, Manish saute sur une caisse de rivets, met ses mains en porte-voix :

« Les gars, faut refuser de reprendre le boulot ! Ils se foutent de nous ! Ce pont est dangereux. Y'a un gros problème, il va s'effondrer si on continue ! »

Dans son dos, le contremaître qui l'avait menacé pousse du coude Neil Drummond et lui désigne Manish d'un signe de tête. L'Anglais et trois costauds l'attrapent par-derrière, le bâillonnent d'une main sur la bouche. Ils le jettent au sol, le frappent à coups de bottes. L'un d'eux sort une matraque. Dans les rangs des Mohawks, trois jeunes hommes avancent, poings levés. Bruce Mondor les retient en écartant les deux bras. « Laissez, les gars. Il l'a bien cherché avec sa grande gueule. C'est pas parce qu'il est de chez nous qu'il peut dire n'importe quoi. Venez, il faut le construire, ce pont… »

Manish tente de se relever, de se défendre, n'y parvient pas. À terre, il protège sa tête avec ses bras, se met en boule, les coups cessent : « Virez-moi ce connard d'Indien, je ne veux plus jamais le voir sur un chantier, c'est compris ? Quelqu'un a son nom ? Je veux son nom sur la liste ! »

Quatre bras le soulèvent, le traînent vers la sortie. « Dégage, mon gars. Tu as compris ? On ne veut plus de toi ici. Et je veillerai à ce qu'on ne te prenne plus sur aucun chantier entre ici et la Floride ! Pas d'agitateurs chez nous. Si j'étais toi, j'arrêterais de faire des histoires et je retournerais gentiment chez moi chasser le bison… »

Assis par terre, un œil à moitié fermé, les côtes douloureuses, Manish voit arriver vers lui six hommes. Aucun Mohawk parmi eux. « C'est toi qui a raison, l'Indien. Nous, on se tire. Il est foutu, leur pont. On rentre à Albany, dit le plus vieux, édenté, casquette noire en arrière, balafre sur la joue, en l'aidant à se relever. Ça va aller ? »

Les moteurs des grues toussent, la locomotive lâche un coup de sifflet et un jet de vapeur. Manish s'assied sur une souche d'arbre, respire profondément, tâte sa paupière endolorie. Il voit les premières poutrelles monter en l'air, entend les ordres, le crissement des câbles dans les poulies. À pas lents, il s'éloigne vers l'auberge. Pas un Mohawk ne l'a suivi, pas même Robert.

Au bout de la structure métallique qui, sur deux cent vingt mètres, s'avance vers l'autre rive sans rien pour la soutenir, on déplace la grue sur rails vers l'extrémité du pont. Un millier de tonnes supplémentaires en bout d'ouvrage. Dans l'après-midi, la locomotive et ses deux wagons s'approchent à leur tour pour livrer d'énormes pièces. Des centaines de tonnes.

Ça commence par une détonation.

Comme un coup de feu, un claquement sec. Un, deux, dix. Les rivets ! Un à un, arrachés par la première poutre géante qui ploie sous son poids, les rivets cèdent, cassent, sautent de leurs logements, crépitent comme une fusillade. Puis, lentement, comme au ralenti, les dix-neuf mille tonnes de la branche sud du pont de Québec s'affaissent. Elle s'effondre sur elle-même, verticalement, bien dans l'axe. Une seconde de silence, puis un grondement sourd et puissant comme un tremblement de terre emplit l'air et l'espace. On l'entend jusqu'au centre de Québec. Un nuage de poussière monte dans le ciel, précédant l'immense gerbe d'eau au moment où le monstre d'acier touche la surface du Saint-Laurent, cent mètres plus bas. En quelques secondes, la structure de ce qui devait être le plus majestueux pont d'Amérique du Nord se disloque comme un jouet d'enfant et s'abîme dans le fleuve.

La plus grande partie disparaît dans les flots, une autre s'échoue sur la rive, dans un entrelacs de poutres et de caissons métalliques déformés comme par la main d'un géant. Des éléments de structure larges de plusieurs mètres sont tordus comme des spaghettis. Des poutrelles ont été éjectées et gisent dans la vase à plusieurs mètres du reste. Les piles de pierre sont intactes, surmontées d'un inconcevable magma de métal. Lentement, dans un silence de glace, la poussière retombe.

À quatorze ans, John Montour est le plus jeune des Mohawks de Kahnawake sur le chantier. Apprenti, c'est la première fois qu'il quitte la réserve. Il a grandi en jouant à cache-cache dans les ramures du pont construit à sa naissance par ses aînés. Une demi-heure avant la fin de la journée, les autres l'ont envoyé, comme de coutume, au village faire des courses pour le dîner. Il part en courant le long de la voie ferrée, dévale le terre-plein sur les fesses en riant. Il se relève et va s'élancer sur la berge quand il entend la première détonation. Il pense à un coup de feu, se retourne, ouvre la bouche et voit, pétrifié, l'ouvrage qu'il vient de quitter s'écrouler sous ses yeux. Comme un automate, il fait quelques pas en arrière au ralenti quand le nuage l'enveloppe. Il reste immobile, bras ballants ; autour de lui retentissent les premiers cris.

C'est lui que, de loin, Manish Rochelle reconnaît le premier. Il était dans la cuisine de l'auberge Doucette, où l'une des sœurs de Martine passait sur son visage tuméfié un torchon mouillé quand il a entendu le roulement de tonnerre. Il comprend. Torse nu, il se rue vers le chantier, croisant dans sa course des femmes éperdues, hurlant de terreur, des hommes aux yeux éberlués. Il voit John, court vers lui, l'attrape par les épaules.

« John ! Les autres ! Où sont les autres ? Ils sont descendus avec toi ? Dis-moi qu'ils sont partis, que vous êtes tous partis !

– Le pont, Manish, le pont… J'ai vu le train, le train était au bout et a plongé, avec les wagons… »

L'adolescent tombe à genoux, se prend la tête dans les mains, la poitrine soulevée de sanglots. « Mon frère, mon cousin, mon oncle… »

Manish pose la main sur son épaule puis part en courant. Un silence à peine troublé par un sifflement de vapeur, quelque part dans les décombres, a succédé au grondement de la catastrophe. Les cadres et les employés administratifs du chantier sont devant leurs cabanes, immobiles, éberlués. Il faudra plusieurs minutes avant que certains se précipitent vers ce qu'il reste du pont. On installe des cordes et des échelles pour descendre le long de la falaise. Les premiers témoins s'improvisent sauveteurs, escaladent les débris, appellent, crient à la recherche de survivants.

Sur le fleuve, une dizaine d'embarcations de toutes tailles, à voile et à moteur, convergent vers le lieu du drame. Certaines ont été secouées par la vague géante. Une, puis deux, puis trois têtes émergent des flots entre les débris. Une poignée de chanceux, certains indemnes, d'autres blessés, qui étaient sur les poutrelles extérieures ou au sommet des grues mobiles ont été projetés dans le Saint-Laurent. Des barques sont mises à l'eau pour leur venir en aide, on en repêche quatre accrochés à des planches. L'un d'eux a une jambe et un bras cassés, un autre la tête en sang.

Manish dévale la falaise. Il court sur la berge le long de l'amas de métal. Il avance dans le lit du fleuve, s'enfonce dans la vase jusqu'au genou, fait demi-tour. Quelqu'un crie : « Là, là, il y en a un. Je l'entends, il appelle ! Venez vite, à l'aide, à l'aide ! » Une dizaine d'hommes se rassemblent. Des râles montent de la ferraille. Sous des tonnes d'acier et de fer, à peine visibles, deux hommes sont écrasés par des monceaux de métal. L'un est inanimé mais l'autre appelle. « Des barres, allez chercher des barres ! », crie Manish. Ils se mettent à quatre, à six, bientôt à vingt pour tenter de soulever un caisson métallique. Ils s'y mettent à trente, puis à quarante, avec des leviers ; une heure plus tard avec des poulies, des cordes, puis des chevaux de trait : le caisson ne bouge pas d'un millimètre. Le blessé a cessé de geindre. Les seuls engins lourd de levage, la petite et la grande grues mobiles, étaient sur le pont et gisent, tordues, méconnaissables, dans les décombres. Les structures amoncelées sont encore reliées entre elles par les pièces et les rivets qui n'ont pas cédé. Rien dans les équipements disponibles ne laisse espérer qu'on pourra les soulever pour atteindre les blessés. Il n'y a pas de grues, pas de chalumeaux. S'ils n'ont pas été projetés vers l'extérieur, les malheureux prisonniers du piège de fer et de boue sont condamnés.

Sur l'esplanade centrale, les administrateurs tentent de rassembler les survivants et d'établir des listes. À cette heure, une demi-heure avant la fin de la journée de travail, l'effectif sur l'ouvrage était au complet. La plupart des contremaîtres ont péri, dont le principal, B. A. Yenser, des ingénieurs, les métreurs envoyés de Québec, un représentant de la mairie.

Renonçant à soulever des morceaux monumentaux que rien ne peut faire bouger, Manish fait le tour des postes de secours à la recherche de Mohawks. « Vous avez vu des Indiens ? Vous savez si les bateaux ont repêché des Indiens ? Les gars de Kahnawake, vous les avez vus ? »

Les secours s'organisent, des pompiers arrivent de Québec, sur l'autre rive. Mais, pas plus que les ouvriers, ils n'ont les moyens de soulever ces colosses de métal.

Le soir descend sur la vallée. Dans une heure il fera nuit. On apporte des torches, des lampes à huile, on allume des bûchers sur la falaise. Peu à peu, l'obscurité enveloppe les lieux du drame. Toujours torse nu, insensible au froid qui descend, Manish remonte sur la rive. Il se dirige vers les bureaux de la compagnie, croise un des administrateurs. « Vous avez les noms des blessés ? Des survivants ?

– C'est trop tôt, mon ami. Ce qu'on sait pour l'instant c'est qu'ils étaient entre soixante-dix et cent sur le pont. On en saura plus demain. C'est terrible, affreux, incompréhensible… »

Manish ouvre la bouche pour prendre l'homme à partie, lui rappeler qu'ils étaient plusieurs à mettre en garde, à prévoir le désastre ; pour lui reprocher de n'avoir pas pris au sérieux la parole de ceux qui étaient les mieux placés pour constater que le pont s'était lentement déformé avant de céder, mais il renonce. C'est un simple comptable, que pourrait-il répondre ? C'est trop tard. Ils sont morts. Ils sont tous morts. Trente-huit Mohawks sur le chantier. La moitié de la force de travail de Kahnawake. John Montour et lui sont, pour l'instant, les seuls survivants.

Il retourne sur ses pas à la recherche de l'adolescent. Il le trouve, comme il s'y attendait, prostré sur un banc, devant l'entrée de l'auberge Doucette. « Ils m'ont fait partir deux minutes avant, juste deux minutes, pleure John, qui a retrouvé son visage et ses yeux d'enfant. Pourquoi moi ? Pourquoi je n'étais pas avec eux ? C'est toi qui avais raison, Manish, tu avais raison. On aurait dû tous partir avec toi, ils ne t'ont pas écouté et maintenant ils sont tous morts.

– Attends, petit. Ce n'est pas sûr. Certains ne sont peut-être que blessés, on va sans doute les retrouver. Dans le fleuve, il y a tellement de bateaux, ils vont peut-être en repêcher… »

Marc Doucette sort sur le perron. « Manish, que peut-on faire ? Il y a des survivants ? De quoi avez-vous besoin ?

– Il faut des lampes, surtout des lampes, des torches, de la lumière. Il y a des gars coincés là-dessous. Peut-être pas beaucoup, mais on les entend. Je ne sais pas comment on peut les sortir mais, si on ne peut pas les voir, ils sont foutus. Monsieur Doucette, pouvez-vous me dire où se trouve la ligne de téléphone à Saint-Romuald ? Il faut que j'appelle Kahnawake…

– Il y a un poste dans le magasin sur la place, là-derrière. Dis que tu viens de ma part, ils comprendront que c'est urgent. Je vais voir ce que je peux faire pour les lampes, demander à tout le monde. »

Manish monte dans sa chambre, met une chemise. Alors qu'il redescend par l'escalier extérieur, Martine l'aperçoit. Elle court vers lui, le prend dans ses bras. « Manish, oh Manish, c'est atroce. Dire que tu aurais pu être sur ce maudit pont. Et les autres, tu as des nouvelles des autres ?

– Rien, à part le petit John que tu as vu. Il avait quitté le chantier plus tôt pour aller faire des courses. Je n'ai trouvé personne. Il y a peut-être des blessés. Je vais retourner chercher. Mais avant, il faut que je prévienne chez nous. Je ne sais pas quoi leur dire, ils vont demander qui a survécu et je n'ai que le nom de John à leur donner. Les D'ailleboust. Tu te rends compte, il y avait les quatre frères D'ailleboust. Quatre ! Ce sont des voisins dans la réserve. »

De l'autre côté de la cour, Marc Doucette observe la scène, fait un pas dans leur direction. Depuis la porte de l'auberge, sa femme le regarde et, de la tête, lui fait signe de les laisser seuls. Manish embrasse Martine, qui se pend à son cou, ne le lâche plus. « Je dois y aller, il faut que j'appelle. »

Sur la berge, on plante des perches pour y suspendre des lampes à huile, des lanternes, on allume des feux. Des processions de flambeaux convergent sur la falaise. Des centaines de femmes et d'enfants, à la recherche d'un père ou d'un mari, se pressent devant le pont de Garneau, juste avant le site, où ils sont arrêtés par la police. Des fermes et des ports alentour arrivent des attelages de bœufs et de chevaux de trait, des poulies, des cordages de marine. Mais les charges à soulever sont trop lourdes. Par endroits, des poutrelles parviennent à être déplacées, mais c'est du cœur du magma de métal tordu que proviennent, de plus en plus faibles, les cris des blessés. Des menuisiers déchargent plusieurs charrettes de planches qu'ils posent sur la vase, sur la berge du fleuve, pour tenter d'approcher des endroits d'où montent les plaintes.

« Oh mon Dieu, la marée ! crie un homme. Elle monte. Les gars qui sont là-dessous vont se noyer ! Vite, vite. Allez chercher du monde, il faut soulever ça. »

Mais la poutre qu'il désigne pèse plusieurs dizaines de tonnes. Rien ne la fera bouger.

À la hauteur de Québec, avec la marée, les eaux du Saint-Laurent montent de quatre mètres. En milieu de soirée, les parties découvertes des décombres commencent à être submergées. Un blessé, les jambes prises, hurle. Son cri disparaît dans un horrible gargouillis. Personne n'a pu l'approcher.

« Le prêtre ! Qu'on aille au moins chercher le curé pour ces malheureux ! » Le père McGuire, de la paroisse voisine de Sillery, est là depuis la première heure, auprès des blessés, installés, sous la responsabilité de médecins arrivés de Québec, sous un auvent de la compagnie. Des sauveteurs, membres de la Croix-Rouge canadienne, l'accompagnent, en escaladant les amas de métal, au-dessus de blessés qui râlent depuis des heures. Ils sont prisonniers, ensevelis dans la boue et la vase. Dans moins d'une heure ils seront noyés. « Attachez-moi, passez-moi une corde sous les épaules, ordonne le prêtre ; vous allez me descendre le plus près possible. »

En quelques minutes, il est harnaché et, retenu par deux hommes, descend par l'extérieur des décombres jusqu'au ras des flots. Un des blessés vient de mourir. Dans l'eau jusqu'à mi-soutane, il parvient à tendre la main à l'autre qui la saisit. « Par cette onction sainte, que le Seigneur en sa grande bonté vous réconforte par la grâce de l'Esprit Saint. » Le blessé n'a pas la force de répondre Amen. Peu à peu, la main lâche prise. On remonte le prêtre, en pleurs.

Dans la boutique de Saint-Romuald, restée ouverte comme tous les commerces et les maisons du village submergés par l'afflux des secours venus de Québec et des environs, une file s'est formée devant le téléphone. Après une heure d'attente, c'est au tour de Manish. Il tourne la manivelle et demande à l'opératrice d'appeler Kahnawake, dans la banlieue de Montréal. Il épèle le nom. « Un numéro ? Non, je n'ai pas de numéro. Il n'y a qu'un seul téléphone dans le village, mademoiselle. Peut-être le numéro un. »

Il raccroche, le poste sonne une minute plus tard. La seule ligne de la réserve a été installée, quelques mois plus tôt, dans le petit bureau de poste, sous le porche de la maison commune. À la cinquième sonnerie le préposé décroche. « Oui, qui parle ?

– Écoutez-moi, écoutez-moi bien. Je suis Manish Rochelle, de la famille Rochelle. Je travaille sur le pont de Québec, oui, à Québec. J'ai besoin de parler à John Farber. C'est très urgent et très important, il y a eu un accident. Oui, grave. Très grave. Allez-y, j'attends. Faites vite. »

En quelques minutes le chef du Conseil est en ligne.

« John, c'est Manish, Manish Rochelle à Québec. John, il y a eu une catastrophe, un désastre. Le pont, John, le pont s'est effondré… Oui, entièrement, d'un coup, dans le fleuve. Je ne sais pas, tous les hommes étaient dessus… Pour l'instant je n'ai retrouvé que le petit Montour, John Montour… Je ne sais pas, il y a peut-être des blessés, nous les cherchons. John, je fais tout ce que je peux, je rappelle dès que je peux. Pourquoi je suis là ? C'est compliqué, John, je t'expliquerai. »

Dans la réserve, la nouvelle se répand comme un feu de brousse. En quelques minutes, des dizaines de personnes se massent devant la maison commune. Elles vont y rester toute la nuit, en larmes, attendant les noms des survivants, des nouvelles qui ne viennent pas.

Sur le site les autorités, craignant que des accidents dans l'obscurité n'alourdissent le bilan, placent un cordon de police et interdisent l'accès. Sans lumière, sans moyens de levage, il n'y a aucun espoir.

Quand le jour se lève, le bilan est terrible : sur les quatre-vingt-six hommes qui étaient sur le pont, seuls onze ont survécu. Parmi les tués, dix-sept sont américains, cinquante-huit canadiens, dont trente-trois des trente-huit Mohawks de Kahnawake. Dans la réserve, ce qui va bientôt être connu sous le simple terme de « désastre » laisse vingt-quatre veuves et cinquante-six orphelins.

Les espoirs de secourir des blessés s'évanouissent. Récupérer les corps est difficile, la plupart ont plongé avec le pont dans les profondeurs du Saint-Laurent. Peu avant midi, deux hommes en bras de chemise qui tournent autour de la carcasse dans une barque voient flotter une chaussure. Ils approchent, devinent deux pieds en chaussettes entre deux eaux. Il faudra une heure et les efforts de jeunes nageurs pour libérer le corps. À midi, seuls dix-huit cadavres ont été retrouvés.

Dans les jours qui suivent, le fleuve rendra peu à peu les dépouilles que des pêcheurs ou des volontaires, attirés par les primes offertes par les familles et publiées dans les journaux, recherchent en bateau. Le 7 septembre, trois cadavres sont retrouvés flottant près de l'île d'Orléans, vingt kilomètres en aval. Mais plus de la moitié des corps ne seront pas récupérés, engloutis à jamais dans leurs tombes de vase et d'acier.

Le lendemain à la mi-journée, Marc Doucette et plusieurs clients de l'auberge sont penchés sur l'édition spéciale du *Soleil*. À la une, le journal de Québec annonce la création d'une commission spéciale, composée de trois ingénieurs canadiens renommés, chargée d'enquêter sur les causes de la catastrophe.

« Je me souviens que plusieurs gars m'ont dit que ce pont était mal foutu, qu'il bougeait sous le poids, qu'il risquait de se casser la gueule, soupire l'aubergiste. Et c'est maintenant qu'ils pensent à demander des comptes et à comprendre pourquoi il s'est effondré ? Et le génie qui l'a dessiné, il est où ? Il est mort avec j'espère…

– Tu parles, il est peinard dans son fauteuil de cuir à New York ! répond un *ironworker* qui a eu la chance d'être envoyé au dépôt charger des poutres une heure avant l'effondrement. Tu te rends compte que ce gars, un maître des ponts à ce qu'ils nous disaient sans cesse, n'est pas venu une seule fois visiter le chantier ? Pas une fois il n'a vu de ses yeux le pont qu'il a dessiné. S'il était venu, en dix minutes il aurait compris. Il s'est planté, cet abruti, voilà tout. Il s'est gouré dans ses calculs et quatre-vingts braves gars sont morts. J'espère qu'il dort en prison.

– Prison ? Tu rêves l'ami, lance Manish qui entre dans la pièce. Ce genre de grand patron ne va jamais en prison. Il va trouver tout un tas de raisons techniques pour expliquer que ce n'est pas sa faute, que l'acier était de mauvaise qualité, ou tordu dans le transport, comme ils ont déjà essayé de nous le faire gober. Au final, sa réputation sera un peu ternie, puis tout reprendra comme avant. Il paraît qu'il est malade. Espérons qu'il mourra de honte. »

Theodore Cooper sera emporté par une pneumonie douze ans plus tard, retiré des affaires, discrédité, mais jamais accusé. Ni lui ni personne ne sera véritablement inquiété. Phoenix Co versera un millier de dollars aux familles de chaque victime, un peu plus quand le mort avait beaucoup d'enfants, et continuera de construire des ponts aux quatre coins de l'Amérique du Nord.

Le 30 août, huit corps d'ouvriers mohawks ont été retrouvés. Manish Rochelle et John Montour attendent à la gare de Québec une délégation de Kahnawake menée par John Farber et les Mères de clans.

« Vous avez eu de la chance, remerciez le Ciel », leur dit le chef du Conseil en les serrant dans ses bras. Ils commencent par rendre visite aux blessés. Trois autres Mohawks ont survécu. L'un d'eux n'était pas sur le pont, un autre a été projeté dans le fleuve puis repêché. Sur son lit d'hôpital, Alexander Beauvais, un des meilleurs riveteurs du groupe, raconte le miracle qui l'a sauvé.

« J'étais en train de placer un rivet quand tout s'est effondré autour de moi, murmure-t-il à travers le pansement de son nez cassé. Sa jambe est brisée, plâtrée et maintenue en l'air. J'ai tout lâché, je me suis accroché à la poutrelle la plus proche. Mais elle ne s'est pas écrasée au sol. Je me suis retrouvé suspendu, à un mètre du sol pas plus. Quand tout s'est arrêté, je suis sorti de là-dessous en rampant. »

Une Mère de clan demande au médecin si son fils pourra repartir avec elle pour Kahnawake le lendemain. Il refuse : trop tôt.

En attendant d'aller à la morgue reconnaître les corps et organiser leur mise en cercueils pour le voyage du lendemain, le groupe s'arrête dans une taverne. John Montour raconte qu'à deux minutes près, s'il n'avait pas été envoyé par ses aînés faire des courses, il aurait été avec eux sur le pont. Il décrit l'effondrement, qu'il est un des rares à avoir vu de si près. « Et toi, Manish, pourquoi n'étais-tu pas avec les autres ? »

Les yeux dans son verre, Manish explique que, depuis des jours, ils étaient plusieurs à avoir des doutes sur la solidité de l'ouvrage, qu'il avait remarqué des signes montrant que le pont avait commencé à s'affaisser, que, la veille, le chantier avait été arrêté et qu'il n'était pas d'accord avec la décision de reprendre le travail.

« Et les nôtres, ils en pensaient quoi ? demande Farber.

– Certains partageaient mes doutes, d'autres n'y croyaient pas. J'ai tenté de les persuader, de les convaincre qu'il fallait quitter le chantier. Mais des contremaîtres m'ont fait prendre, ils m'ont battu, expulsé de force. Personne ne m'a suivi.

– Tu veux dire que tu avais deviné que le pont allait s'effondrer ?

– Deviné, non. Je ne suis pas ingénieur. Mais je le craignais.

– Pourquoi les autres ne t'ont-ils pas cru ?

– Je ne sais pas. Certains n'avaient pas confiance en moi. Trouvaient peut-être que j'en rajoutais.

– Qui ?

– Ils sont morts, maintenant, ça n'a plus d'importance…

– Je ne sais pas… Nous verrons, dit le chef du Conseil. Je ne suis pas sûr que ça n'ait pas d'importance. Tu t'es sauvé et ils sont morts. Nous devrons comprendre pourquoi… Mais ce n'est pas le moment, nous devons aller chercher nos fils, organiser le transport et les enterrements. Pourquoi n'a-t-on que huit corps ? Où sont les autres ? »

Manish relève la tête, voit les regards portés sur lui, baisse les yeux.

Ils repartent le lendemain, les dépouilles dans des boîtes en bois de caisse, marquées d'une croix à la peinture noire, rangées dans le wagon de queue.

Trois jours plus tard, huit cercueils de bois brut sont alignés devant l'autel de la petite église de pierre, sur la berge du Saint-Laurent, à Kahnawake. Toute la réserve est là. La chorale entonne des cantiques en mohawk. L'archevêque de Montréal, monseigneur Louis Joseph Napoléon Bruchesi, s'est déplacé pour officier, au sein de cette communauté catholique réputée pour sa piété. « Je suis parmi vous pour prier et partager votre peine », dit-il en français, traduit par un prêtre en mohawk.

Entouré de ses parents et de ses frères cadets, Manish Rochelle est resté sur le parvis. Si certains viennent le voir, lui serrent la main, lui tapent sur l'épaule, il remarque que d'autres, y compris des amis d'enfance, l'évitent, lui jettent des regards noirs. Passant près de lui, le père d'une famille d'*ironworkers* dont plusieurs membres sont portés disparus crache par terre.

Portés à dos d'hommes, les cercueils sortent de l'église. En procession derrière un enfant de chœur portant un crucifix, la population de Kahnawake suit les dépouilles jusqu'au cimetière où une large fosse commune a été creusée. Au moment où, avec de grosses cordes, les cercueils sont descendus l'un après l'autre dans la tombe, les deux solistes du chœur de la réserve entonnent un chant traditionnel, hommage aux guerriers morts au combat. Quand le silence se fait, personne ne bouge pendant plusieurs minutes avant qu'un garçon d'une dizaine d'années s'approche, saisisse une poignée de terre et la jette sur le cercueil de son père.

Au fil des semaines, le Saint-Laurent rendra d'autres corps, mais seulement quatre Mohawks, qui seront mis en terre près de leurs frères. Les autres ne seront jamais retrouvés.

Le soir des funérailles, Manish Rochelle évite la maison commune où un dîner rassemble les familles.

« Je vais repartir demain pour Québec, il faut chercher les autres, dit-il à son père Angus, qui a prévenu l'armateur du Great Eastern de lui chercher pendant deux jours un remplaçant pour barrer le vapeur sur le fleuve.

– Fils, Farber est venu me voir après la cérémonie. Tu dois rester ici quelques jours. Une réunion du Conseil est prévue. Ils veulent t'entendre, tu dois y assister.

– Je comprends. Il t'a dit quand elle aurait lieu ?

– Demain ou après-demain. »

Pendant deux jours, le jeune homme reste assis sous le porche, sur les marches de la maison familiale. Le premier matin, des amis d'enfance, un charpentier avec lequel il a fait équipe sur le pont de Soo passent le voir, écoutent son récit. Puis les visites s'espacent. Et cessent. Certains voisins font un détour pour ne pas passer devant la maison des Rochelle. Au crépuscule du deuxième jour, une jeune fille travaillant pour le Conseil vient dire à Manish qu'il est attendu dans la longue maison.

John Farber au centre, les Mères de clans autour de lui, des veuves, le chef de guerre, les membres du Conseil, Pierre D'ailleboust qui, en plus de quatre fils, a perdu trois parents, d'autres chefs de familles décimées. Ils sont assis en demi-cercle sur les gradins, le chef du Conseil et la Mère du clan de l'Ours sont au milieu, derrière une table.

« Manish, approche. Veux-tu bien pour notre Conseil et pour les familles dire ce que tu as vu, ce que tu nous as rapporté quand nous sommes venus à Québec le lendemain du désastre ? »

Pesant ses mots, Manish remonte aux premières alertes, aux premiers doutes sur la solidité du pont, plusieurs semaines avant le drame. « Je ne suis pas plus expert en pont qu'un autre, ici. Québec n'était que notre troisième expérience et nous avons encore beaucoup à apprendre, mais j'ai parlé avec des contremaîtres, des chefs qui ont construit des ponts partout, certains en Europe. Ils étaient inquiets. Les explications qui nous étaient données ne tenaient pas. Le pont ne s'est pas effondré d'un coup. Il s'est tordu, déformé pendant des jours ; il y avait des signes.

– As-tu partagé ton inquiétude avec les tiens ?

– Bien sûr, sans arrêt. Ils voyaient comme moi. Nous passions parfois une journée à connecter des éléments qui auraient dû s'emboîter en quelques minutes. Il fallait tordre, couper, percer, tricher avec les rivets. Tout le monde savait. Les derniers jours, on ne parlait que de ça.

– Que s'est-il passé le matin du désastre ? Pourquoi es-tu le seul à être parti ? Pourquoi les as-tu laissés ?

Manish se lève d'un bond. « Jamais ! Jamais je ne les ai laissés ! J'ai été expulsé, battu, roué de coups pour me faire taire. Je tentais de persuader tout le monde, les nôtres mais aussi les autres, qu'il était dangereux de rester sur ce pont, qu'il fallait refuser de continuer. Mais les contremaîtres ont cru que j'appelais à la grève, ils m'ont fait tabasser, bâillonner et chasser !

– Ils t'ont battu et les nôtres ne sont pas intervenus ? Une trentaine de solides Mohawks regardent l'un d'eux se faire frapper injustement par des Blancs sans bouger ? Difficile à croire », dit un chef de famille en se levant à moitié sur les gradins.

Manish ne veut pas évoquer Bruce Mondor, qu'il a vu d'un geste arrêter les autres. De leur différend. C'était son aîné, le chef du groupe. Il a péri avec son frère, laisse quatre orphelins, sa femme est assise là.

– Ils ne m'ont pas suivi. J'ai fait tout ce que j'ai pu, mais ils ne m'ont pas suivi. Si je n'avais pas été chassé de force je ne serais pas là aujourd'hui. Je serais avec eux au fond du Saint-Laurent. »

Pendant une heure les questions se succèdent. Elles sont différentes mais en fait identiques : pourquoi as-tu survécu quand les autres sont morts ?

Le silence se fait. Les membres du Conseil se regardent, la plus âgée des Mères de clans baisse les paupières.

« Merci, Manish. Tu peux te retirer, dit John Farber. Mais ne t'éloigne pas. Le Conseil va délibérer. Je demande à ceux qui ne sont pas membres du Conseil de nous laisser, eux aussi. »

Sous le porche, Manish retrouve son père qui l'attendait à l'écart. Les familles passent devant eux, sans un mot. Dans les yeux d'une veuve, une voisine, une jeune femme qu'il connaît depuis l'enfance, à qui il a appris à nager dans le fleuve en été, avec laquelle il a dansé main dans la main dans la longue maison, Manish lit de la haine.

Deux heures après la porte s'ouvre :

« Tu peux rentrer.

– Manish Rochelle, tes explications ont en partie convaincu le Conseil. Mais en partie seulement. Tu avais deviné que ce pont allait s'effondrer et tu t'es sauvé. Tu t'es sauvé seul. Tu savais que la catastrophe allait arriver et tu n'as pas averti tes frères. Nous n'avons pas recueilli de témoignage confirmant que tu as été battu et chassé. Certains membres du Conseil et certaines familles pensent que ça n'a pas eu lieu. Certains t'accusent de l'avoir inventé pour te disculper. Pour n'avoir pas tenté de sauver tes frères, qui sont morts dans le plus grand désastre que nous ayons connu depuis les guerres contre les Algonquins, le Conseil te bannit de Kahnawake pour une période de cinq ans. Tu peux rester au Canada et tu peux demander asile à une autre tribu iroquoise, mais tu ne peux plus approcher d'ici. Cette faute ne s'effacera pas. Notre décision est sans appel. Tu n'as pas la parole. »

Livide, les mains jointes dans le dos pour cacher leur tremblement, Manish ouvre la bouche pour protester mais aucun son ne sort. Il fait demi-tour, ravale ses larmes, quitte la pièce. Sur le perron, Angus le prend par les épaules et l'entraîne vers la maison.

« Le Conseil informe également la population de Kahnawake que les Mères de clans, sur proposition des veuves du désastre, ont pris une décision. Décision qu'elles annonceront demain à midi. Merci de prévenir chacun de se rassembler à cette heure devant la longue maison. »

Avant l'aube, Manish embrasse sa mère, attrape son sac et, accompagné de son père, marche en silence dans les rues désertes vers l'embarcadère où ils montent dans une barque. Chacun à une rame, ils traversent le fleuve vers le port de Montréal.

Ils débarquent sur le quai de pierre. Angus arrime l'embarcation, se retourne, prend le jeune homme dans ses bras. « Tu es mon fils. Je crois chaque mot que tu as prononcé. Je sais que tu as tout fait pour les prévenir. Ils ne t'ont pas suivi. Ton honneur est sauf. Courage. Va à Québec, travaille à retrouver les corps des nôtres. Laisse-moi faire, je vais leur parler, tenter d'adoucir leur décision.

– Merci, père. Mais ce bannissement de cinq ans est une illusion. Jamais je ne pourrai revenir. Jamais je ne pourrai croiser le regard d'une mère qui me croira responsable de la mort de son fils, d'une femme qui pensera que j'ai trahi son mari. Rien de ce que je pourrai faire ou de ce que tu pourras dire ne les fera changer d'avis. Je pars pour Québec. Quand les recherches seront terminées, je te ferai savoir où j'irai. Adieu. »

Dans le jour qui se lève, il part à pied pour la gare. Angus détache la barque, s'installe au centre, empoigne les rames, attend d'être au milieu du fleuve pour éclater en sanglots.

À midi, tous les habitants de la réserve, à l'exception des jeunes enfants, sont massés devant la maison commune. Après trois phrases d'introduction de John Farber, la Mère du clan du Loup, la plus vieille des Mères, entourée d'une dizaine de femmes de tous âges, demande le silence et annonce d'une voix ferme : « Le désastre qui vient de se produire a décimé notre communauté. Les meilleurs de nos hommes. Une cinquantaine d'enfants sont orphelins, une vingtaine de mères de famille veuves. Il n'est pas question de demander que les hommes de Kahnawake renoncent à ce métier qu'ils ont découvert il y a quinze ans sur notre rivage, dont ils sont fiers et qui leur fournit des revenus à nuls autres pareils. Mais nous, Mères de clans et femmes de Kahnawake, exigeons que désormais nos hommes ne travaillent plus jamais ensemble sur le même chantier. Il ne devra pas y avoir plus d'une équipe de Kanienkehaka sur un pont. Les autres iront ailleurs, sur d'autres chantiers, ce n'est pas ce qui manque. Ici ou en Amérique. Si le drame frappe à nouveau, et étant donné le danger auquel ils font face il frappera encore, qu'il n'y ait plus jamais de tombes collectives dans notre cimetière et des dizaines de veuves et d'orphelins dans notre communauté. Cette décision s'applique à partir d'aujourd'hui. »

14

New York City

25 septembre 2001

La sirène, trois coups. Encore ! Putain, c'est pas possible ! On vient à peine de s'y remettre. Je viens de fixer à l'adhésif le micro du talkie dans le masque et n'ai pas eu le temps de régler la température de la flamme qu'il faut tout laisser en plan et détaler comme des lièvres. La troisième fois depuis ce matin. À force de multiplier les fausses alertes, les gars ne vont plus bouger, vont se planquer dans un coin et attendre le contre-ordre. Et c'est là qu'il y aura de la casse…

Andy achève de sectionner sa pièce d'acier, gerbe d'étincelles et métal en fusion, comme s'il n'avait pas entendu. Je donne un coup de pied dans sa botte, il se retourne, coupe l'alimentation de la lance thermique, écarte les lunettes de soudeur, lève les yeux au ciel. Il a encore descendu son masque à gaz autour du cou. Je lui montre le mien.

« Oui, je sais. Mais pas moyen de respirer, j'étouffe dans cette saloperie. Je te jure, Cat, j'essaie mais je n'y arrive pas. »

Nous sommes affectés à la portion sud de Ground Zero. Un entrelacs de métal tordu et de grosses plaques dont je me demande d'où elles proviennent bloque, selon les ingénieurs, l'accès à une cage d'escalier où des survivants pourraient avoir trouvé refuge. Survivants, tu parles ! Deux semaines que plus personne n'y croit. On fait semblant, certains racontent des histoires miraculeuses de tremblements de terre, à Mexico ou ailleurs. Des ruissellements d'eau de pluie qu'ils pourraient boire, des stocks de nourriture des magasins souterrains qu'ils pourraient avoir découverts. Parfois, tout s'arrête parce qu'un d'entre nous croit avoir entendu des coups frappés sur le métal. Des fables. Nul ne sortira plus vivant de cet enfer.

Chaque fois qu'il parle à la télé ou à la radio – au moins deux fois par jour – le maire, Rudy Giuliani, prépare les familles, la ville et le pays à accepter l'évidence. Une vingtaine de rescapés, les deux premiers jours et, depuis, plus rien. Même si personne ne l'a encore officiellement dit, notre mission, désormais, pour permettre aux familles de sortir de l'incertitude, de commencer le deuil, est de trouver des corps si possible, ou des morceaux de cadavres identifiables par l'ADN. Les disparus se comptent par centaines, peut-être par milliers. Aux abords de la zone interdite, à Union Square, dans le sud de Manhattan, les murs, les grilles disparaissent sous les avis de recherche. Les « Avez-vous vu Manuel Rodriguez ? » ; les « Recherchons Julie Thomson », accompagnés de photos prises pendant les fêtes, yeux rouges et bougies d'anniversaire, mal cadrées, mal imprimées sur des ordinateurs de bureaux. Dernière localisation connue : 86e étage, tour Nord ; Cuisines de Windows on the World : 102e étage, tour Sud. Avec la pluie, les feuilles gondolent, l'encre pâlit, les visages se déforment et s'estompent. Les bouquets se fanent, les poils des ours en peluche se collent par paquets, les rubans se décolorent.

Cet après-midi, Andy et moi sommes affectés à une nouvelle équipe, des pompiers de Philadelphie, des policiers du Queens. Nous découpons des poutres, reculons pour laisser le Caterpillar et sa pince géante les attraper.

« Tu as vu, dit Andy en enlevant son masque, le conducteur est une femme. C'est la première fois que j'en vois une sur ce genre d'engins. Il ne doit pas y en avoir beaucoup. »

Aux commandes, cinq mètres au-dessus de nous, j'aperçois sous le casque les cheveux bruns d'une femme d'une quarantaine d'années. Dans sa cabine climatisée, elle ne porte pas de masque mais des écouteurs et un micro.

Soudain, un policier hurle : « Stop ! Stop ! Arrêtez tout. Je crois que je vois quelque chose. » Il se jette à genoux, creuse avec une binette, rejoint par deux autres. Dans la radio, que nous recevons tous sur le même canal, la voix d'un chef demande : « C'est un drapeau ou un sac ? Drapeau ou sac ?

– *Puta Madre !* s'exclame une voix de femme dans le talkie-walkie. Mais vous avez bientôt fini avec vos conneries de drapeau ! C'est inadmissible ! Tous les pauvres gens là-dedans doivent être traités de la même façon. Y'en a marre, ça ne va pas se passer comme ça ! »

Un fracas dans notre dos : la pince du *grappler* vient de lâcher les morceaux de poutre ; ils tombent de plusieurs mètres, soulevant un nuage de poussière. La porte du Caterpillar s'ouvre, la conductrice en descend, radio à la main.

« Qui est le chef des secours ici, le grand chef ? », demande-t-elle avec un accent italien en se précipitant sur le premier pompier à sa portée. Elle est aussi grande que lui, presque aussi large d'épaules. Elle avance vers lui, vise son nez de son index.

« Je ne bouge plus rien tant qu'on n'a pas réglé ça. Je vais alerter les autres conducteurs d'engins. Je vous jure que tout s'arrête si vous n'arrêtez pas avec vos conneries de drapeau ! *Porca miseria !* »

Elle est à trois mètres de moi. Je baisse mon masque, m'approche. « Que voulez-vous dire par drapeau, madame ?

Elle se tourne vers moi, ses yeux lancent des éclairs.

– Oui, vous, les *ironworkers*, ne me dites pas que vous n'avez pas remarqué. Depuis le début, s'il s'agit du corps d'un pompier ou d'un flic, ou de qui que ce soit qui porte un uniforme, c'est le grand branle-bas. Ils arrivent à vingt, recouvrent le brancard d'un drapeau, forment une garde d'honneur, casque bas, main sur le cœur, tout s'arrête. C'est tout juste s'ils ne jouent pas l'hymne. Mais si c'est le morceau d'un corps de civil, on évacue ça dans un sac plastique, comme à la poubelle ! Trois minutes, et ça repart. Je veux parler à l'enfoiré qui a demandé dans la radio si c'était un sac ou un drapeau. Les civils ont droit au même respect que tout le monde ici. Tous ces gens sont morts en héros, uniformes ou pas ! »

– Putain, elle a raison ! s'exclame Andy, qui s'est déjà pris le bec à plusieurs reprises avec des flics sur le sujet. Y'en a marre de leurs garde-à-vous. Maintenant, ce sera tout le monde ou personne. »

Alerté par radio, un capitaine des pompiers arrive au pas de course. Les uniformes le prennent à part, ils conversent à voix basse. La conductrice du Caterpillar tourne sur elle-même. Elle a rangé sa radio et compose des numéros les uns après les autres avec son téléphone, fait de grands gestes avec l'autre main.

Puis l'officier s'approche d'elle.

« Madame, dit-il, c'est moi qui ai posé cette question maladroite. Je m'en excuse. Je pense que vous avez tout à fait raison. J'en parle demain matin à la première réunion ; nous allons proposer qu'à partir de maintenant tous les brancards qui quittent Ground Zero soient recouverts de la bannière étoilée, et qu'une haie d'honneur soit formée. Je suis sûr que ce sera accepté.

– Bien. Nous verrons demain, après votre réunion. Mais je vous préviens que si ce n'est pas fait, vous vous démerderez sans nous. Je vous jure que j'arrête tout sur ce chantier. Et sans les bulls, vous pourrez toujours recommencer à faire joujou avec vos pelles et vos râteaux. *Madre de Dio !* »

Elle tourne les talons, remonte vers la sortie. Andy me fait signe de le suivre. Nous la retrouvons près des grilles.

« C'est bien ce que vous avez fait, dit Andy. Vous voulez venir boire une bière avec nous ?

– Avec plaisir. Ils me rendent folle, ces uniformes. »

Nous remontons jusqu'à Canal Street pour trouver un bar ouvert. Là, Carolina Topan – qui en chemin a rameuté d'autres conducteurs d'engins – nous dit qu'elle est italienne, de la région de Venise. Elle a été envoyée il y a dix ans par l'entreprise de travaux publics pour laquelle elle travaillait comme comptable dans le New Jersey pour finaliser l'achat de six bulldozers.

« Les choses traînaient, ils m'ont mise aux commandes d'un *grappler*. Au début, c'était presque pour rire. Mais ça m'a plu. J'ai même adoré. Et comme j'ai rencontré celui qui est devenu mon mari, technicien chez Caterpillar, je ne suis jamais rentrée en Italie. »

Elle flotte dans une salopette d'homme, des boucles de cheveux noirs tombent sur ses épaules ; protégés par les gants, ses ongles sont vernis, brillants. De son visage ovale émane une douceur que le feu de ses yeux noirs ne réussit pas à atténuer. Elle avale une gorgée de bière.

« J'ai bossé sur des chantiers sur toute la côte Est, et au Costa-Rica, aussi. Ici, je suis arrivée le 13. Dès le premier jour, ils m'ont insupportée avec leur différence de traitement. J'espère bien qu'ils tiendront parole. En tout cas, je vais en parler au type de mon syndicat, il doit passer demain. S'ils recommencent, on se met tous en grève. Bon, il faut que j'y aille. Merci pour la bière, messieurs. »

Début octobre, nous avons quitté l'hôtel, encadrés dans le hall par une haie d'honneur de serveurs et de grooms. Retour dans l'appartement, à Bay Ridge. Andy et moi avons signé pour un temps indéfini à Ground Zero, certains disent qu'il faudra au moins un an pour venir à bout de la pile. Quel que soit le temps que ça prendra, je n'imagine pas retourner sur un chantier ordinaire tant qu'il faudra ici découper l'acier. Plusieurs gars l'ont fait, écœurés par la vision des morceaux de chair humaine, épuisés par les horaires ou effrayés par les rumeurs sur la toxicité de ce que l'on respire. Maintenant qu'il n'y a plus d'espoir de trouver des rescapés, il a été question, il y a quelques jours, d'interrompre les travaux de nuit, mais les sauveteurs, les pompiers surtout, et les familles ont protesté. Vingt-quatre heures sur vingt-quatre jusqu'au dernier jour, a promis le maire.

Dans le quartier, nous sommes une vingtaine à nous retrouver, tous les matins à l'aube, sur les quais du métro en direction de Manhattan. Les jours, les semaines passent.

New York panse ses plaies, s'habitue à sa blessure ouverte et toujours fumante à cause des feux souterrains qui couvent dans les tréfonds et que les pompiers peinent à atteindre. Au sud de Canal Street, des pâtés de maisons désertés renaissent, les habitants reviennent, les commerces rouvrent.

Andy et moi restons affectés au secteur Sud, dont nous connaissons les tunnels, les cavités, les dangers, les odeurs. Il n'est plus question de survivants. Le nombre de disparus reste insupportable mais diminue régulièrement, au fur et à mesure que les listes initiales, truffées d'erreurs, de doublons et d'approximations, sont épurées. Trouver un corps entier, quand ce n'est pas un pompier protégé par son équipement, tient du miracle. Le plus souvent, ce sont des morceaux, des os, des cheveux. Un pied dans sa chaussure. Un tronc sans membres. Un fragment de crâne. Pendant une pause, assis sur une caisse à outils, gobelet de café à la main, je regarde marcher un pompier dans les décombres. Il remarque quelque chose par terre, s'arrête, ramasse un fragment brun de quelques centimètres, le regarde, le porte à son nez. Le jette par-dessus son épaule.

Les analyses d'ADN sont lancées. Elles vont prendre des mois. Peu de victimes sont pour l'instant identifiées, à part les pompiers et les policiers grâce aux noms sur leurs tenues. Le long de l'Hudson, les dizaines de camions frigorifiques garés près de la morgue ont disparu. Il en reste trois ou quatre.

Un matin, je découpe une poutrelle devant une équipe de sauveteurs quand l'effondrement d'une cloison de plâtre, sur ma droite, exhume une main humaine. Recouverte de poussière, paume en l'air, doigts figés. Large et forte, une main d'homme. Hé, les gars, ici ! J'éteins le chalumeau, recule en détournant le regard. Assez d'horreurs comme ça. Dix-huit heures à ma montre. Le temps qu'ils creusent, dégagent le corps ou ce qu'il en reste, la journée est finie. Pas plus mal. Je suis épuisé, une douleur lancinante me cisaille le bas du dos, je peux à peine fermer les poings, j'ai les yeux pleins de sable, la gorge en feu. Je vais rester quelques minutes quand même, le cadavre est peut-être entier. Deux pompiers se jettent à genoux, creusent autour de la main avec des griffes et des grattoirs de jardinage, lentement pour ne pas provoquer d'éboulement. À la radio, le chef d'équipe demande un brancard.

« Aaahh ! Nom de Dieu ! » Un des sauveteurs fait un bond en arrière et lâche la main tranchée qui, détachée du corps, tombe entre ses jambes avec un bruit étrange. Il recule, baisse son masque à poussière, ôte ses gants. Dans un hoquet, il se prend la tête dans les mains, éclate en sanglots. Un pompier approche, ramasse la chose. « Mais, qu'est-ce que… C'est quoi ce truc, bordel ? Capitaine, capitaine, venez voir ça ! » Il tend le morceau de corps, étrangement lourd, à l'officier. «Putain, c'est du métal... Du bronze ou quelque chose comme ça.»

On lui tend un chiffon, il essuie la pièce. «Mais oui, comme une sculpture, un morceau de statue. Il y a un truc gravé en creux, là. Passez-moi une lampe, la mienne est morte... A. Rodin... Il y a écrit A. Rodin, et une date, je crois, je n'arrive pas à lire.»

À côté de moi, un policier en tenue de travail, salopette de chantier et veste d'uniforme, soupire: «Il ne nous manquait que ça... Des morceaux de corps en bronze. Il y a de quoi devenir dingue. Ça fait une semaine que je n'arrive plus à fermer l'œil. Et quand je m'endors, avec les cauchemars, c'est pire. Je crois que je vais demander à arrêter. J'en peux plus...»

La pièce est posée dans un bac en plastique, le capitaine demande des instructions par radio. Vingt minutes plus tard, une jeune femme blonde, beau visage ovale, bleu de travail ajusté, casquette Metropolitan Museum et bottes de cuir lacées, est escortée jusqu'à nous. «C'est bien une sculpture, dit-elle. J'espérais qu'on la trouverait. Le musée m'a détachée ici pour ça. C'est une étude de main du célèbre sculpteur français Auguste Rodin. Il y en d'autres. C'était la collection Cantor-Fitzgerald. Des centaines de pièces, des dessins, il y en avait pour des millions. D'après ce que je sais, il devrait même y avoir quelque part là-dessous un exemplaire de son chef-d'œuvre, *Le Penseur*. Un homme assis tenant son menton dans sa main. Si jamais vous voyez quelque chose qui y ressemble... C'est une grosse statue, vous ne pourrez pas vous tromper. Merci, messieurs, je la prends en charge à partir de maintenant.

– Excusez mademoiselle, c'est quoi Cantor-Fitzgerald ?

– Une maison de courtage, genre banque d'investissement. Ils occupaient cinq étages au sommet de la tour Nord. Aucune compagnie n'a perdu autant d'employés.

On ne connaît pas encore le chiffre exact, mais ce sont des centaines de personnes, pas loin d'un millier, peut-être, qui ont péri. Un des patrons était passionné de Rodin, il avait la plus grande collection privée au monde. Elle décorait les bureaux, leur hall d'entrée était digne d'une salle du musée du Louvre de Paris. Vous n'avez sans doute pas fini d'en trouver, messieurs. Quand ce sont des mains ou des pieds, je me doute que ça ne doit pas être facile. Bon courage. »

Elle sourit et repart, portant la caisse blanche, escortée par deux policiers.

Dans ce capharnaüm, une main de métal, intacte après être tombée des derniers étages… Si elle a résisté sans une égratignure, la clef à mâchoire de mon père est là, quelque part. Peut-être tordue, mais elle est là. Rien, pas même un tel cataclysme, ne peut détruire une *spudwrench* Klein Tools en acier trempé. J'ai raconté l'histoire, la cérémonie secrète, les chants sacrés, la cachette de Wild Bill et ses copains à Andy et à quelques autres. Certains avaient les larmes aux yeux. Il n'y a pas une famille de charpentiers du fer sans un père, un oncle ou un cousin qui a travaillé à la construction des tours jumelles. Le mot est passé, ils vont se mettre à sa recherche.

En deux jours, tous les monteurs d'acier de Ground Zero, Mohawks ou pas, sont au courant. L'un d'eux, un gros gars du New Jersey que je n'avais jamais vu, vient me montrer sa clef, accrochée à son holster de cuir. « C'est bien toi, Cat ? Tu vois, j'ai la mienne avec moi. Je ne m'en sers pas beaucoup, si ce n'est comme d'une petite pioche. Mais j'ai besoin de l'avoir à la ceinture. Les premiers jours, je ne l'avais pas prise, elle me manquait. Elle était à mon grand-père, venu de Terre-Neuve. On m'a dit pour celle de ton père. J'ai averti tous ceux que je connais. On va passer ce sacré tas de gravats au tamis s'il le faut, mais on la trouvera. Elle ne finira pas à la décharge. Tiens bon, mon gars ! »

Depuis notre retour de Kahnawake, même si je n'ai pas la moindre idée d'où ni comment la retrouver, je ne peux m'empêcher de la chercher. J'ai passé mon étui de cuir à tête d'ours à ma ceinture. Je le porte vide. J'ai rangé ma clef à mâchoire à la maison, dans la caisse à outils. Quand je trouverai celle de Jack, je la glisserai dedans. Et tout ira bien. Elle sera à sa place, après trente ans cachée dans les ramures de la tour Nord. J'ai déjà creusé trois fois dans la poussière à la vue d'un morceau de métal rond et effilé qui aurait pu être l'extrémité du manche. Un sauveteur qui connaissait l'histoire m'a apporté une clef à molette qu'il venait de déterrer. Intacte. La ceinture wampum, les plumes d'aigle, aucune chance, tout a dû brûler. Mais la *spudwrench* a résisté. Elle m'attend. Ce que je sais, c'est qu'elle était au sommet de la tour Nord, à l'intérieur de sa boîte soudée. Dans le secteur Sud, il y a *a priori* moins de chances. Mais la représentante du musée vient de dire que la sculpture était aussi dans les derniers étages de la tour Nord. Dans le double effondrement, tout a dû se mélanger, elle peut être n'importe où. Il me faut une idée, trouver une façon de m'y prendre. Là, je suis comme un aveugle cherchant à tâtons une pièce de monnaie dans la jungle.

Je regarde les files de camions chargés jusqu'à la gueule quitter le périmètre. Elle peut être au fond de n'importe lequel. Avalée par le godet d'une grue, invisible dans les gravats, les morceaux de métal, les vestiges de mobilier. Les bennes sont vidées dans les barges géantes amarrées sur un quai voisin. J'y suis allé voir, un soir. Des dizaines de camions attendent pour déverser leur cargaison. Ils reculent un à un directement dans un immense godet, posé à plat sur le quai, qu'ensuite une grue géante soulève et transvase. Vingt, trente bennes pour remplir une barge, peut-être davantage. La cargaison est arrosée en permanence puis bâchée au moment du départ. Un des gardes vient vérifier la validité de mon badge. Non, je ne suis ni un curieux, ni un journaliste. Je demande : « D'ici, tout part à Staten Island, c'est ça ?

– Ouais. Fresh Kills, l'ancienne décharge de New York. Elle avait été fermée il n'y a pas longtemps, ils l'ont rouverte et déposent le World Trade Center dessus. Tu te rends compte, quand même ? Une décharge… Tu parles si les familles gueulent ! Je suis sûr qu'il y a des morceaux de cadavres, là-dedans. Tu sentirais l'odeur, parfois. Si c'était moi, je n'apprécierais pas qu'on balance les restes de ma femme ou de mon frère dans une poubelle géante… Mais bon, il fallait bien trouver un endroit où mettre tout ça ?

– Mais ils ne jettent pas tout en vrac, non ? J'ai entendu dire qu'ils triaient à la main…

– Il paraît, mais j'en sais rien. Tiens, si tu veux des détails, va voir le gars avec la veste rouge. Il bosse à Fresh Kills et il accompagne souvent les barges à travers le port. Il te dira ce qu'il s'y passe. »

Méfiant au début, le contremaître m'explique qu'en arrivant sur Staten Island tout est chargé dans des camions qui, en quelques virages, montent sur la montagne d'ordures compactées, colline artificielle formée par des décennies de déchets new-yorkais.

« Là, tout est déposé par terre, les gros morceaux sont séparés des autres, puis ça passe sur des tapis roulants. Des dizaines de gars en combinaison examinent tout. Ils attrapent au passage ce qui peut avoir un intérêt : papiers, morceaux de vêtements, flingues, photos, clefs…

– Vous croyez que je pourrais aller voir ?

– Ça, je n'en sais rien. Ça m'étonnerait, les conditions d'accès sont strictes, il y a des flics partout. Pourquoi tu veux y aller ? C'est pas vraiment marrant comme spectacle.

– Je cherche quelque chose. Quelque chose que mon père a laissé dans les tours, un souvenir de lui pendant qu'il les construisait. Je voudrais le retrouver.

– Dans ce cas… Mais si ton truc est plus petit qu'une valise, tu peux l'oublier, *ironworker*. Tout a été passé à la moulinette, là-dedans. J'ai vu des voitures aplaties comme des crêpes, des camions réduits en bouillie. Si tu bosses dans la pile, tu sais ça aussi bien que moi. Cela dit, je peux te donner le numéro d'un flic chargé de la sécurité, là-bas. Tu peux toujours l'appeler…

– Oui, merci, je veux bien. »

La barge est pleine, les jets d'eau s'arrêtent, la bâche est tendue. Le pilote lance un coup de trompe, l'hélice brasse en gros remous les eaux grasses de l'Hudson, l'embarcation s'écarte du quai, fait une boucle et met cap au sud. La suivante approche pour prendre sa place.

Je dois retrouver Mary dans une demi-heure, le temps de passer me changer. Des vestiaires ont été installés, interdiction depuis quelques jours de sortir du périmètre avec les chaussures et les vêtements de travail. On parle de plus en plus de contamination par les poussières, les fumées et les saloperies dans lesquelles nous baignons nuit et jour. Des analyses précises sont officiellement en cours. Mais ils analysent quoi, où ? Ça doit dépendre des endroits, des moments. Parfois, quand un des feux souterrains trouve de l'oxygène et repart, les nuages sont si épais que nous sommes plongés dans l'obscurité, incapables de trouver une voie pour ficher le camp. L'autre jour, j'ai été douché par la lance d'incendie que les pompiers ont mise en batterie dès qu'ils ont vu le nuage. J'ai terminé à quatre pattes, à tâtons dans la gadoue, gueulant comme un putois. J'ai exigé un meilleur masque, et des cartouches neuves toutes les six heures. J'ai étanchéifié le trou de passage du micro avec de la pâte silicone, mais je respire quand même par moments ce mélange de poussière, de fumée et de gaz. Je fais la guerre à Andy pour qu'il porte le sien, mais en vain. Il fait semblant de le mettre en commençant, le matin, ou quand je ne suis pas loin, mais il l'enlève à la première occasion.

Il tousse depuis des jours. Ils sont nombreux à tousser comme ça, une toux profonde et sèche. Mary a parlé aux médecins : ils disent que ça peut être grave, qu'on ne sait pas vraiment mais que, par endroits, ce sont certainement des poisons violents, en fonction des mélanges. Elle a entendu parler d'infections pulmonaires, de maladies, de risques de cancers. Dès qu'elle me voit, elle se précipite sur mon masque ; elle a rempli son sac de cartouches de rechange qu'elle me fourre dans les poches ; elle m'a fait jurer de le porter en permanence. Je le fais, même si par moments c'est impossible.

Je l'attends devant chez Saluggi, un restaurant au coin de Church et Canal Street. Il était du mauvais côté de la rue, dans la zone interdite, mais il vient de recevoir l'autorisation de rouvrir. Peu à peu, le quartier renaît, les habitants reviennent, même si des rues sont encore désertes. Il n'est pas encore question de rouvrir les écoles, ce n'est que quand elles reprendront que les familles envisageront de rentrer chez elles.

Mary sort de la bouche de métro, la voilà. Pantalon corsaire blanc et chemisier jaune, ruban dans les cheveux, elle semble danser sur le trottoir. Elle me voit, sourit, lève la main, presse le pas. J'adore son sourire. Elle a repris depuis trois semaines son travail à la maison d'édition, mais continue, les week-ends, à tenir la permanence de la Croix-Rouge. Nous nous retrouvons le soir quand je ne suis pas dans l'équipe de nuit. À East Flatbush, son quartier, elle m'a présenté à sa sœur, qui tient une boulangerie au nom français. Je me souviens du regard qu'elle m'a lancé quand je suis entré en vêtements de travail dans la boutique où Mary m'attendait. Pantalon Carhartt, bottes de cuir et chemise à carreaux, propres et repassés, l'uniforme des cols bleus. Et comment ce regard a changé quand Mary lui a dit que j'étais depuis le premier jour volontaire à Ground Zero. Elle lui a expliqué le rôle des charpentiers du fer, avec leurs chalumeaux, l'organisation des équipes de recherche, la fatigue et l'abattement qu'elle lit dans les yeux des hommes assis sur les fauteuils pliants de la Croix-Rouge, mains tremblantes et bouches fermées.

Mary est venue une fois à Bay Ridge. Je lui ai présenté Andy, qu'elle avait croisé à Ground Zero. Il lui a souri de toutes ses dents, lui a longuement serré la main, puis s'est retourné pour me faire un clin d'œil. Nous avons bu deux bières sur la table de la cuisine, commandé des tacos au Mexicain du coin de la rue. Quand elle a vu la disposition des pièces dans l'appartement, la chambre d'Andy mitoyenne de la mienne, avec des portes et des cloisons de carton, elle a souri et n'a pas voulu rester. « Nous avons un peu passé l'âge, non ? »

Nous sommes rentrés à pied jusqu'à son deux-pièces sur Foster Avenue, une demi-heure de marche par une douce soirée d'été indien. Pendant la nuit, les voisins ont sans doute entendu nos rires et nos soupirs, mais elle les connaît à peine et s'en moque.

La salle est presque vide chez Saluggi, une table pour la famille du chef ; le four de briques n'a pas été rallumé. Le patron embrasserait presque ceux qui poussent la porte. Avant même que l'on passe commande, il pose deux verres de chianti sur la table. Il remarque les badges. « À votre santé. Vous, vous travaillez en bas. La maison offre une bouteille, choisissez ce que vous voulez sur la carte. Et les cafés, aussi. »

Nous ne nous sommes pas vus depuis quarante-huit heures ; elle sera samedi et dimanche de retour sous la tente blanche. « Au boulot, les choses redeviennent comme avant. Le train-train d'une maison d'édition, les ragots dans le couloir, les blagues vaseuses des représentants de passage, les complots entre chefs. C'est sans doute normal. Mais, moi qui suis entre les deux mondes, grâce à toi et à la Croix-Rouge, j'ai parfois envie de les attraper par le col et de les secouer. Vous savez ce qui se passe, là-bas ? Vous croyez que c'est fini ? Vous avez idée de que font ces gars ? De ce qu'ils endurent ?

– Comment veux-tu ? Ils ne peuvent pas... Il faudrait qu'ils puissent voir, et ils ne peuvent pas. C'est normal que les gens du haut de la ville recommencent à vivre comme avant. C'est bien, même, tu ne crois pas ? »

Elle étend ses mains sur la table, attrape les deux miennes, me regarde fixement avec un triste sourire et une lueur d'inquiétude dans le regard.

« Quoi ? Encore les fumées ? Je te promets que je n'enlève pas mon masque, même pour parler. Je passe mon temps à changer les cartouches.

– Ce n'est pas ça... Enfin, oui, mais il y a autre chose. J'ai déjeuné hier avec une amie médecin, tu ne la connais pas encore. Son frère est ingénieur à Ground Zero. Vous a-t-on parlé du gaz fréon ?

– Le gaz des climatiseurs... Oui, un peu. On sait qu'il risque d'y en avoir et que ça peut être dangereux...

– Dangereux, tu veux rire ? Ce truc-là est mortel. Voilà ce que son frère lui a dit : il y a quelque part là-dessous, au centre des ruines, dans un endroit pour l'instant inaccessible qu'ils appellent la dernière frontière, le climatiseur principal. Un truc énorme, un des plus gros jamais construits. Il occupe presque la totalité d'un sous-sol et, là-dedans, des tonnes de gaz fréon, utilisé pour refroidir l'air comme dans les vieux frigos. Je ne sais plus combien, son frère le lui a dit mais elle a oublié.

– Mais je te dis qu'on est au courant ; ils nous en ont parlé le lendemain, ou juste après...

– Et ils vous ont dit ce qu'il fait, le fréon, quand il s'échappe de son réservoir ?

– Pas vraiment. Je suppose que ça ne doit pas être bien bon à respirer...

– C'est un gaz lourd, qui remplace l'oxygène partout où il se trouve. Ça veut dire que, si tu entres dans une pièce ou une cavité pleine de fréon, c'est la suffocation en quelques secondes. C'est pour ça qu'il a été interdit dans les frigos, maintenant.

– Mais nos masques ?

– Ce n'est pas une question de masques. Plus d'oxygène, plus d'air, plus rien à respirer, avec ou sans masque. Si tu ne peux pas fuir vite et loin, tu tombes asphyxié. Attends, il y a pire : en contact avec une flamme, et ce n'est pas ce qui manque monsieur Chalumeau, il brûle et se transforme en un gaz proche des gaz de combat de la Première Guerre mondiale. Pas mal, non ?

– Merde, tu es sûre ?

– Pas plus que ça, je te répète ce que le frère de ma copine lui a dit. Mais avoue qu'il y a de quoi flipper. Je n'en reviens pas que vous n'ayez pas été davantage briefés. Il faut que tu demandes des explications. Tu sais à qui t'adresser ?

– Je vais en parler au chef d'équipe, mais je suis prêt à parier qu'il dira que c'est OK, que les ingénieurs ont prévu le coup, et qu'il ne faut pas trop s'en faire. C'est la réponse à toutes nos questions. »

Je suis épuisé et je commence tôt le lendemain : nous prenons ensemble le métro pour Brooklyn. Je la raccompagne jusqu'à l'entrée de son immeuble, mais ne monte pas. « Bonne nuit, Mary. Ce soir, il faut que je dorme.

– Bonne nuit. Appelle-moi quand tu finis, on pourra peut-être se retrouver au parc, si tu veux. Je crois qu'il va faire beau. Et, s'il te plaît, renseigne-toi pour le fréon. Je poserai la question aux chefs de la Croix-Rouge samedi. »

Le matin, j'interpelle un contremaître à la sortie du vestiaire. « Le gaz fréon ? J'en sais rien, répond-il. C'est vrai qu'on en parlait les premiers jours, mais depuis, plus rien. Je vais demander. Mais tu sais, l'Indien, si tu as peur de ce que tu respires tu devrais t'interroger sur ta présence ici. À mon avis, le fréon n'est pas la pire des saloperies que nous respirons. »

Le lendemain, je le croise sur l'esplanade. «Ah oui, au fait, j'ai posé la question pour le fréon. Ça va aller. Il y a des gars comme toi qui craignent le monstre tapi dans les entrailles de la pile, attendant la grosse fuite qui va nous dévorer. Eh bien ce n'est pas vrai. Le danger était réel, mais plus maintenant. La semaine dernière, une équipe est descendue dans les sous-sols au niveau du climatiseur, avec bouteilles d'oxygène et tout l'équipement. C'est la première fois qu'ils allaient aussi profond, dans le dernier secteur inexploré. Eh bien tout a été écrasé, aplati. Ils ont fait des photos du réservoir de fréon: il a explosé sous le choc. Il est éventré, vide. Il y avait bien des tonnes de gaz là-dedans, mais tout s'est envolé dans le gros nuage qu'on a tous vu, quand les tours se sont effondrées. Le fréon a filé avec le reste, dans le ciel. Plus rien à craindre, mon gars. En tout cas de ce côté, d'après ce qu'ils disent. Mais ce n'est pas une raison pour ne pas porter les masques, il reste largement de quoi s'empoisonner si tu veux mon avis…»

Ça me fait penser que je n'ai pas changé les cartouches depuis ce matin. J'en ai deux dans la poche de ma veste. Assis sur le fauteuil d'un poste de repos, je dévisse les filtres de chaque côté du masque, place les nouveaux. Sur ma droite, deux maîtres-chiens remplissent d'eau les écuelles de leurs bergers allemands. Ces bêtes spécialisées dans les recherches de personnes sont arrivées très vite, le 12 ou le 13, je crois. Chaque jour, nous recevons l'ordre d'évacuer pendant quelques minutes pour leur laisser la place, ne pas mélanger les odeurs. Ils furètent dans les décombres, montent et descendent, reniflent et explorent, suivis de près par leurs dresseurs qui les encouragent de la voix. À côté de moi, une des bêtes – son maître l'appelle Billy – porte entre les deux oreilles, accroché à un petit harnais, un appareillage et une petite antenne.

«Excusez-moi, qu'est-ce qu'il a sur la tête, votre chien?

– Ça ? Une caméra infrarouge. Il est dressé à se faufiler dans les trous et les passages trop étroits pour un humain. Il y a un émetteur et une antenne : je vois en direct sur un moniteur ce qu'il voit. Il a été entraîné pour les tremblements de terre, les glissements de terrain, alors, ici, c'est idéal. Enfin… Ce serait idéal s'il trouvait quelque chose de vivant. Dix jours que nous sommes là, et il n'est tombé que sur des cadavres ou des morceaux de corps. Pas un seul rescapé. Il n'aime pas. Ça commence à lui peser. Par moments, il s'arrête et se couche par terre en gémissant. »

Billy mordille les bottes de son maître, joue avec sa main. À ses côtés, un autre dresseur caresse la tête de son animal, un berger tout jeune, bicolore jaune et noir. « Le mien allait si mal, hier, qu'il refusait même de manger. Je suis passé voir le véto de notre unité. Vous savez quoi ? Il m'a dit que ce n'est pas le premier. Les chiens dépriment. À force de ne tomber que sur des morts, ils perdent leur motivation. Pour eux, trouver des humains ensevelis est comme un jeu. Mais à n'importe quel jeu, quand vous perdez sans cesse, vous perdez l'envie de continuer. D'ailleurs… Vous auriez une demi-heure ? Nous avons besoin de quelqu'un dont ils ne connaissent pas l'odeur.

– Oui, j'allais déjeuner, mais je peux vous donner un coup de main si vous voulez.

– OK, merci. Gary, tu es prêt ? On va aller dans l'immeuble d'hier. »

Je suis les deux policiers, brigade canine de la police de Philadelphie, vers l'extérieur du périmètre. Les chiens sont en laisse, les pattes protégées par des bottines de cuir rouge pour éviter les coupures. Nous passons devant l'ancienne banque transformée en grand magasin discount, Century 21. Les murs de pierre de taille grise ont résisté, mais toutes les fenêtres et les baies ont explosé. Ça doit être rempli de poussière, là-dedans. L'immeuble suivant a été un peu endommagé, le hall est jonché de morceaux de verre. Deux policiers en gardent l'entrée.

« Salut les gars, dit le maître-chien. Selon l'écusson brodé sur sa poitrine, il s'appelle Gary Freidrish. Nous venons entraîner les chiens, vous savez.

– Ah oui, pas de problème. Mais pas plus haut que le troisième étage, c'est tout. »

Les marches d'escaliers, les murs, le plafond, tout à l'intérieur est recouvert de trois centimètres de poussière grise, fine et légère comme du talc. Nos pas soulèvent de petits nuages. Les chiens qui lèvent la truffe pour ne pas étouffer laissent des traces comme dans la neige. Au premier niveau, Gary pousse la double porte en verre d'une société, une compagnie d'assurance d'après le nom sur la plaque.

« Bon, Tom reste deux minutes sur le palier avec les chiens. Toi… Au fait, c'est quoi ton prénom ?

– John, mais appelle-moi Cat. C'est mon surnom, et pour jouer avec des chiens c'est mieux, non ?

– Tu l'as dit. Alors, le Chat, viens avec moi. »

Nous passons de pièce en pièce, bureaux abandonnés à la hâte, sacoches ou sacs à mains sur les sièges, vêtements sur les porte-manteaux, tasses de café encore pleines, documents sur les imprimantes, jusqu'à une grande salle de réunion. La table en U a bizarrement été nettoyée, l'acajou brille comme si elle était neuve dans un décor où tout le reste est gris. La baie vitrée qui, je ne sais comment, a résisté donne directement sur la pile. Nous sommes au niveau de la cabine d'une grue géante. Le conducteur nous lance un regard étonné, Gary le rassure en avançant pour montrer son uniforme, pouce en l'air.

« Bon, s'il te plaît, Cat, va te cacher dans le placard du milieu. Referme bien et reste aussi silencieux que possible.

– Ça marche. »

Je me glisse dans la penderie, entre les cintres vides.

« Attend deux minutes, il faut que je fasse un peu de place, ça va faire du bruit.

– OK, dis-moi quand tu es prêt. »

Je pose deux cartons l'un sur l'autre pour me faire un siège, écarte les cintres pour ne pas les toucher de la tête, ferme doucement la porte.

« C'est bon. »

Rien pendant cinq minutes, sinon le ronronnement de la grue, de l'autre côté de la vitre, les moteurs des camions, la respiration de Ground Zero. Puis j'entends approcher des chuchotements : « Allez, Billy, vas-y mon chien, cherche-le. Il est où, Billy ? Cherche, cherche, mon beau Billy, allez trouve-le… »

La poussière assourdit tout, je n'entends pas les pas du chien, mais les reniflements qui approchent. Je cesse de respirer. Billy se met soudain à japper, vite rejoint par l'autre berger, nommé Atlas. La porte de mon placard s'ouvre. Les deux animaux sont assis sur leurs pattes arrière, aboient joyeusement, regardent les dresseurs. « C'est bien, les chiens. Ça, ce sont de bons chiens ! Bravo, Billy, bravo, Atlas ! »

Gary sort une friandise de sa poche, qu'il lui glisse dans la gueule, le maître d'Atlas fait de même.

« C'est bon, le Chat, tu peux sortir, ils ne vont pas te mordre. Tu vois, on en est réduits à ce genre de stratagème pour maintenir leur motivation. Là, ils sont contents, dans les prochaines heures, ils vont chercher partout en remuant la queue. Mais comme ils ne trouveront que des cadavres ou des morceaux de corps, il faudra recommencer. Je me demande combien de temps ils vont nous faire faire ça. Il n'y a plus rien de vivant, là-dessous, tout le monde le sait. Et chercher des macchabés, ce n'est pas notre boulot. »

L'autre maître-chien remet la laisse d'Atlas, lui caresse la tête.

« Ils sont très bons, ce sont des professionnels, ils ont fait leurs preuves. Mais c'est dur pour tous de ne trouver personne. C'est terrible pour les hommes, surtout. Les gars sont déprimés de ne jamais rien trouver. Les animaux le sentent et ça déteint sur eux. »

Je sors de ma cachette. En descendant, nous croisons dans l'escalier trois équipes canines, des dogues et un tout petit chien, qui vont faire la même chose un étage plus haut.

« Merci, Cat. On dira au chef que les bêtes ont attrapé un chat, ce matin. Bon courage pour la suite. Prends garde à toi.

– Salut, les gars. Je vais appeler ma fille, dans la réserve, et lui raconter que j'ai joué à cache-cache avec des bergers allemands. Elle a une trouille bleue de ces bêtes, elle s'est fait mordre enfant. Chez nous, ce sont les chiens des douaniers qui patrouillent sur le Saint-Laurent. Ils ne sont pas vraiment populaires. »

Ils retournent vers l'entrée du périmètre. Je vais de l'autre côté. Ma journée est terminée.

Début d'après-midi : je vais passer chez Nino appeler Andy pour voir s'il veut m'y retrouver pour déjeuner. Au fil des jours, le restaurant qui sert gratuitement tout ce qui porte un badge WTC a été baptisé « la cantine de l'Amérique ». Des vedettes de Hollywood, chanteurs, politiciens, viennent s'y faire photographier en train de servir des lasagnes aux sauveteurs. Le patron a une liste d'attente de plusieurs semaines pour les volontaires, qui affluent de tout le pays. Vers midi, la queue s'allonge sur le trottoir mais, à cette heure-là, ça va. Une jeune fille me tend en souriant une assiette d'aubergines farcies, son voisin un verre de vin rouge, une part de gâteau au chocolat. Mon plateau dans les mains, coup d'œil dans la première salle, puis dans la deuxième : personne de connu. Une table vide près de la fenêtre, je m'installe. Andy ne répond pas, il a dû couper son portable. Je commence à manger quand j'entends des applaudissements dans mon dos. De la petite pièce du fond, noire de monde, me parviennent des mots tellement entendus, rabâchés au cours des dernières semaines que je ne les supporte plus : « Héros, sauveur, ange gardien ! » Encore une remise de décoration à un flic ou à un pompier. Quand tout le monde est un héros, plus personne ne l'est. Les gars qui sont montés dans ces escaliers, dans les fumées, leurs kilos de matériel sur le dos, la peur au ventre, sachant qu'il n'y avait pas d'eau et qu'ils ne pourraient rien faire d'autre qu'aider à l'évacuation des civils, voilà des héros. Nous, nous ne faisons que notre boulot.

J'entends aussi « ascenseur », « raclette à vitres ». Je plonge le nez dans mon assiette quand un homme aux cheveux blancs, la cinquantaine, traits tirés, costume sombre, approche de ma table. « Vous permettez ? J'ai terriblement mal au dos, il faut que je m'asseye.

– Bien sûr, je suis seul. Vous savez ce qui se passe, à côté ?

– Ah oui ! Pour savoir, je sais. C'est une cérémonie en l'honneur de Jan Demczur. Vous savez, le laveur de vitres de la tour Nord ?

– Laveur de vitres ? Non, pardon, je ne sais pas. Je bosse à Ground Zero tous les jours depuis le 11. Quand je n'y suis pas, je dors. Je ne lis pas les journaux, ne regarde pas la télé. Que s'est-il passé ?

– Ce gars, Jan, est un immigrant polonais. Avec sa raclette à carreaux, il a sauvé six vies, dont la mienne. C'est le fabriquant de matériel, une boîte de Californie, qui organise ça. Ils lui remettent une petite raclette en or.

– Une raclette ? Comment ?

– Nous étions six, le 11 au matin, dans un ascenseur Express, direction le soixante-douzième étage. Cinq gars en costumes, comme moi, en route pour le bureau, et Jan Demczur, en bleu de travail avec son balai, seau et raclette à vitres. Chacun perdu dans ses pensées, à fixer la cloison pour éviter de croiser un regard. Nous étions presque arrivés quand il y a eu un choc. La cabine a tangué et s'est immobilisée. On a cru à un problème mécanique. Jamais de la vie nous aurions pu penser qu'un avion venait de s'encastrer dans la tour au-dessus de nous. On attend une ou deux minutes, mon voisin appuie sur l'interphone. Une voix nous dit, sans s'affoler : problème au quatre-vingt-onzième étage. Puis plus rien.

– Vous n'avez pas entendu d'explosion ? Le choc ?

– Rien. Ça ressemblait à une panne d'ascenseur, une avarie peut-être un peu brutale. On s'est d'abord dit que ça n'allait pas durer. On rappelle, mais plus personne ne répond à l'interphone. Ça commence à sentir le brûlé. Au bout de dix minutes, c'est Jan qui dit, avec son accent polonais, que ça doit être grave, qu'il faut faire quelque chose, ne pas attendre les secours. Moi, je n'étais pas très chaud. Je pensais que l'ascenseur allait se remettre en marche. Ils s'y mettent à trois, du bout des doigts, pour forcer la porte ouverte. Jan la coince en mettant son balai en travers. On ne voit que la paroi de plâtre, avec un chiffre : 50.

– Vous étiez devant un mur ?

– Oui, un mur blanc. L'un d'entre nous a dit qu'il fallait refermer la porte, sinon cela empêcherait la cabine de repartir. Mais on commençait à sentir et à voir de la fumée. Alors Jan dit qu'il a été maçon en Pologne, que ce n'est que du plâtre et qu'il ne faut pas rester là. Il prend sa raclette dans le seau et attaque la paroi. Il creuse un trou assez facilement, l'agrandit. La fumée devient plus épaisse. Un jeune homme avait une bouteille de lait dans sa sacoche, on trempe nos mouchoirs dedans pour respirer à travers. On commence à avoir vraiment peur. On se dit que la tour est en flammes, que la cabine peut se détacher. On se relaie pour creuser de toutes nos forces. Les gravats tombent à nos pieds. La chaleur est bien vite insupportable. Au bout de trois quarts d'heure, on tombe sur du carrelage, facile à casser.

– Pourquoi du carrelage ? C'étaient des toilettes ?

– Oui, le trou débouchait sous un lavabo, dans les toilettes du cinquantième étage. On a agrandi le passage et, quand il a été assez large, on s'y est glissés les uns après les autres, à quatre pattes. Le plus gros est passé en second, on le tirait d'un côté, poussait de l'autre. Jan a gardé le manche de sa raclette à la main. On sort de la pièce, blancs de plâtre, et on tombe sur des pompiers qui nous disent : "Mais qu'est-ce que vous foutez encore là, vous ? On croyait que tous les étages avaient été évacués. Fichez le camp en vitesse ! Les escaliers sont par là." On a mis un temps infini à descendre. Parfois, il y avait tellement de fumée qu'on avançait à tâtons. On est à peu près au dixième étage quand on entend un grondement infernal, comme un train fou qui entrerait dans une gare en emportant tout sur son passage. Les murs, le sol tremblent. C'est la tour Sud qui s'effondre, de l'autre côté du mur, mais on ne le comprend pas. Des pompiers nous hurlent de faire vite. On arrive dans le lobby, dévale les derniers escaliers roulants qui ne fonctionnent pas. Dans le hall, les officiers ont l'air perdu. On est dehors. Sur l'esplanade, je cherche l'autre tour, mais ne la vois pas. Je pense qu'elle est cachée par toute cette poussière. Pourquoi il y en a autant ? Je ne sais pas. Un homme assis par terre me dit qu'elle s'est effondrée. Impossible, je ne le crois pas, il doit délirer. On se met à courir tous ensemble, Jan est à côté de moi. On sort de la place, on arrive dans une rue quand j'entends un autre grondement. Je me retourne et vois notre tour s'effondrer sur elle-même. Je reste pétrifié une seconde. Je n'en crois pas mes yeux. Je me jette à terre, rampe sous une voiture. Je ferme les yeux, mains sur les oreilles. Je suis resté comme ça jusqu'à ce que la poussière s'éclaircisse un peu. C'est là que j'ai perdu Jan et les autres. Quand je l'ai revu, c'était à la télé.

– Putain ! c'est vrai qu'il vous a sauvés, avec sa raclette. J'en ai un peu marre d'entendre le mot héros à tout bout de champ mais, votre Polonais, il ne l'a pas volé, non ?

– Je veux… C'était le seul col bleu dans la cabine, le seul qui avait quelque chose qui pouvait servir d'outil. Sans lui, nous, les cols blancs, aurions suivi la consigne et attendu sagement que l'immeuble nous tombe sur la tête. Au début, quand il a bloqué la porte avec son manche à balai, je me souviens avoir pensé qu'il allait nous attirer des ennuis. Mais il a sauvé tout le monde. Et on a eu de la chance d'être au cinquantième étage. Trente secondes plus tard et nous étions trop haut. Il y aurait eu six morts de plus. »

15

Québec

octobre 1907

Cette fois, ce sont des adolescents qui ont aperçu le corps en menant un troupeau s'abreuver sur la rive du Saint-Laurent, à cinq kilomètres en aval des vestiges du pont. Affreusement abîmé par le séjour dans l'eau, prisonnier des racines d'un saule, à peine visible depuis la berge. Plus d'un mois après la catastrophe, le fleuve charrie encore des cadavres difficiles à identifier. Chacun sait que les familles ont promis des récompenses, et que l'Indien installé à l'auberge Bouchard de Saint-Romuald paie trois dollars pour être prévenu avant les autorités. Un garçon en casquette de flanelle entre dans la salle à manger, demande le Mohawk qui cherche les corps, on lui désigne Manish Rochelle. Assis contre un mur, il fixe le fond de sa pinte de bière près de la cheminée qu'on vient d'allumer en cet après-midi d'automne.

« Monsieur, c'est bien vous qui cherchez les noyés du pont dans le fleuve ?

– Oui, petit, c'est moi. Tu sais où il y en a un ?

– Je crois. Mes frères et moi on l'a vu tout à l'heure près du chemin du moulin. Un paysan et ses fils l'ont sorti de l'eau, les gendarmes ne sont pas encore arrivés. Si vous voulez, je peux vous conduire.

– Allons-y vite. »

Avec l'argent économisé sur sa paie, Manish loue à la semaine une carriole tirée par un vieux cheval gris que les villageois des berges du Saint-Laurent ont pris l'habitude de voir sillonner les chemins et les grèves.

« Et pourquoi vous cherchez les morts du pont, monsieur ? Vous avez perdu un parent ?

– Plusieurs, petit. Plusieurs parents, des Mohawks, membres de ma tribu. Je dois les retrouver et les ramener chez nous, plus bas sur le fleuve, près de Montréal, pour les enterrer dans notre terre.

– Vous travailliez sur le pont, vous aussi ?

– Oui, j'y travaillais. Je montais les poutres de fer.

– Et vous avez survécu à l'accident ?

– Je n'étais pas dessus quand il s'est effondré.

– Ben ça, alors… On peut dire que vous avez eu de la chance. »

En une demi-heure ils arrivent en vue du moulin. Un attroupement s'est formé au bout du champ, près de l'eau. Deux membres de la police montée, tenues rouges et feutres à bords plats, ne sont pas encore descendus de leurs grands chevaux.

Le cadavre est allongé sur le dos. Boursouflé, méconnaissable, le visage dévoré par les rats et les poissons. Manish glisse les pièces dans la main du garçon. « File d'ici, ne regarde pas. Merci. » Le fermier fouille en grimaçant les vêtements trempés, trouve dans une poche un morceau de papier plié qu'il tend à l'un des policiers. « C'est illisible, tout est effacé. Rien d'autre ?

– Quelques pièces, américaines et canadiennes, un canif. C'est tout, monsieur l'officier. »

Manish attache le cheval à un arbuste, approche. Les têtes se tournent, certains le reconnaissent. Il regarde les chaussures, les vêtements, la ceinture, la longueur des cheveux. Presque blond, une dent en or, ce n'est pas un Mohawk. Il fait deux pas en arrière pendant qu'on fait glisser le corps sur une couverture.

« Excusez-moi, lui dit un des policiers. Avec votre carriole, vous voulez bien nous aider à le transporter jusqu'à

La Chaudière ? Nous allons le mettre dans l'église, le temps de prévenir les familles… Mais avec ce qu'il reste, le pauvre gars ne va pas être facile à reconnaître. Vous êtes indien, non ?

– Oui, Mohawk de Kahnawake.

– Ah, c'est ce village près de Montréal qui a perdu je ne sais combien d'hommes ?

– Oui, une bonne trentaine. Quatre frères d'un coup.

– Mon Dieu… C'est pour ça que vous êtes là, vous ?

– Je dois les retrouver et ramener les corps chez nous. Mais le Saint-Laurent va en garder beaucoup, je crains. J'en ai repêché un il y a dix jours, un cousin, depuis, plus rien. Celui-ci n'est pas des nôtres. Bien sûr, portez-le dans la charrette.

– Comment savez-vous qu'il n'est pas de chez vous ?

– Les cheveux, officier. Il n'y a pas de Mohawk blond… Enfin il y en a eu deux, mais c'était il y a longtemps, une longue histoire… »

La dépouille roulée dans la couverture est chargée à l'arrière, le paysan et l'un de ses fils s'assoient sur les ridelles. Ils parcourent au pas, suivis d'une procession de voisins et de curieux, les trois kilomètres jusqu'à l'église de bois peint. La rumeur les a précédés, ils sont attendus par des femmes en pleurs et des hommes aux visages graves, chapeaux à la main. Le shérif, bedaine ronde et bras croisés, demande à chacun de s'écarter. La dépouille est portée dans la nef, étendue sur des planches posées au sol. Un enfant de chœur allume deux cierges, les pose près de la tête. On écarte la couverture. « Ouh là, dit l'officier. Il ne reste plus que les os sur le visage. Comment savoir qui c'est ? On ne peut pas infliger ça aux veuves ou aux parents. Il n'avait rien sur lui ? Pas une ceinture un peu spéciale ? Des tatouages, des cicatrices ?

– Rien qui puisse l'identifier. Tatouages, on n'a pas encore regardé. Les jambes ont l'air brisées, non ? »

Manish sort de l'église, remonte sur sa carriole. Un menuisier et son apprenti arrivent, portant un cercueil en bois de caisse. Le dernier Mohawk qu'il a récupéré, sur la rive ouest, à la sortie des rapides, c'était il y a plusieurs jours. Il était en meilleur état, les mocassins de peau ont de suite désigné un Indien. C'était un des rares qu'il connaissait à peine, mais il lui a été facile de mettre un nom sur le visage à peu près intact. Manish a appelé son père, l'a chargé de prévenir le Conseil qui a averti la famille. Le shérif, soulagé de voir quelqu'un prendre en charge l'achat du cercueil et les frais de transport, lui a confié le cadavre. Sans cela, c'est au mieux une tombe anonyme, au pire la fosse commune, selon l'humeur des fossoyeurs. Les expéditions des dépouilles en train jusqu'à Montréal ont presque épuisé les économies de Manish. Dans une lettre reçue à l'auberge, son père lui annonce qu'il a parlé à John Farber. Le chef du Conseil lui est reconnaissant, va lui envoyer de l'argent pour rembourser ses frais et payer pour les prochains, s'il y en a. Il ne dira rien aux familles, prendra la somme sur un budget discret.

« Lui semble avoir été convaincu par tes explications. Il te croit quand tu dis que tu as tout fait pour les convaincre de te suivre et d'évacuer le pont, écrit Angus Rochelle. Mais avec les parents des victimes, c'est plus difficile. Ils crient vengeance, veulent un coupable. L'ingénieur new-yorkais qui s'est trompé dans ses calculs est hors d'atteinte. Alors il y a toi. La plupart trouvent que cinq ans de bannissement est un châtiment trop doux pour avoir trahi ses frères et être responsable de leur mort, comme ils disent. L'un d'eux a failli me frapper devant la maison commune. Je ne peux pas dire ici ce que tu fais pour récupérer les corps à Québec. Ils ne l'accepteraient pas. Ils croient que c'est l'administration du chantier qui s'en charge. »

Manish caresse du fouet la croupe du cheval. Il quitte le village, regagne la rive du fleuve qu'il remonte pendant une heure, au plus près de l'eau. À ceux qu'il croise ou aux paysans dans les champs, il demande qu'on le prévienne, récompense à l'appui, à l'auberge Bouchard si un corps est découvert.

Quand il est revenu à Québec, Manish s'est réinstallé chez les Doucette, où il avait laissé ses sacs de cuir, ses crosses et ses affaires. Le deuxième jour, après le petit déjeuner, le patron s'assied face à lui.

« Mike, il faut que je te parle. Je sais ce par quoi tu es passé, pourquoi tu es revenu. Tu cherches les corps des tiens, c'est une dure et noble tâche. Mais tu ne peux pas rester ici. Tes compagnons sont morts, il n'y a plus de Mohawks à Saint-Romuald. Il n'y a presque plus d'ouvriers, d'ailleurs, et les cadres sont en train de partir. Nul ne sait s'ils vont rebâtir un pont, si le chantier reprendra un jour. En tout cas, ce ne sera pas avant l'hiver. Nous allons sans doute fermer bientôt, je perds de l'argent. Alors, s'il te plaît… On me dit que Bouchard va rester ouvert.

– Maintenant qu'il n'a plus de boulot et qu'il joue au croque-mort, plus question de laisser le sale Indien dans la même pièce que votre fille…

– Je n'ai jamais dit sale Indien. Je ne l'ai jamais pensé. Mais il faut que tu comprennes.

– Ça va, j'ai compris. J'irai chez Bouchard cet après-midi. »

Manish et Martine Doucette ont pensé que, dans l'auberge presque déserte, il allait être plus difficile de s'approcher l'un l'autre. « Alors que, si tu vas t'installer ailleurs, pas trop loin, je pourrai te rejoindre quand je ne travaille pas. Ils ne vont quand même pas me suivre », a dit la jeune fille en souriant. Manish avait décidé la veille de changer d'auberge.

L'établissement d'Auguste et Adèle Bouchard, qui ont deux fils, est à moins d'un kilomètre en amont, sur la falaise. Grande bâtisse en rondins de deux étages sur laquelle flotte un drapeau canadien, elle a été construite en prévision de l'afflux de travailleurs quand les travaux de terrassement ont commencé. Pleine à craquer la veille de l'effondrement, elle est presque déserte quand le jeune Mohawk pousse la porte. Les travaux de sauvetage ont été abandonnés depuis longtemps, l'administration du chantier s'est repliée aux États-Unis, les ouvriers sont rentrés chez eux.

« Bonjour, c'est combien pour la pension complète ?

Adèle Bouchard, petite femme replète au visage rond encadré d'anglaises brunes, lève le nez d'un livre de comptes, pose ses lunettes sur le comptoir. Elle observe ce grand gaillard à la peau cuivrée, mocassins brodés de perles, ses sacs et crosses posés derrière lui sur la véranda.

« Si vous venez pour le pont, jeune homme, vous arrivez un peu tard, vous ne pensez pas ? Huit de nos pensionnaires sont morts avec lui. Vous avez vu ce qu'il en reste en venant, non ?

– Je sais bien, j'y travaillais. Je n'étais pas dessus quand il est tombé. Il y a quelque chose que je dois finir. Je vais rester quelque temps, jusqu'aux premières neiges, je pense. »

Elle lui sourit. « Dans ce cas, c'est une bonne nouvelle. Vous pourrez même choisir votre chambre, nous n'avons que trois autres pensionnaires. Ce sera un demi-dollar par jour, trois repas, première semaine payable d'avance. »

Manish sort de sa poche une bourse de daim, en verse le contenu dans sa main, compte quatre dollars qu'il pose sur une table. Il ne lui en reste que deux. Si John Farber ne tient pas sa promesse de rembourser les frais, il devra bientôt cesser les recherches. Et trouver où aller…

Les jours suivants, Manish laisse le cheval à l'écurie et, pour la centième fois, parcourt à pied la berge sur les lieux de la catastrophe. Sur les crêtes, l'embrasement des feuillages avec leurs flammes jaunes, éclats orange et lueurs rouges annonce le retour prochain de l'hiver. L'air a fraîchi, bientôt les premiers flocons. Les curieux ont fini par se lasser, l'amoncellement de poutres tordues n'est plus un but de promenade ; au petit matin, il est seul près de l'amas de ferraille. La Phoenix Bridge Company paie une vingtaine de personnes, dont deux ingénieurs, pour surveiller les décombres dont on ne sait ce qu'ils vont devenir. Des ferrailleurs des environs qui tentaient de récupérer les morceaux transportables ont été chassés à coups de fusil en l'air. Des dizaines de corps doivent être là, tout près, sous l'eau, coincés dans le piège d'acier. Seuls ceux qui étaient visibles de la surface, en barque, ont été dégagés. Les autres, dans les profondeurs, vont lentement disparaître. Peut-être trouvera-t-on des ossements si un jour, comme chacun le pense, décision est prise de construire un autre pont. Les piles de pierre taillées ne semblent pas avoir bougé, elles devraient pouvoir resservir, se dit Manish en posant la main sur l'une d'elles, les pieds dans la vase. Québec a toujours besoin d'enjamber le fleuve, d'une route et d'une voie ferrée à cet endroit. Dans la frénésie de construction de ce début de siècle, les morts s'oublieront vite. Il salue de loin les gardiens sur la falaise qui reconnaissent sa silhouette, longe la rive sur des kilomètres, parle avec des jeunes pêcheurs qui n'ont rien vu – ils savent pour les récompenses mais préfèrent ne pas trop penser aux cadavres dormant entre deux eaux. Quand il rentre à l'auberge, peu avant midi, Auguste Bouchard, en tricot de corps dans la cour, fend des bûches à la hache sur un billot, souche d'érable large comme une roue de charrette.

« Ah, Mike, le postier a envoyé un gamin avec un message : il a reçu de l'argent pour toi de Montréal. Tu peux passer le chercher tout à l'heure. Vous avez un moyen de prouver votre identité, vous autres les Indiens ?

– Oui, j'ai ce qu'il faut. Merci monsieur Bouchard. »

Il s'installe à sa table habituelle, sort son couteau de l'étui de cuir et le pose sur la table. À cette heure, il est le seul client dans la salle à manger. La maîtresse de maison pose sur un plateau un bol de soupe, un morceau de pain et une carafe d'eau quand la porte s'ouvre d'un coup.

« Nom d'un chien, c'était bien vrai ! Cette pourriture d'Indien est toujours vivant, il a osé revenir. Tu vas voir ce qu'il en coûte, sale Peau-Rouge, de ne pas écouter les conseils d'un homme blanc. Cette fois, tu ne me prendras pas par surprise ! »

Neil Drummond, revolver au côté, une courte matraque de bois à la main, fait deux pas à l'intérieur de la pièce. Manish l'avait compté au nombre des victimes, mais l'Anglais qui, le 29 août, travaillait au dépôt a survécu. Il s'avance, rouge de colère, les yeux exorbités, sentant l'alcool, passe la matraque dans sa main gauche, pose la droite sur la crosse de son arme.

Manish se lève d'un bond, ouvre la bouche pour dire à l'homme de se calmer, qu'après ce qui s'est passé ce genre de querelle est ridicule, mais comprend que c'est inutile. Au moment où le colt apparaît, avant qu'il ait eu le temps de lever le bras et de viser, l'Indien renverse la table et la projette en avant. Drummond est surpris, un coup de feu part, vers le sol. Il va appuyer une nouvelle fois sur la détente quand Manish lance un coup de pied qui atteint sa main et le désarme. Mais, du gauche, l'Anglais frappe de toutes ses forces : touché en plein visage par le gourdin, l'Indien s'effondre. Drummond se jette sur lui. Il frappe au visage puis prend la matraque à deux mains et l'étrangle, pesant de tout son poids sur sa gorge. Manish tente de se dégager, de l'attraper avec ses jambes. Impossible, il est trop lourd, appuie trop fort. L'Indien suffoque, rougit, un voile noir commence à descendre sur ses yeux. Ses forces l'abandonnent. S'il ne fait rien, dans quelques secondes il va mourir. Il lance son bras droit le plus loin possible et, par réflexe, tâte le plancher. Sous ses doigts il sent une forme. Son couteau de chasse, tombé de la table quand il l'a renversée. Il le fait glisser du bout des phalanges, l'empoigne, frappe dans le dos avec ce qu'il lui reste d'énergie. La lame, entre les omoplates, passe entre les côtes, fend le cœur en deux. Drummond est foudroyé. Sans un cri il se redresse, lâche le gourdin, s'effondre sur lui.

Dans un râle de cerf, Manish avale une goulée d'air, tousse, crache. Il reste immobile, jambes tremblantes, visage écarlate, incapable de repousser le corps qui l'emprisonne. C'est l'aubergiste, alerté par la détonation, qui le soulève par les épaules et le pose à côté, sans toucher au coutelas. Manish se dégage en rampant vers l'arrière, recommence à respirer. Adèle Bouchard passe derrière lui, le prend par les bras et l'aide à s'asseoir, dos contre un mur. Le fils aîné descend les escaliers de bois, fusil de chasse pointé vers la pièce.

« Mike, ça va ? Vous êtes blessé ? Mike, répondez-moi, pouvez-vous parler ? », demande madame Bouchard. Manish tente de prononcer un mot, n'y parvient pas. Lui fait signe de la tête et des yeux qu'il est indemne, qu'il a besoin de reprendre son souffle.

« Maudit tabarnak ! gronde Auguste Bouchard. Il ne nous manquait que ça ! Un Blanc tué par un Mohawk dans notre auberge ! Cet Indien est bon pour la potence.

– Non ! crie sa femme. Non, j'ai tout vu. C'est l'autre qui l'a attaqué sans raison. Mike était assis à sa table, j'allais lui servir le déjeuner quand cette brute est entrée et s'est précipitée sur lui. Il n'a pas eu le temps de dire un mot. L'autre a sorti son pistolet. Si Mike ne s'était pas défendu il serait mort. J'ai tout vu, je dirai tout à la police. Il n'a fait que se défendre.

– La police verra qu'un Indien a tué un Blanc d'un coup de couteau dans le dos. C'est tout ce qu'elle verra. Qu'est-ce que tu crois ?

– Il a raison, murmure Manish en se massant le cou. Son œil gauche, à moitié fermé, gonfle rapidement. Ils ne vont pas chercher à comprendre. C'est mon couteau, je suis mohawk. Si je reste là, ils vont m'arrêter. »

Il tente de se lever en s'appuyant contre la paroi, n'y arrive pas, retombe sur les fesses. Le fils Bouchard pose son fusil sur une table, s'approche et l'aide à se remettre sur ses jambes en le soulevant par les épaules.

Auguste Bouchard ramasse le colt Peacemaker qui a glissé sous une table à l'autre bout de la pièce, l'attrape par le canon, le tend à Manish.

« Je crois ma femme : c'est de la légitime défense. Mais tu es indien, ils ne te laisseront pas le prouver. Voilà ce qu'on va faire : il t'a agressé, tu t'es défendu, vous vous êtes battus. Il a été poignardé dans la bagarre. Nous témoignerons. Tu as pris son arme et tu as fui, tu nous as menacés, nous n'avons rien pu faire. File de suite, Mohawk. Va te cacher dans la forêt. Il y a une grosse pierre plate à environ deux kilomètres, en suivant le sentier du Sanglier vers le nord. Reste-là jusqu'au soir. À la nuit tombée, j'enverrai un de mes fils avec ton sac. Ensuite disparais. Retourne dans ta réserve ou va plus loin, dans l'Ouest. Ne reviens jamais à Québec. Avec un peu de chance, tu peux t'en sortir. »

Manish prend le colt, le glisse dans sa ceinture : « Merci. »

Il s'approche de l'aîné des fils Bouchard. « S'il te plaît, peux-tu aller à l'auberge Doucette et demander Martine ? Raconte-lui ce qui s'est passé. Dis-lui que je suis désolé. »

Il fait deux pas vers le corps de Drummond, attrape son couteau, le tire d'un coup sec. Comme à la chasse, il essuie la lame sur la chemise du mort, la glisse dans son étui. Ses ancêtres auraient scalpé l'ennemi. Il pense à son grand-père et aux histoires terribles qu'il lui racontait quand il était enfant.

« Ne perd pas de temps, dit l'aubergiste. Le coup de feu va attirer du monde. Je m'occupe de tes affaires. Déguerpis. »

Sa femme lui tend un torchon humide pour essuyer le sang qui coule de son nez. Manish le lui rend, remercie encore et sort à pas lents en se tenant les côtes.

Personne dans la cour. Il se dirige vers la porte de derrière qui ouvre sur la forêt. En quelques pas il est sous les arbres, trouve le sentier. L'air frais lui fait du bien, ses forces reviennent. Il presse le pas, puis se met à courir dans les feuilles mortes. Il connaît la pierre plate ; avec Martine, c'était un de leurs lieux de promenade. Il oblique sur la droite jusqu'à un ruisseau. Si jamais ils le cherchent avec des chiens… Il entre dans l'eau jusqu'aux genoux, remonte le courant sur trois cents mètres. Comme quand il pêchait la truite, enfant, dans les forêts de Kahnawake. En arrivant sous un chêne dont les branches surplombent l'eau, il saute, s'agrippe au feuillage, grimpe jusqu'à mi-tronc et passe en sautant d'un arbre à l'autre avant de redescendre. Aucune trace ne trahira l'endroit où il est sorti de l'eau. Il coupe un rameau de frêne et marche à reculons sur trente mètres, effaçant ses traces avant de se remettre à courir. Il saute de pierre en pierre, s'agrippe aux branchages pour laisser sur le sol le minimum d'empreintes. Après un grand détour, il devine dans le soleil couchant la forme de la pierre plate. Il choisit un monticule un peu plus haut, creuse dans la terre meuble et tiède la forme d'un corps. Il rassemble des branches mortes, s'allonge dans la tranchée, s'en recouvre jusqu'à devenir invisible. Sur le dos, mains sous la tête dans les odeurs d'humus et de champignon, il ralentit sa respiration, s'endort.

Des pas dans le sous-bois le réveillent. Il tend l'oreille : des marcheurs, l'un plus léger que l'autre. Ils approchent. Il prend le Colt à sa ceinture, arme le chien, glisse sur le côté, soulève de trois centimètres sa couverture végétale. Il voit danser la lueur d'une lampe à pétrole qui éclaire les motifs d'une robe. Martine. La silhouette s'arrête au pied de la pierre, appelle à voix basse : « Manish ! Manish, c'est moi ! Tu es là ? »

Derrière elle, il reconnaît dans l'ombre un des fils Bouchard, un sac à la main. Il attend un peu pour s'assurer qu'ils sont seuls et se lève dans un bruissement de feuilles. En quelques pas il la rejoint. Elle se jette dans ses bras.

« Manish, mon Dieu, c'est terrible ! La police est dans le village, ils demandent si on t'a vu. Ils ont même interrogé mes parents.

– Vous n'avez pas été suivis ?

– Non, nous avons attendu longtemps. Éric nous a montré un passage secret qui conduit directement de leur auberge dans la forêt. Oh, Manish, tu dois fuir maintenant, tout de suite ! Il ne faut pas rester ici. Ils vont te tuer. Elle s'interrompt, éclate en sanglots, prend sa nuque à deux mains, l'embrasse. Je vais avec toi ! Ne me laisse pas seule, s'il te plaît, emmène-moi ! Je suis prête.

– Mon amour, ce n'est pas possible. J'ai réfléchi. Je vais descendre le fleuve, pagayer de nuit, me cacher le jour. Un Indien sur un canoë, ça ne va pas attirer l'attention. Un Indien avec une femme blanche ne ferait pas dix kilomètres ! »

Martine sanglote, l'étreint de toutes ses forces. « Tu ne peux pas me faire ça, m'abandonner. Je t'ai attendu tout l'hiver, je veux être ta femme.

– Écoute. Je vais aller à Montréal. De là, je partirai pour l'Ouest, l'autre côté du pays, le Pacifique. Dès que j'aurai trouvé un endroit, je t'écrirai et, si tu le veux toujours, tu me rejoindras. Dans quelques mois, un an peut-être. Dans les nouvelles provinces, sur la frontière, personne ne nous connaîtra, et l'on ne pose pas de question ; personne ne me cherchera. Il y a du travail, des centaines de ponts à construire. Je sais qu'ils manquent de bons ouvriers, des gars le disaient sur le chantier. Les salaires sont même meilleurs qu'ici quand on a de l'expérience. La réputation de charpentier du fer des Mohawks est peut-être arrivée jusque là-bas. »

Elle renifle, se hisse sur la pointe des pieds pour frotter son nez dans son cou, respirer son odeur. Les sanglots s'apaisent.

« D'accord, c'est bien. Il faut partir loin. J'attendrai, j'attendrai ta lettre et je me préparerai. Jure-moi que tu m'écriras, que tu ne vas pas m'oublier.

– Mon soleil, je te le jure. Dès que je trouve un endroit pour nous deux. Le chemin de fer arrive jusqu'à l'océan, maintenant. Je viendrai te chercher à la gare, c'est promis. »

Il l'embrasse, prend ses boucles blondes dans ses mains, s'en écarte légèrement.

« Maintenant, voilà ce qu'il faut faire. Je sais où trouver un canoë, plus bas sur le fleuve. Je vais partir tout de suite pour y être avant le lever du jour. Mais j'ai besoin d'argent. Je n'ai plus rien. Ton père m'a dit qu'une somme avait été envoyée à la poste pour moi, de Montréal. C'est la tribu qui rembourse ce que j'ai dépensé pour l'expédition des cercueils à Kahnawake. Il faut que tu ailles la chercher pour moi. Si je pars sans rien, je n'irai pas loin.

– Oui, oui. Bien sûr. Je connais le postier, c'est un cousin de ma mère. Il ne fera pas de problème. Si j'y vais tôt, il ne sera peut-être pas encore au courant de l'affaire. »

Manish sort de la poche de son pantalon un portefeuille de cuir brut, du portefeuille une feuille de papier jauni, pliée en quatre. « C'est mon certificat de naissance, établi à Montréal. Il va sans doute demander une preuve d'identité.

– Ne t'inquiète pas. Je le connais depuis l'enfance. Je vais lui sourire, il ne me demandera rien. Il ouvre son guichet à huit heures, je crois. Ensuite, il me faudra une heure ou deux pour te trouver…

– Ne te presse pas. Je ne partirai pas avant demain soir, je ne pagaierai que de nuit. Si tu peux me retrouver en fin de journée, ce sera bien. Tu as tout le temps. »

Il se tourne vers Éric Bouchard, qui a posé à ses pieds le sac de voyage dans lequel sa mère a plié les vêtements trouvés dans la chambre de Manish.

« Merci. Remercie aussi tes parents. Je n'oublierai jamais ce qu'ils ont fait. J'ai une dernière chose à te demander : pourras-tu accompagner Martine demain soir ? Ma carriole est dans l'étable Lavoie. Vous pouvez la prendre et ensuite la rapporter à monsieur Lavoie. Elle est payée jusqu'à la fin du mois. »

Il prend les deux mains de Martine. « Il faut que j'y aille. Je dois marcher toute la nuit si je veux éviter d'être vu. Je vous attends demain soir à l'anse des Phares. Vous trouverez, demandez le chemin de la corniche, c'est à environ deux kilomètres en aval du pont. J'y suis souvent allé chercher des noyés. Le courant est fort à cet endroit. Il y a dans l'anse des petits pontons avec des bateaux et des canoës. Retrouvez-moi sur celui qui est le plus proche des arbres. Je vous verrai arriver, j'attendrai un peu pour être sûr qu'on ne vous a pas suivis. »

Il se tourne vers Éric Bouchard, lui montre le colt passé dans sa ceinture. « Crois-tu que, quand Martine aura récupéré l'argent, tu pourras acheter une boîte de balles ? C'est du 45. Ils en vendent à l'épicerie. À toi, ils ne poseront pas de question. Je préférerais un fusil, mais je n'aurai pas assez d'argent pour en acheter un. Encore merci. »

Manish et Martine s'enlacent, s'embrassent, se séparent. Elle le prend par les épaules. « Tu es mon homme. J'attends ta lettre, je serai prête. J'ai toujours rêvé de partir pour l'Ouest. Je ne voulais pas rester ici. Prends bien garde à toi et trouve-nous un bel endroit pour vivre. »

Manish fait passer au-dessus de sa tête un lien de cuir. « Tiens, regarde. C'est mon scarabée de pierre. Mon oncle Joe l'a rapporté de son expédition en Égypte, il l'a acheté au grand marché du Caire, près des pyramides. Il me l'a donné quand j'ai commencé à travailler sur le pont de Kahanawake. Il disait qu'il me protégerait. Il le passe dans les cheveux d'or de Martine. Garde-le jusqu'à nos retrouvailles. Il veillera sur toi. »

Il lui embrasse le cou, les lèvres, les mains ; tape sur l'épaule d'Éric, ramasse le sac et court vers le fleuve.

Par les sentiers de chasseurs, les pistes à sangliers, à couvert sous les arbres, multipliant les détours, évitant villages et routes, éclairé par la lune, Manish atteint la berge. Il l'a parcourue si souvent, ces dernières semaines, qu'il reconnaît vite les lieux. L'anse des Phares est là, de l'autre côté de cette colline. Un chemin court le long de la rive, mais il préfère marcher sur le sable, au ras de l'eau. Il est presque en vue des pontons quand un bruit métallique l'alerte. Il se jette au sol, rampe sous des ajoncs en poussant le sac devant lui. Des gardes champêtres, chacun une lanterne à la main, fusils à l'épaule, marchent en plaisantant. Au cœur de la nuit, c'est étrange. Ils le cherchent peut-être, passent à trois mètres de lui sans rien remarquer. Un serpent d'eau se glisse entre ses pieds, s'enroule autour d'une cheville. Il est inoffensif, Manish attrape avec deux doigts la tête du reptile aux reflets verts, et le dépose dans les ajoncs. Il reste longtemps dans sa cachette, aux aguets. Les sentinelles ne repassent pas.

Au premier chant du coq, le ciel blanchit à l'est, il frissonne. Il faut bouger maintenant et trouver un endroit où passer la journée, près de l'anse des Phares. Il y arrive vite. Un pêcheur descend vers sa barque, tourne la tête. Manish le salue de la main, poursuit son chemin. Il marche quelques minutes puis, aux premières lueurs de l'aube, oblique à travers champs et revient sur ses pas. En lisière de forêt, il trouve deux rochers entre lesquels il se glisse. À plat ventre, caché sous des branches, il voit le ponton. Il ouvre son sac : Adèle Bouchard y a glissé, enveloppé dans un torchon, un morceau de pain et de viande fumée. Il mange, s'installe pour la journée.

Le soleil est haut sur le Saint-Laurent quand il s'endort. Dans l'après-midi, les grognements d'une laie et de ses trois marcassins qui fouillent la terre le réveillent.

Il passe le reste de la journée à regarder les vapeurs remonter le fleuve, les barges à voile le descendre.

Au crépuscule, des pêcheurs rentrent au ponton. À la nuit tombée, plus tôt qu'il ne s'y attendait, il aperçoit au bout du chemin de halage la carriole et le cheval gris. Il plisse les yeux : une seule personne tient les rênes, et ce n'est pas Martine. L'équipage approche : Éric est seul. Manish le voit s'arrêter près de la petite jetée, descendre, remplir un seau pour abreuver la bête. Il attend une demi-heure, fait un large détour pour surveiller les abords. Personne, la brume descend sur le fleuve. Le sac à la main, Manish sort des fourrés, approche. Le fils Bouchard l'aperçoit, lui fait signe.

« Martine n'a pas pu venir. Sa mère a appris par le postier ce qu'elle a fait pour toi. Ils ont vu le scarabée à son cou. Ils n'ont rien dit, pas prévenu la police mais ils l'ont enfermée dans sa chambre. Elle n'a pas protesté pour ne pas les monter contre toi et risquer qu'ils ne te dénoncent. Elle m'a confié l'argent. »

Il lui tend une enveloppe grise. « Montréal t'a envoyé cinquante-cinq dollars. Martine en a ajouté cinq, tout ce qu'elle avait. »

Manish prend l'enveloppe, la glisse dans le sac. « Ça, ce sont les balles pour le Peacemaker. Et j'ai apporté ça aussi. »

Le jeune homme ouvre le coffre de bois sous le siège, en sort un fusil de chasse Darne à canon court, importé de France, presque neuf.

« Mon père me l'a offert pour mes dix-huit ans. Je lui dirai que je l'ai perdu. Il criera un peu puis se calmera. Dans l'Ouest, vous en aurez plus besoin que moi. Je n'aime pas tuer des animaux, de toute façon. J'ai pris des boîtes de cartouches.

– Éric, je ne sais comment te remercier. Je te rembourserai le fusil, j'enverrai l'argent dès que possible, à l'auberge.

– Laisse, ça me fera plaisir de penser à vous, dans les grandes plaines ou les Rocheuses. La façon dont Martine te regarde, je n'ai jamais rien vu d'aussi beau. Ah, oui, j'ai pensé que tu pourrais avoir besoin de ça… » Cette fois il sort du coffre une pagaie polie en bois bicolore.

« Merci, merci encore. Je vais emprunter un canoë, je me demandais comment faire pour la pagaie, on ne les laisse jamais à l'intérieur.

– C'est aussi ce que je me suis dit. Celle-ci traînait depuis des mois dans la cour d'un voisin qui n'a même pas de bateau. Il ne s'apercevra de rien. Attention, quelqu'un approche. »

Manish passe de l'autre côté de la charrette, se penche comme s'il inspectait la roue. C'est un pêcheur qui remonte vers la berge. Il salue Éric.

« Ne reste pas ici, tu vas te faire repérer, il y a des gardes, ils risquent de poser des questions. Je vais descendre le long de la berge et attendre le milieu de la nuit. J'ai vu un canoë tiré sous des arbres, un peu plus bas. Éric, je n'oublierai jamais. J'espère que nous nous reverrons un jour. S'il te plaît, dit à Martine que je l'aime plus que tout et que je vais chercher l'endroit où elle pourra me rejoindre. Merci, mon ami. »

Manish le prend dans ses bras et serre fort ses épaules. Le jeune homme penche sa tête en arrière pour ravaler ses larmes. Il remonte sur la charrette, fait claquer sa langue, tire sur une des rênes pour un demi-tour, pose le fouet sur la croupe du cheval, se retourne. Manish a disparu.

16

New York City

septembre 2011

« Donc, je résume. Le tout n'est pas d'être assuré, il faut encore que la partie à laquelle vous êtes attaché puisse supporter dix fois votre poids. Avec l'accélération de la chute, si vous pesez quatre-vingt-dix kilos, ce sont neuf cents kilos qui vont s'exercer sur la sangle et le harnais. Si ce à quoi vous êtes reliés n'est pas assez solide, adios, rendez-vous en bas ! Dans le doute, à votre arrivée sur le chantier, demandez au contremaître ou à un ancien, ils vous montreront les lignes de vie. Et n'oubliez pas : celui qui se fait attraper détaché est mis à pied pour la journée, et sans salaire. »

La salle de classe est décorée de photos en noir et blanc de ponts en construction, de gratte-ciel. *Empire State Building, George Washington Bridge, Rockefeller Center.* Sur le légendaire poster du déjeuner sur la poutre, des noms ont été notés avec des flèches. Ils sont raturés, barrés, modifiés. Au-dessus du quatrième homme, en partant de la gauche, qui porte une casquette noire et tient un journal à la main, quelqu'un a écrit « John Beauvais, Mohawk de Kahnawake ». Des dizaines de stagiaires passés dans la pièce pensent avoir reconnu un aïeul. En fait, pas plus que l'auteur de la photo, ils n'ont été identifiés. On sait que le cliché avait été monté dans le cadre d'une campagne publicitaire, lors de la construction du Rockefeller Center, et que les hommes, à l'époque comme aujourd'hui, n'auraient jamais pensé faire une pause dans une position aussi inconfortable, mais c'est à peu près tout.

Assise au premier rang, Kathryn Martins reprend ses notes, souligne « par dix » de trois traits de crayon. Son voisin de droite, un brun large d'épaules, a tatoué sur le biceps un sigle Harley et une tête de mort autour de laquelle les habituels tibias ont été remplacés par des clefs à mâchoire. Il la regarde en souriant et lui fait un clin d'œil. « Quatre-vingt-dix kilos ça va… Vous avez de la marge, mademoiselle. Mais qu'est-ce que… »

Elle le fait taire en mettant son index sur ses lèvres, lui rend son sourire. « Mademoiselle » : à quarante ans, c'est flatteur, même si ce garçon qui pourrait être son fils a sans doute une idée derrière la tête. Elle se dit qu'il faudra qu'elle remette l'alliance qu'elle ne porte plus depuis son divorce. Il ne doit pas être le seul à se demander ce que vient faire dans ce stage de la Médecine du travail – « Sécurité dans les travaux de construction en hauteur » – une femme en espadrilles et robe d'été.

Le formateur, un Mohawk d'Akwesasne, est au courant, mais pas la dizaine de charpentiers de l'acier envoyés par leur nouvel employeur ou par la formation professionnelle. Sept cent cinquante dollars pour trois jours de consignes assez simples, qui auraient pu être transmises en une journée. Heureusement, c'est le journal qui paie. La semaine prochaine, encore quatre heures, dans une salle du syndicat Local 40, sur la prévention des chutes.

Ça fait plus d'un an qu'elle a proposé au service photo du *New York Times* un sujet sur les monteurs d'acier qui bâtissent, à Ground Zero, la Liberty Tower : l'héritière, la remplaçante des tours jumelles, nouveau phare à la pointe de Manhattan. New York « de retour dans le ciel », comme ils disent. Soixante-dix étages de béton et d'acier surplombent déjà les arbres et les deux fontaines en creux du mémorial aux victimes du 11 septembre. Il en reste trente à boulonner et souder jusqu'au sommet, qui culminera à 541 mètres, le plus haut de l'hémisphère Nord. C'est le bon moment. Jeremy, son ami du service photo, n'y croyait pas.

« Ma chérie, tu crois être la seule sur le coup ? Nous faisons le siège de l'autorité portuaire depuis des mois. Ils ne disent pas non – nous sommes le *Times* – mais jamais vraiment oui. Sans vouloir te vexer, tu crois qu'ils vont dérouler le tapis rouge devant une pigiste ?

– Je sais, je sais… Mais laissez-moi essayer. Si j'ai le feu vert, je te rappelle et tu m'organises une rencontre avec le grand chef, ça marche ?

– Si tu as le feu vert, c'est chez nous que ce sera tapis rouge ma belle. Mais ne rêve pas trop. »

Comme prévu, la secrétaire du service de presse de l'Autorité portuaire de New York et du New Jersey, propriétaire de la tour à l'adresse One, World Trade Center, fait barrage. « Envoyez votre projet par courriel, on vous répondra. » Rien pendant des semaines. Un soir, alors qu'elle s'apprête à renouveler sa demande, Kathryn se connecte à la page web de l'autorité, à la recherche d'une adresse supplémentaire. Dans la liste des membres du service de presse elle remarque un nom : Josette Bazile ; ça, c'est un nom haïtien.

La photographe a passé l'an dernier deux semaines à Cité Soleil, le grand bidonville de Port-au-Prince, pour un reportage sur une maternité financée par une organisation humanitaire texane. Tous les frais étaient pris en charge par l'association, mais personne n'a acheté les photos. La vague d'émotion qui a succédé au tremblement de terre était retombée. Son agence lui a bien dit qu'un magazine français était intéressé, mais au prix qu'ils proposent, autant les donner. Josette Bazile. En trois secondes, elle trouve sur internet des clichés d'une femme d'une cinquantaine d'années, métisse aux yeux clairs, fossette au menton, chignon sur le sommet de la tête, tout sourire dans une tribune, aux côtés du chef des relations publiques de l'Autorité portuaire lors d'une conférence de presse. Elle agrandit la photo et l'imprime.

Le lendemain, elle arrive vers midi devant l'immeuble de l'Autorité, sur Park Avenue, près d'Union Square. L'Union Bar vient d'ouvrir. Sur la terrasse, le serveur installe pour elle une table et une chaise. Elle pose son portfolio à côté d'elle. À l'intérieur, des tirages noir et blanc, portraits de mères et d'enfants, médecins en blouses, sages-femmes aux larges sourires.

Elle ne quitte pas des yeux l'entrée du numéro 225. Soudain : c'est elle. Tailleur vert, foulard jaune, elle dépasse d'une tête les collègues avec lesquelles elle se dirige, à pied, vers la place. Avec un peu de chance, par une journée pareille, elles vont déjeuner sous les arbres. Kathryn les suit, s'approche assez près pour saisir leur conversation. Il est encore tôt, des tables sont disponibles à la terrasse du restaurant en plein air. Josette Bazile s'installe à l'une d'elles. « Je garde les places, prenez-moi la même salade que d'habitude, les filles. »

« Excusez-moi. Vous êtes bien Josette Bazile, de la Port Authority ?

– Oui c'est moi. Vous êtes ?

– Voilà, je m'appelle Kathryn Martins, je suis photographe. Je tente de vous joindre depuis des semaines, mais…

– Attendez, Kathryn. Je suis sortie déjeuner avec des collègues, c'est ma pause, j'ai une journée chargée. Si vous avez une demande professionnelle ou un projet à présenter, passez par le canal habituel. Appelez le service de presse, on vous indiquera la marche à suivre.

– Mais…

– Et j'ajoute que je n'apprécie pas d'être guettée sur le trottoir et interpellée pendant que je déjeune. Au revoir, madame.

– Je sais, excusez-moi encore. Mais je n'arrive pas à passer le barrage de votre secrétariat. Voilà, je rentre de Haïti…

– Et parce que je porte un nom haïtien vous pensez pouvoir m'importuner à votre guise ?

– Non, non, pas du tout. J'ai passé des semaines à Cité Soleil et j'aurais aimé vous montrer quelques images. Ça ne prendra que trente secondes. Je serai partie avant que vos amies ne reviennent.

– Cité Soleil, vous dites ? Mon grand-père est né à Cité Soleil, il a immigré à New York dans les années 1930.

Elle se cale en arrière dans le fauteuil métallique, soupire et sourit.

– Bon, vous avez deux minutes.

– Merci. Alors voilà… »

Kathryn ouvre la pochette de carton vert. Les tirages lui ont coûté une fortune. Sur le premier cliché, un bébé de quelques jours semble sourire contre l'épaule nue de sa mère. Le suivant est un gros plan du visage, derrière des lunettes d'acier, d'un médecin aux rides profondes et aux cheveux blancs. Un plan large montre les quatre cabanes de bois qui, reliées entre elles, forment « la clinique de l'Espoir ».

« C'est bien, c'est émouvant, le noir et blanc est magnifique. Mais pourquoi me montrez-vous ces photos ? Nous n'organisons pas d'expositions, à la Port Authority…

– Je voulais vous montrer mon travail parce que j'ai une autorisation à vous demander. Une autorisation que je sais difficile à obtenir. Je voudrais vous convaincre de me faire confiance. Voilà… Je voudrais accéder au chantier de la tour de la Liberté et faire un sujet sur les charpentiers du ciel pendant qu'ils assemblent les poutres. En noir et blanc, silhouettes dans les nuages, en hommage aux photos de Lewis Hine pendant la construction de l'Empire State Building. »

Josette Bazile repose ses lunettes, elle soupire :

« Ah, c'est ça… Vous avez raison, ce n'est pas facile. Ma patronne doit avoir dix demandes sur son bureau, des plus grandes agences.

– Je m'en doute. Si vous m'aidez à l'obtenir, vous ne le regretterez pas. C'est un monde masculin, tout en muscles et grandes gueules. Vous avez vu les autocollants sur leurs voitures, les pin-up en mini-maillots et slogans débiles du genre : les *ironworkers* ont de gros outils ? Depuis des décennies, ils sont photographiés par des hommes, toujours de la même façon. Si vous permettez à une femme de monter là-haut et de shooter en noir et blanc, ça donnera des images différentes, un autre regard. J'ai un contact au *New York Times* qui pense que cela pourrait faire la couverture de leur magazine. »

Josette Bazile retourne les photos de Haïti, les repasse une à une.

« Les *ironworkers* qui marchent en funambules sur quelques centimètres de fer m'ont toujours fascinée. Je sais que je pourrai faire du bon travail. Dans quelques mois, la tour de la Liberté sera terminée, elle deviendra aussi importante dans le ciel de New York que les tours jumelles avant elle. Davantage même, à cause du 11 septembre. Il faut garder une trace de sa construction. Je me doute que vous faites faire des films et des photos, mais je crois pouvoir apporter autre chose.

– Ce n'est pas idiot ce que vous dites sur cet univers masculin. Ça confine au ridicule, parfois. Si vous regardez ces gros machos comme vous avez regardé ces bébés haïtiens… Écoutez. Je ne peux rien vous promettre, la décision sera prise au-dessus de moi. Mais vous avez peut-être une chance. Nous nous sommes vus hier, et la question a été évoquée, une autre réunion est prévue dans trois jours. Envoyez un dossier complet, ces photos de Haïti, d'autres reportages. À moi directement. Je vous mets en bonne place dans la liste des prétendants et vous croisez les doigts. C'est tout ce que je peux faire.

– C'est énorme. Merci, merci beaucoup.

– Vous m'avez guettée sur le trottoir, vous m'avez suivie, mis vos photos sous le nez : vous savez ce que vous voulez. Ça m'a surprise au premier abord mais, au fond, j'aime bien. C'est New York City. Si je vous racontais comment je suis entrée à la Port Authority… »

Kathryn se lève en voyant du coin de l'œil arriver les collègues avec des plateaux. Elle sourit.

« J'ai grandi à Brooklyn… Mon dossier est sur votre bureau à la première heure demain matin, avec mes coordonnées. Encore merci. À bientôt j'espère. »

Elle passe des heures à trier des photos, sélectionne une série sur un gang de rue dans l'île de Saint-Martin, trois clichés d'architecture ; des hommes occupés, de nuit, sur une avenue de Manhattan, à réparer dans des volutes de vapeur les tuyaux rouillés du chauffage urbain. Puis elle peaufine les paragraphes présentant son projet, la vingtaine de lignes de son curriculum vitae. Au lever du jour, elle est sur son vélo à pignon fixe. En danseuse dans la montée de la piste cyclable du pont de Williamsburg, entre les camionnettes de livraison, dans la rue Delancey, Bowery, 3e avenue puis Union Square. Le concierge de l'immeuble de la Port Authority sourit en la voyant embrasser l'enveloppe de carton avant de la lui tendre. « Souhaitez-moi bonne chance.

– Je ne sais pas ce qu'il y a dedans mais, si j'avais mon mot à dire, ce serait oui sans hésiter, dit-il en regardant s'éloigner la jolie femme en short long sur collant noir, chaussures de cycliste, boucles châtain tombant sur les épaules.

Une semaine plus tard, elle verse une cuillère de miel dans son capuccino du matin, assise devant la mappemonde murale de l'Atlas Cafe, en bas de chez elle, quand son téléphone sonne.

« Kathryn, c'est Josette Bazile de la Port Authority. J'ai une bonne nouvelle. Ma boss a décidé d'accorder une autorisation d'accès à *Associated Press* et à *Time Magazine*. Mais quand elle a vu vos photos en noir et blanc des gars dans la vapeur, surtout le gros plan sur les mains, elle a accepté de vous donner deux jours. Je n'ai même pas eu à plaider votre cause.

– Deux jours, deux jours entiers ? C'est vrai ?

– Bien sûr, vous me croyez assez bête pour vous faire une blague ?

– Oh merci, merci mille fois.

– Que penseriez-vous de lui offrir le tirage de cette photo des gants ?

– Bien sûr, gardez tout, gardez toute la série. Et je vous signerai les tirages d'Haïti, si vous voulez…

– Merci, j'en voudrais bien un ou deux… Bon, pour la suite, je vais vous passer mon assistant. Vous vous en doutez, la règlementation est sévère pour accéder à ce genre de chantier. Il y a des stages à faire, pour les assurances. Il va vous expliquer, ça prendra un peu de temps.

– Bien entendu. Je ferai tout ce qu'il faudra. L'important est que je puisse être là-haut au début de l'assemblage d'un nouvel étage, avant qu'ils ne posent les filets de sécurité sur les côtés. Pour le ciel en arrière-plan et la vue sur la ville.

– Ne vous inquiétez pas, on va prévoir ça. Je vous organise un rendez-vous avec la patronne du service de presse et avec un de nos vice-présidents. Puis nous irons vous présenter au chef du chantier. Félicitations, vous pouvez appeler le *New York Times*. »

Deux semaines plus tard, en ouverture du cours sur la prévention des chutes dans une salle du syndicat sur Park Avenue, l'animateur demande à chacun de se présenter. Kathryn laisse la dizaine d'hommes, des débutants d'une vingtaine d'années, prendre la parole à tour de rôle. Deux d'entre eux vont bientôt commencer leur stage de fin de formation sur la Liberty Tower.

Elle se lève. Elle a souligné de noir son regard clair, le bronzage fait ressortir les taches de rousseur sur ses joues. Cette fois, pas de robe, jeans et chemisier noir brodé.

« Bonjour. Je m'appelle Kathryn Martins. Je vais moi aussi monter sur la nouvelle tour du World Trade Center. Mais pas pour en assembler les poutres. Je suis photographe, j'ai l'autorisation de passer deux jours au sommet pour un reportage sur les *ironworkers* qui devrait, si je me débrouille bien, être publié par le *New York Times Magazine*.

– Ah, d'accord, photographe, dit l'instructeur avec l'accent de Brooklyn. Notre profession commence à se féminiser ; j'ai déjà eu quelques stagiaires féminines mais, sans vouloir vous offenser, je me disais que vous n'aviez pas le profil. Plus vraiment l'âge et pas du tout la carrure. »

Pendant une heure, ils s'entraînent à enfiler les gilets de sécurité prêtés par la marque Rigid Lifeline, à prendre en mains sangles et harnais, à ouvrir et refermer les mousquetons.

« Si vous passez dans le trou, ça ne garantit pas que vous ne serez pas blessés, vous le serez probablement, mais vous survivrez, dit le formateur, un charpentier de l'acier à la retraite après vingt-cinq ans de marche dans le ciel. Et c'est une sacrée différence avec les générations précédentes. Dans les années 1920, dix pour cent des monteurs d'acier de ce pays étaient tués ou gravement blessés chaque année. Dix pour cent. En cinq ans, la moitié de la force de travail disparaissait. Et ce n'était pas grave, il y avait toujours de nouveaux émigrants pour les remplacer. Des marins habitués à grimper dans les mâtures, des morts-de-faim prêts à tout pour du boulot. On donnait deux cents dollars à la famille du mort pour les obsèques, et on n'en parlait plus. Quand j'ai commencé comme apprenti sur le pont de Verrazano, un dicton disait qu'il n'existait pas de vieux monteurs d'acier. »

Il lève sa main droite, amputée d'une phalange au majeur. « Maintenant, on continue de s'estropier dans ce métier, mais on meurt beaucoup moins. Je crois qu'il y a eu moins de vingt tués dans le pays l'année dernière. »

Il tire sur la sangle, l'enroule volontairement autour de ses jambes.

« Quand l'administration et les assurances ont rendu ça obligatoire, vers la fin des années 1980, certains gars, surtout chez ces têtes brûlées de connecteurs, ont fait la gueule. Ils n'en voulaient pas. Ils disaient que ça les gênait, que ça limitait leur liberté de mouvement, que c'était plus dangereux qu'autre chose parce qu'en cas de danger – une poutre qui arrive trop vite ou un câble qui lâche – ils ne pourraient pas bouger assez vite. Mais quand ils ont vu leurs copains suspendus dans le vide, blessés ou choqués mais vivants, ils ont compris. Ça râle encore un peu, pour la forme et la frime, mais il n'y a plus besoin de faire la police pour les forcer à s'attacher. Quand un gars se détache, c'est le pote d'à côté qui l'engueule. S'il recommence, il est viré. »

Avant de signer la feuille de fin de stage, Kathryn note sur son carnet son adresse électronique et celle de trois autres monteurs d'acier débutants, promet d'envoyer quelques images. Le rouquin lui demande son numéro de téléphone, elle répond en lui écrivant sur le dos d'une enveloppe une adresse gmail imaginaire.

« OK, je vous écris et nous allons boire un verre un de ces soirs, ça marche ?

– Écrivez, Mike. C'est bien Mike ? Je vous répondrai, mais je ne suis pas sûre d'avoir le temps. Je vais être très prise par ce reportage. Elle lève la main gauche et montre son alliance. Je viendrai peut-être avec mon mari, mais je ne vous promets rien. »

Le sourire disparaît sur le visage du jeune homme, il plie l'enveloppe et la range dans la poche arrière de son jeans.

Un lundi matin, trois jours après avoir reçu sur son compte en banque à découvert une avance de cinq mille dollars du *New York Times*, Kathryn est attendue à la grille du chantier de la Liberty Tower par Josette Bazile, son assistant, un ingénieur de l'autorité portuaire et l'un des chefs de chantier. Eric Chang, le reporter du service Metro qui va écrire l'article, est déjà là. L'attachée de presse leur tend des badges « One World Trade Center – Accès accompagné », deux casques de chantier siglés « Port Authority ».

« Kathryn, Eric, je vous présente Bruce Marron. Bruce a suivi le projet de la Liberty Tower depuis le premier jour, et vous vous doutez que ça n'a pas été une mince affaire. Je vous laisse avec lui, il va vous expliquer ce que vous allez voir, puis il passera le relais à Ethan Milter, de DMC Erectors, la société qui emploie les *ironworkers*, pour d'autres consignes de sécurité.

– Bonjour, c'est un plaisir de vous avoir avec nous pour deux jours… Deux jours, c'est bien ça ? demande le jeune homme.

– Nous avons eu une équipe de télé de PBS la semaine dernière, ils sont restés plus longtemps mais n'avaient pas l'autorisation de monter au sommet. D'après ce qu'on me dit vous avez fait tous les stages, nous allons pouvoir vous présenter nos vedettes, les équipes de tête, là-haut, dans les nuages.

– Kathryn a fait les stages, pas moi, précise le journaliste. C'est elle qui a besoin d'être au plus près, moi je dois surtout pouvoir les interroger.

– Aucun problème. Vous aurez tout le temps. Les gars ne sont parfois pas bavards mais, parler de leur boulot et de la construction de cette tour, ils adorent. »

Sur le mur d'un bureau en préfabriqué, dans la zone technique, près de l'entrée de la tour, Bruce Marron montre le plan de coupe, en trois parties, de la tour de la Liberté.

« Nous préférons désormais l'appeler de son nom officiel, *One World Trade Center. Freedom Tower*, c'est bien joli, une idée de l'ancien gouverneur, mais c'était un peu trop symbolique. Ça risquait d'en faire une nouvelle cible pour les terroristes. Souvenez-vous qu'ils s'y sont pris à deux fois pour abattre les tours jumelles, la première fois en 1993. Quand elle sera terminée, il faudra que des locataires privés, pas seulement les fonctionnaires qui n'auront pas le choix, aient envie de venir travailler dans le plus extraordinaire gratte-ciel du monde. »

Du stylo il désigne sur le plan les larges colonnes de béton et les plaques d'acier qui renforcent, à la base, la structure d'un lobby haut de vingt étages.

« Certains ont surnommé ça le bunker, nous préférons dire le podium. C'est une cage indestructible, à l'épreuve d'un camion piégé dans la rue. Nos architectes avaient proposé un premier dessin, mais la police l'a estimé trop fragile, le chantier a été arrêté, nous avons renforcé la tour. Pour éviter que ça ne ressemble à un blockhaus, nous allons entièrement la barder de verre trempé.

– Une question qui revient souvent, je suppose : avez-vous prévu le crash d'un avion de ligne contre la tour ? demande Eric Chang.

– Bien sûr. On ne peut pas ne pas y penser. Les *twin towers* sont tombées parce que, pour gagner des mètres carrés, elles étaient vides à l'intérieur. C'est la structure extérieure qui maintenait l'ensemble. Révolutionnaire pour l'époque, rentable pour le propriétaire mais, on l'a vu, hélas, fragile en cas d'incendie. Là, l'architecte David Childs et les ingénieurs ont fait le contraire : la tour est construite autour d'un cœur de béton super-armé.

Certaines parois font un mètre quatre-vingts d'épaisseur. Un béton révolutionnaire, avec des produits chimiques mélangés à l'eau pour en augmenter la résistance. Ils l'ont testé pendant des mois. Les gars chargés de le couler l'ont baptisé acier liquide. Vous allez voir les murs : ils sont tellement denses qu'on dirait du marbre. Il y en a cinq cent mille tonnes. De quoi construire un trottoir de Manhattan à Chicago ! Trois avions comme ceux du 11 septembre ne feraient pas tomber ce gratte-ciel, je vous le garantis.

– Les parois de verre sont aujourd'hui montées sur combien d'étages ? La moitié ? demande Kathryn.

– Pas tout à fait ; quarante, répond Ethan Milter, de DMC Erectors. Mais ça, c'est le boulot d'une autre compagnie. Nous, nous ne montons que la structure, le squelette. Mais c'est ce qui vous intéresse, non ? Allons les voir, j'ai prévenu le premier contremaître, il nous attend. »

Il sort d'une caisse de bois le harnais, avec sa boucle de métal dans le dos, qu'il tend à la photographe. « Enfilez ça. »

Ils pénètrent dans le lobby aux dimensions de cathédrale, béton et acier que des ouvriers recouvrent de panneaux de verre. Ils passent devant les escaliers de secours sur lesquels des menuisiers installent les portes. Parce que les bousculades et les embouteillages ont ralenti l'évacuation des tours jumelles, dix ans plus tôt, ils sont deux fois plus larges que la norme.

« Le plus important, c'est qu'ils seront pressurisés pour empêcher la fumée d'y pénétrer en cas d'incendie, dit Bruce Marron. Dans un feu, plus que les flammes, le vrai tueur, c'est l'asphyxie. Là, quand vous ouvrirez une porte, un courant d'air de l'intérieur vers l'extérieur repoussera la fumée. Avec de tels murs de béton autour, ce seront de bons refuges. Et nous avons prévu une série d'ascenseurs dans une cage de béton encore plus solide, réservée aux pompiers en cas de problème. En tout, il y en aura soixante-treize, les plus rapides au monde. »

Les premières cabines fonctionnent déjà. Ils pénètrent dans l'une d'elles, sonorisée par une chanson de REM qui fait battre du pied trois ouvriers. Saluts d'un signe de tête. Premier arrêt au trente-neuvième étage, déjà fermé par les parois de verre. Le plancher est en cours d'installation, les mécaniciens croisent les électriciens. Une inscription à la bombe orange fluorescente, avec une large flèche, désigne une autre série d'ascenseurs. « Express toute la journée. »

Ils pénètrent dans une autre cage, grillagée, jonchée de morceaux de madriers et de cornières d'aluminium. Le sol disparaît sous une couche de ciment sec. Terminus provisoire, soixante-dixième étage. Ici, les parois ne sont pas encore posées. Insensible au rez-de-chaussée, le vent salé de la baie passe à travers le filet de plastique vert qui enserre le bâtiment comme un cocon.

« Remontez vos cols, il reste cinq étages à faire à pied par l'escalier extérieur », dit Ethan Milter élevant la voix pour couvrir le roulement des moteurs des deux grues kangourous au-dessus de leurs têtes. Les marches métalliques sont comme suspendues au-dessus du vide. La vue sur le port est à couper le souffle. Une poutre en I de vingt mètres monte devant eux. Des monteurs d'acier les croisent en descendant, lestés à la ceinture de leurs clefs à mâchoire, un levier d'un mètre cinquante et deux lourdes poches à boulons. Ils saluent en portant deux doigts à la visière de leurs casques, peints avec des paillettes et la bannière étoilée. Au dernier étage, l'escalier débouche directement à l'intérieur d'un conteneur transformé en vestiaire. Une porte, le plateau : aux quatre coins, trois autres conteneurs forment un carré. L'un d'eux est peint en jaune et vert, couleurs de la chaîne de sandwichs Subway.

« Un ingénieur a eu l'idée d'utiliser des conteneurs pour stabiliser le squelette pendant la construction. Pas mal, non ? dit Bruce Marron. Ils servent de salles de repos, de réunion. Un coup de grue, et ils montent avec les étages. Pour le resto, nous avons lancé un appel d'offres : un gars qui a des Subway en ville a répondu. À cette hauteur, si les hommes devaient descendre et remonter, ils n'auraient pas le temps de déjeuner. Là, ce sont les sandwichs qui viennent à eux. Et le café est chaud vingt-quatre heures sur vingt-quatre. »

En levant la tête, ils aperçoivent, sur fond de ciel bleu, des connecteurs prêts à mettre en place la poutre qu'ils ont vue monter. Un à chaque extrémité, en équilibre sur le tiers de leurs semelles plates, le troisième guidant la pièce avec le câble. Pour assembler la tour la plus moderne du monde, ils répètent des gestes inchangés depuis six générations. La poutre approche au ralenti, centimètre par centimètre. Elle touche les deux côtés, n'ira pas plus loin. D'un bond le connecteur de droite grimpe dessus, dégage d'une main la sangle qui s'est prise dans son bras. Il se stabilise et, aux cris de « Vas-y ma grosse ! » saute à pieds joints sur le métal. Il s'assied, se penche afin de vérifier l'alignement des trous de fixation, saisit sa clef à mâchoire et enfile l'extrémité effilée dans l'un d'eux. Il s'en sert comme d'un levier pour gagner les quelques millimètres qui lui manquent pour aligner les trous. L'acier gémit, la poutre se met en place. Deux boulons, trente secondes. « C'est bon pour moi, Gun, à toi de jouer. »

Kathryn saisit son Nikon, y fixe un téléobjectif de trois cents millimètres, vérifie qu'une carte mémoire neuve est bien en place. Elle fait le point sur l'autre *ironworker* tandis qu'il tape à coups de pied sur la poutre, qui ne bouge pas d'un pouce. « Cette garce fait au moins un demi-centimètre de trop. Rien à faire. Petit, sors le chalumeau, vérifie le niveau des bouteilles. Je vais lui faire une petite coupe. »

« Préparez-vous, dit Ethan Milter à Kathryn. Vous allez avoir de jolies étincelles. Ils disent que ces poutres sont usinées au micron près, que tout est assisté par ordinateur mais, une fois sur deux, les fixations ne s'alignent pas. Nos gars rectifient sur place comme s'ils montaient le Chrysler Building dans les années 1930. Les boulons de la tour du troisième millénaire sont toujours vissés à la main. »

Il autorise la photographe, après avoir vérifié son arrimage de sécurité, à monter jusqu'à une « aile d'ange », petite plateforme équipée d'un filet destinée à rattraper un homme en cas de chute. De là, elle ne rate rien de la découpe. Après une heure de feu, de force et de jurons, la poutre est alignée, les premiers boulons installés. Les connecteurs, rock-stars du chantier, descendent, laissent la place aux visseurs qui vont, avec leurs outils pneumatiques, serrer définitivement les écrous gros comme des poings d'enfants.

« Ça va être l'heure de la pose. Si vous voulez rencontrer le premier contremaître, je vais le prévenir de nous retrouver chez Subway. »

Au-dessus de leurs têtes, ils remarquent que l'une des grues, à vide, fait dans le ciel des petits mouvements saccadés qui semblent ne correspondre à rien.

« Ah, ça ?... C'est le grutier qui fait signe à son frangin. Ils ont un code secret. Ce sont trois frères, des ritals, les meilleurs pros de la côte Est. Ils peuvent vous poser une poutre sur une boîte d'œufs sans les casser. Quand ils sont tous les trois dans le ciel de New York, ils se parlent dans les nuages. Parfois, il n'y en a que deux. Sur les trois, il y a des jumeaux, et ils se ressemblent tellement que vous ne savez jamais vraiment à qui vous avez à faire. Le patron n'aime pas beaucoup leurs petits jeux, mais il n'osera jamais le leur dire. À la première remarque, ils quittent la cabine et ne reviennent pas. Sur nos chantiers y'a pas plus important que le grutier. Un mauvais grutier ça veut dire emmerdes, retards et accidents. Certains, comme celui-ci, touchent des primes de rendement qui feraient des jaloux si on en connaissait le montant. S'il vous plaît, ne mettez pas ça dans votre article… »

À onze heures trente, la file d'attente s'allonge devant l'entrée du conteneur Subway. Ethan montre son badge, ils entrent, choisissent une table près d'une fenêtre avec vue sur le vertige. Peu après, un Mohawk d'une cinquantaine d'années, talkie-walkie à la main, entre dans la pièce, les cherche du regard. Ethan lui fait signe. Il s'approche en boitant légèrement de la jambe gauche. Ses cheveux mi-longs, presque gris, sont retenus en arrière par un élastique. Ils dépassent d'un casque aux couleurs de Bethlehem Steel, le géant de l'acier disparu en 2003. Sa ceinture ne porte pas d'outils.

« Bonjour, je suis John LaLiberté, premier contremaître. »

17

New York City

octobre 2001

Les gardes nationaux à l'entrée de la zone interdite ne se méfient pas : des hommes en tenue de travail avec un réservoir d'oxygène sur roulettes, des chalumeaux, un sac de sport. Saluts et badges en règle. Trois heures du matin à l'angle de Canal Street : c'est trop tôt ou trop tard pour la relève des équipes mais qu'importe. « OK, les gars, soyez prudents. »

Deux pâtés de maison plus bas, au lieu de descendre droit vers l'entrée de Ground Zero, les hommes silencieux aux casques noirs ajustent leurs masques à gaz et obliquent vers Broadway. Au coin de la rue Cortland, ils s'arrêtent. Le mur grillagé qui délimite la zone des recherches est à cinquante mètres. Le plus grand détache un pied-de-biche fixé sur la bouteille de gaz, s'approche, en scrutant les abords, d'une porte découpée dans le rideau de fer d'un garage. Les deux autres se postent aux coins de l'intersection. Le premier fait signe d'attendre, un camion et une Jeep des pompiers passent pleins phares. Les trois ombres baissent la tête, se tournent vers les murs. La poussière retombe. C'est bon. La serrure craque et cède à la troisième tentative. Ils entrent, referment le battant, le bloquent avec un collier de plastique. Lampes frontales, position lumière rouge. Restent immobiles. Pas un bruit. Ils écartent les masques, les retournent sur la nuque. Les cendres et le ciment ont pénétré partout, étouffent les sons. Des traces de pas entre les voitures. Ils font rouler le réservoir jusqu'à une porte menant aux sous-sols. Le grand, qui donne les consignes par gestes, met sa lampe en lumière blanche et, dans les escaliers, ouvre la voie aux deux autres qui portent la bonbonne sur l'épaule. Quatre étages de descente. Il sort de sa poche une feuille de papier, la déplie, éclaire un plan tracé à la main, pointe du doigt. « C'est là, mur du fond. Suivez-moi. » Il pose sur le sol un mètre-ruban. Trois mètres d'un côté, cinq de l'autre. « Ici. » Il trace à la craie une croix sur les parpaings, s'écarte pour laisser le petit râblé donner un premier coup de masse.

« Attends ! Attends qu'il y ait du bruit. » Le grondement d'un engin fait trembler le plafond. « Là ! » Une dizaine de coups perforent la paroi. « Arrête ! On ne bouge plus. » Puis, sur un signe de tête, ils commencent à démonter le mur brique par brique. Quand le passage est suffisamment large, le grand éteint sa lampe et se glisse de l'autre côté, où il est avalé par l'obscurité. Il revient au bout de trois minutes, passe la tête dans la brèche. « Je pense que c'est la bonne salle. Faites passer le matos, doucement. »

Ils pénètrent un à un dans un sous-sol encombré de gravats. Ils sont sous l'esplanade du World Trade Center. L'immeuble au-dessus de leurs têtes, voisin des tours jumelles, s'est en partie écroulé, le reste a brûlé. Ils remettent les lampes en lumière rouge et longent un mur. « Si le plan de Pete est bon, ça devrait être derrière cet éboulement. Il faut trouver un passage. On laisse tout là, on reviendra chercher les outils. » Ils escaladent un pan de mur, passent sur le toit d'une camionnette aplatie et débouchent dans une pièce plus petite. Sur la droite, deux parois d'acier brillent dans l'obscurité. « Nom de Dieu, c'est là ! Les portes, les voilà ! »

Un bruit métallique résonne dans le sous-sol. « Lumière », chuchote le chef. Ils éteignent les lampes, s'accroupissent derrière une Cadillac Séville intacte, recouverte de trois centimètres de cendres, et attendent sans bouger. « Allons-y ! » Dans les lueurs rouges, apparaissent des poignées et un cercle de fer qui marquent l'entrée d'une salle forte. La porte du coffre est assez large pour quatre hommes de front. Au-dessus est gravé : *Allied Safe and Vault, fabriquant. Spokane – Washington State.*

« Tim, t'es bargeot. Tu veux qu'on attaque ça au chalumeau ? Tu rêves ! Même avec une torche à plasma il faudrait deux jours pour percer un truc pareil. Et encore, pour percer, mais pas pour ouvrir. Moi je dis qu'on devrait se tirer, et vite. Je le savais, on n'aurait pas dû venir, un coup comme ça, c'est trop gros pour nous. On n'a pas…

– Ta gueule. Personne ne t'a forcé. Va chercher l'oxygène, on attaque les charnières. Si elles cèdent, les portes suivent. »

Ils approchent la bouteille de gaz de la porte de métal. Les chalumeaux sont branchés, les masques et les gants de soudeurs sortis du sac. Quand les flammes virent au bleu, ils les approchent de l'acier qui noircit d'abord puis rougit, mais ne cède pas. Ils insistent, joignent les flammes au même endroit. Le cercle écarlate s'élargit, mais rien ne perce.

« Je te l'avais dit. Ce n'est pas un vieux coffre, il ne doit pas avoir plus de vingt ans. Un alliage moderne, on perd notre temps à l'oxygène. Il faut tout plier et revenir avec du plasma.

– Rich, la ferme. J'ai jamais dit que ce serait facile, ni qu'on était sûrs d'y arriver. On tente le coup. Pense à ce qu'il y a derrière. Une chance comme ça, c'est une fois dans une vie. On a déjà du bol d'avoir eu le tuyau. Il faudra peut-être revenir, mais pas sûr qu'on en aura l'occasion. En attendant, on est là, on continue. Règle la flamme le plus chaud possible et fais comme moi, sans bouger, concentre le feu. »

Le cercle rouge ne grandit plus, la couleur vire au grenat, la paroi résiste. « Arrêtez deux secondes. » Tim éteint son chalumeau, tire du sac un burin plat et une massette. Il pose l'outil au centre du métal rougi, frappe de toutes ses forces. L'éraflure est à peine visible. « Putain, c'est quoi, cet alliage ? » Il tape une dizaine de fois, la charnière portée au rouge commence à refroidir, indestructible. « Une meuleuse avec un disque au diamant ?

– Peut-être, mais pas sûr qu'elle entame ça. Et où on trouvera du courant ? On ne va quand même pas descendre un générateur ! »

Soudain, un coup sourd, métal contre métal, résonne dans le sous-sol. Un autre. « Lumière, planquez tout ! Coupe l'oxygène. » Une porte à double battant s'ouvre à l'autre bout du sous-sol. Les faisceaux de puissantes lampes torches trouent l'obscurité. Les trois hommes entendent les voix, s'accroupissent. « Rich, tu prends le sac, Tom la bouteille, avec moi. Si on reste on est cuits. On se tire, faut rien laisser », chuchote le chef. Les lueurs obliquent vers la droite, s'éloignent. Sur la pointe des pieds, ils repassent, par la brèche dans le mur, dans le parking voisin, cachent la recharge de gaz et les chalumeaux sous l'essieu d'un camion de livraison. Ils remontent deux à deux les escaliers, sectionnent le lien de plastique, ouvrent la porte du garage. Cortland Street est déserte. Personne pour les voir sortir, refermer en coinçant la serrure, ajuster les masques à gaz, s'éloigner d'un pas tranquille.

C'est la deuxième fois que Douglas O'Keefe, lieutenant du commissariat de Park Slope, à Brooklyn, pénètre dans ce sous-sol. La veille, il avait reçu l'ordre d'accompagner une équipe de pompiers, des collègues et des monteurs d'acier vérifier la fiabilité d'une nouvelle rampe d'accès, construite pour accéder sous l'immeuble du 4, World Trade Center. Il n'avait pas bien compris l'urgence de la manœuvre, ni la consigne de secret qui leur avait été passée jusqu'à ce que les rejoignent d'anciens flics, membres du cabinet de détectives Kroll.

« Vous voyez ces portes d'acier, dans le fond, avait dit l'un d'eux. Derrière, il y a deux cent cinquante millions de dollars en lingots d'or et d'argent. Huit cent soixante tonnes, sur palettes. C'est la réserve de change de la banque Nova Scotia, de Toronto. Plus tôt on les sortira d'ici pour les mettre en sûreté, mieux ça sera. Les rumeurs d'un trésor caché dans la pile sont de plus en plus insistantes.

– Ah bon, c'était donc vrai ? »

Un pompier braque sa torche sur le côté droit des portes métalliques. « Eh, venez voir ça !... » O'Keefe éclaire les traces de brûlures, fait d'un trait lumineux le tour du coffre, pose la main sur la paroi. « Nom de Dieu, encore tiède. Ils viennent de partir. On les a dérangés. Regardez, là, des traces de burin. » Il attrape son Motorola. « Central, central, ici O'Keefe, deuxième secteur, WTC 4 »... La radio crachote, pas de réponse. « Trop profond, ça ne passe pas. Jones, Marti et Rourke vous restez là. Sortez vos armes. Je vais prévenir le QG, je reviens avec des gardes nationaux. » Il se tourne vers les charpentiers du fer : « Vous, s'il vous plaît, découpez ces deux poutrelles, dégagez l'accès. Il faut qu'on puisse approcher les camions le plus près possible. Et pas un mot à quiconque. »

Une demi-heure plus tard, il est de retour avec six soldats en casques lourds et gilets pare-balles qui se postent en éventail devant les portes métalliques, enclenchent dans la culasse les chargeurs de leurs M16. Une ligne électrique est tirée jusqu'à un générateur en surface, deux projecteurs mis en batterie. « Lieutenant, venez voir. » Un policier braque sa torche sur le trou dans le mur de parpaings : au sol, les traces de bottes. « Ils sont passés par là, vers le sous-sol de l'immeuble voisin. Attention, ils ne sont peut-être pas loin. Marti, va chercher des gardes nationaux. On t'attend là, on va aller voir où ça mène. »

En suivant les empreintes, ils trouvent le réservoir et les chalumeaux sous la camionnette. « Matos de pro. Les embouts sont chauds, ils étaient là il y a moins d'une heure. Si j'ai bien compris ce qu'a dit le chef de la sécurité de la Nova Scotia, ils n'avaient aucune chance avec ça contre un coffre pareil. Ils sont sortis par ces escaliers. »

Ils remontent jusqu'au rez-de-chaussée, trouvent la porte fracturée. « Central, ici O'Keefe. Pouvez-vous envoyer une patrouille dans Cortland ? Je suis face au numéro 8, je les attends. »

Quand l'équipe arrive, l'officier leur demande de faire le tour du quartier à la recherche de deux ou trois hommes, sans doute des *ironworkers* ou des gars en tenue de travail. « Lieutenant, vous voulez rire ? À part nos uniformes et ceux des pompiers, il n'y a que des gars en tenue de travail dans le quartier. Il est fermé à la population. C'est tout ce que vous avez comme signalement ?

– Oui, vous avez raison... Laissez tomber la patrouille. Postez-vous ici et surveillez cette porte le temps que j'envoie quelqu'un la réparer. Une ou deux heures maximum. » Il lit « Sanchez » sur son badge NYPD. « Merci, Sanchez. Je ne peux pas vous en dire davantage mais vous nous rendez un fier service. »

Au petit matin, avant de rentrer dormir, O'Keefe rend compte au QG de la police, installé sous une tente géante, dressée sur la berge de l'Hudson, de la mission de la nuit à son capitaine.

« Bon, d'après ce que je sais, l'évacuation des lingots était prévue la semaine prochaine mais, avec ce que tu me dis, ils vont sans doute avancer les choses. Merci O'Keefe. J'en parle tout à l'heure au briefing avec le commissaire. Mais s'il y a les tonnes d'or et d'argent dont on m'a parlé, ça va être un peu plus complexe que de sortir le camion blindé de la Brinks.

– C'était vrai, aussi, cette histoire de camion blindé, capitaine ? Je croyais que c'était une rumeur.

– Non, non. Quatorze millions en billets, dans une tirelire de la Brinks. Mais c'était facile, le camion, intact, était coincé dans un sous-sol. On l'a évacué il y a deux semaines, dès qu'on a pu trouver un itinéraire de sortie. Là, pour les lingots, ils bossent depuis le début du mois à construire une rampe d'accès discrète qui débouche sur un ancien tunnel ferroviaire. Je crois qu'ils ont presque fini. Avec ce que tu racontes, ils vont accélérer le mouvement. Ce sont les gars de Kroll qui en sont chargés, dont mon cousin, un ancien de la maison. Je vais voir ça avec eux. Bonne nuit, O'Keefe. À ce soir. »

Dans la journée, les gardes nationaux sont remplacés aux abords de la salle des coffres par des caméras de surveillance qui, dans les locaux de Kroll, à Manhattan, retransmettent des images scrutées vingt-quatre heures sur vingt-quatre. Une patrouille armée passe toutes les heures. Un matin de fin octobre, des membres de la direction de Nova Scotia et un technicien enfoncent les longues clefs de titane dans la double serrure, desserrent la roue, ouvrent les portes blindées. À l'intérieur, les milliers de lingots alignés sur les palettes brillent d'or et d'argent. Tout est propre, la poussière n'a pas pénétré. La dernière signature sur le bordereau, au mur, est datée du 10 septembre.

Le premier camion blindé aux armes de la Brinks arrive en marche arrière, se gare à quelques mètres de la porte. Surveillés par des gardes privés, armés de fusils à pompe, une trentaine de pompiers et de policiers font la chaîne pour porter un à un les trente mille lingots dans les véhicules.

Le matin du second jour de l'opération, Douglas O'Keefe est chargé de diriger sur place le contingent du

NYPD. Les trois camions ont déjà fait une cinquantaine d'allers-retours, sortant discrètement du tunnel dans la rue Church et filant vers Brooklyn. Il en faudra encore autant pour vider le coffre. Il entre dans la salle, tente d'attraper d'une main un des lingots d'argent. Trop lourd, plus de trente kilos. Il le soulève à deux mains sous l'œil soupçonneux d'un garde de la Brinks, le repose. Il se tourne vers un de ses hommes : « Il y a quand même quelque chose que je ne comprendrai jamais : s'ils étaient parvenus à casser la porte, comment ces types comptaient-ils transporter leur butin ? Sur leur dos ? Ils avaient embauché Superman ? »

18

Sausalito (Californie)

décembre 1908

Sausalito, baie de San Francisco,
le 4 décembre 1908

Ma chère Martine,

J'aurais voulu t'écrire plus tôt pour te donner des nouvelles et te raconter mon voyage, mais les mois ont filé comme des semaines. J'étais rarement plus de deux jours au même endroit et je n'avais pas d'adresse à te donner pour attendre ta réponse.

Mais cette fois ça y est : je suis hébergé par une famille de charpentiers suédois, dans la baie de San Francisco, sur la côte Pacifique des États-Unis. Regarde sur une carte, il me semble que votre voisin Beaulieu en a une, il me l'avait montrée un jour pour m'indiquer les pistes des colons en chemin pour la Californie. Ici, il y a beaucoup de travail : le tremblement de terre d'il y a deux ans (tu t'en souviens ? Ils en parlaient dans les journaux à Québec) a détruit une grande partie des villes et des villages de la région. Partout on répare les maisons et les ponts, ils ont besoin de bras.

J'ai rencontré monsieur et madame Larsson à la gare d'une ville nommée San Rafael, dans le nord de la Californie. Ils sont venus de Suède pour travailler à la reconstruction de San Francisco et cherchaient des ouvriers. Quand je leur ai dit que j'étais monteur de fer et que j'avais construit des ponts sur la côte Est du Canada, ils m'ont embauché.

Le salaire est bon. Mon premier travail a été de finir une maison flottante sur la baie, dans une jolie crique entourée de montagnes, nommée Sausalito. J'y vis maintenant avec les huit autres employés des Larsson, qui habitent à côté, sur la colline. Un charpentier venu d'Irlande écrit bien : il s'appelle Connor ; à Dublin, il était instituteur, c'est lui qui tient la plume pour t'écrire cette lettre. (Bonjour, Martine, c'est Connor. Mike dit que tu es belle comme le jour !)

Tu sais que je peux écrire mais, avec tout ce que j'ai à te raconter, ça m'aurait pris des jours et j'aurais fait trop de fautes.

Alors voilà : après avoir quitté Éric Bouchard (remercie-le encore pour son aide), j'ai emprunté un canoë à l'anse des Phares. J'ai descendu le fleuve en pagayant de nuit, me cachant au lever du soleil, dormant dans les roseaux. Les trois premiers jours, j'ai été prudent, n'ai parlé à personne et personne ne m'a vu. Quand j'ai fini les provisions de madame Bouchard (merci à elle aussi), j'ai attrapé à la main des poissons que j'ai mangés crus. Après Trois-Rivières, assez loin de Québec, j'ai acheté des provisions dans les fermes. À l'aube du neuvième jour, je suis passé devant Kahnawake. J'ai longé l'autre berge, sur la rive de Lachine. Ça m'a serré le cœur de revoir ce morceau de fleuve dont je connais tous les remous, tous les arbres. J'étais à deux cents mètres de la maison de mes parents, mais je ne m'en suis pas approché. Je suis recherché, la police est sans doute venue dans le village, et je ne voulais pas les mettre dans l'embarras ni les forcer à mentir. Aujourd'hui encore, ils ne savent pas ce que je suis devenu. Je leur écrirai bientôt.

J'ai accosté dans un dock du port de Montréal que je connais, près d'un marché indien. J'ai mangé comme un ogre, me suis reposé dans une pension tenue par des Algonquins amis de mon père. Ils ne diront à personne qu'ils m'ont vu. J'ai dit que j'avais eu des ennuis avec des Blancs à Québec, sans préciser. Ils n'ont pas posé de questions.

Le lendemain, je suis allé à la gare Dalhousie. J'ai demandé un billet pour le terminal de la ligne transcanadienne, le port de Vancouver, de l'autre côté du continent. En troisième classe, ça coûtait plus de cinquante dollars. L'employé au guichet a accepté de me vendre un des billets que la compagnie réserve aux immigrants. Je lui ai dit que j'étais mohawk, que j'allais chercher du travail dans la construction des ponts sur la côte Pacifique, sans espoir de retour. Il a dit : Alors vous êtes en quelque sorte un immigrant, dans ce grand pays. » Ça coûtait trente-trois dollars. Je suis parti deux jours plus tard. Il y avait trois wagons pour les immigrants : des dortoirs avec des lits superposés, à l'arrière une petite salle avec une cuisine commune.

Le premier wagon était plein de familles venant de Grèce et d'Italie, avec beaucoup d'enfants. Devant le deuxième, des costauds blonds parlant une langue inconnue m'ont barré la route, et m'ont interdit de monter. Il restait une couchette libre dans le troisième : une famille venue d'Europe a accepté d'enlever les valises posées dessus pour me laisser l'occuper. Ils parlaient très mal anglais ; j'ai fini par comprendre qu'ils venaient de loin, de l'intérieur de la Russie, des rives d'un grand lac. Les hommes avaient des casquettes plates comme je n'en avais jamais vu, les femmes des foulards serrés sur leurs joues blanches, des yeux très bleus. Ils semblaient méfiants au début mais, ensuite, ça s'est arrangé. J'ai fait des provisions, le contrôleur nous a dit que le voyage allait durer au moins sept jours. En hiver, c'est plus long parce que la voie est souvent obstruée par des congères de neige dans les montagnes Rocheuses. Nous sommes partis un matin. Personne ne m'a demandé de papier d'identité. J'ai passé les premiers jours à l'arrière du wagon, sur la plateforme. Nous étions en queue du train, c'était mieux pour ne pas respirer la fumée de la locomotive.

Martine, ma chérie, j'espère que tu pourras bientôt faire ce voyage : les paysages du centre du Canada sont splendides, les plaines immenses, les forêts interminables. Des dizaines de ponts ont été construits sur les rivières. Le train s'arrête souvent, dans des villages ou en pleine campagne, pour faire le plein de bois et d'eau (la locomotive fonctionne à la vapeur, je n'ai pas eu le droit de m'en approcher). Le troisième jour, j'ai parlé avec un enfant qui comprenait un peu l'anglais. Je sculptais une tête d'ours dans un morceau de bois ; il regardait ça bouche ouverte : je le lui ai offert. Sa famille m'a invité à partager la soupe que la mère avait fait cuire pendant un des arrêts. Le père a sorti de sa poche une affiche pliée et me l'a montrée : elle était signée par la compagnie, la Canadian Pacific, et proposait aux émigrants d'acheter, en payant en plusieurs saisons, des fermes construites pour eux dans l'Ouest du pays. C'est pour ça qu'ils sont venus : la compagnie a envoyé des agents distribuer ces affiches dans toute l'Europe. Ils ont vendu ce qu'ils avaient et ont traversé l'océan jusqu'à Québec. Ils avaient de grands sourires et les yeux brillants en regardant le dessin. Il y avait écrit, en grosses lettres : « Fermes toutes prêtes dans des terres vierges de l'Ouest canadien », avec une jolie maison et une grange peinte en rouge et blanc. Quelqu'un avait écrit la traduction au crayon, dans des caractères étranges. D'après ce que j'ai compris, la Canadian Pacific possède des hectares le long de la voie et cherche à rembourser les millions que lui a coûtés la construction en faisant venir des émigrants. Ils peuvent payer en dix ans. Avec la ferme, il y a un puits, une pompe et un terrain dont une partie est même labourée avant qu'ils arrivent. Le jeune Russe m'a dit que son père n'était pas paysan, qu'ils venaient de la ville, mais qu'ils allaient apprendre. Dans leur ancien pays, ils étaient enfermés dans un quartier avec interdiction d'en sortir, n'avaient pas le droit d'exercer certains métiers. Je n'ai pas compris pourquoi. Sur une autre affiche, il y avait une femme aux joues roses avec un enfant blond dans les bras, entourée de poules, de barrières de bois et de bottes de foin.

Après trois jours de voyage, un homme est monté, avec une sacoche à outils. Nous avons parlé en fumant à l'arrière : il m'a dit qu'il était menuisier, qu'il partait pour la Californie, la région de San Francisco, pour la reconstruction. Ça m'a donné l'idée d'y aller aussi ; je me suis dit qu'il devait y avoir de nombreux ponts à construire ou à réparer. En arrivant dans une province appelée Manitoba, les familles d'émigrants sont descendues. Elles étaient attendues, dans une gare neuve, perdue dans la plaine, par des hommes sur des charrettes qui avaient des listes. J'ai dit au revoir aux Russes, noté leur nom et celui de leur ferme. Plus loin, le long de la voie, nous avons vu des maisons qui ressemblaient à celles de l'affiche.

Le cinquième jour, nous sommes arrivés au pied des Rocheuses, des montagnes immenses comme je n'en avais jamais vu. Il paraît que certains sommets sont enneigés en été. Pour franchir les cols, deux locomotives ont été accrochées à l'avant. Malgré ça, par moments, la pente était si raide et nous montions si doucement que nous nous amusions à sauter en marche et à courir à côté du train. Puis nous sommes arrivés dans la neige, et je suis resté à l'intérieur, près du poêle à bois de la cuisine.

En descendant vers le Pacifique, la voie traverse des vallées splendides et des forêts aux arbres immenses, trois ou quatre fois plus gros que les plus grands arbres du Québec. Ce sont des séquoias : il suffit par endroits d'en couper quatre pour faire un pont ! Ils font penser à des géants, des piliers du ciel, comme des dieux qui pourraient sortir leurs racines de terre et marcher vers l'océan.

Le matin, nous sommes arrivés à Vancouver, le bout de la ligne. C'est un grand port, avec des bateaux plus longs et plus hauts que ceux qui remontent le Saint-Laurent. Ils viennent d'Australie, d'Asie, de Chine et du monde entier. La ville est un chantier, avec partout des immeubles, des quais et des routes en construction. Ça tape, cloue, scie et charpente dans tous les coins.

J'ai accompagné Jim, le menuisier, au bureau d'une compagnie maritime. De nombreux bateaux relient Vancouver à San Francisco. Le voyage ne prend que quatre jours, c'est beaucoup plus rapide que par la terre car il n'y a pas encore de voie ferrée, mais le passage coûte presque trente dollars. Il ne m'en restait que cinq, ceux que tu as remis pour moi à Éric Bouchard, mon amour. Je m'en suis servi pour payer deux semaines dans une pension. J'ai cherché du travail : au bout d'une heure, j'en ai trouvé dans une scierie proche du port.

Au bord d'une rivière, nous repêchions dans l'eau les troncs qui descendent des montagnes, sur des radeaux géants comme sur le Saint-Laurent, et les sciions en long pour en faire des planches. Ils passaient dans une scie circulaire, géante roue d'acier animée par un bras relié à une machine à vapeur. J'y suis resté un mois, jusqu'à ce que j'entende un client venu chercher des poutres, parler d'un pont en construction à l'autre bout de la ville. Un matin, j'y suis allé, j'ai dit au contremaître que j'avais travaillé à construire le pont de Québec. Il avait lu un article sur la catastrophe, m'a demandé mon avis sur la cause. Il a dit : « Si tu as monté des poutres de métal au-dessus du Saint-Laurent, tu sauras assembler nos poutres de bois », et il m'a engagé.

La paie était presque deux fois celle de la scierie. Les gars, sur le chantier, ne comprenaient pas que je puisse marcher facilement sur les poutres, certains ont commencé à dire que je n'avais pas le vertige parce que j'étais indien. Cette ânerie que disent certains, à Québec, est arrivée jusqu'ici ; je ne les ai pas contredits. Tu te souviens, je t'ai raconté d'où venait cette légende, nos premiers pas de *bridgemen* sur le pont de Kahnawake.

En trois mois, j'avais gagné de quoi payer le passage pour la Californie, mais je suis resté un mois de plus : je m'y étais engagé, jusqu'à ce que le travail soit terminé. Quand je suis allé réserver mon passage sur le bateau pour San Francisco, l'homme au guichet de la compagnie m'a demandé si j'avais des papiers d'identité pour entrer aux États-Unis. Je lui ai montré mon acte de naissance. Il m'a dit qu'avec ça les Américains ne me laisseraient pas débarquer. Il m'a envoyé à la mairie de Vancouver, où, pour deux dollars, ils m'ont établi un certificat de citoyenneté canadienne. Je me disais que Manish LaLiberté était peut-être recherché à Québec ou jusqu'à Montréal, mais qu'il n'y avait aucune chance que l'avis soit arrivé sur la côte Pacifique.

(Martine, ici c'est Connor qui parle : Mike m'a raconté pourquoi et comment il a tué cette brute d'Anglais. Je l'ai félicité, c'est tout ce que méritent ces têtes carrées de Brits.)

J'ai embarqué pour San Francisco au début du mois de juin. Le bateau était un grand trois-mâts, le *California*. Il y avait à bord des cabines d'un luxe comme je n'en avais jamais vu (en regardant par les hublots), des cabines ordinaires, et puis il y avait ceux, comme moi, qui avaient payé pour rester sur le pont. Ils nous ont distribué des couvertures pour la nuit. Il n'a pas fait trop froid. J'ai souffert d'un terrible mal de mer à cause des mouvements du bateau qui bougeait beaucoup sur les longues vagues. Je n'ai rien pu avaler. Nous avons vu de nombreux animaux : des loutres, des phoques, des dauphins, et même le dos et la queue d'une baleine. Elle a soufflé un grand jet d'eau chaude et puante, nous étions si près que j'ai été éclaboussé. Tu te souviens, nous voulions remonter au Nord, dans la baie du Saint-Laurent, pour voir passer les baleines…

Le matin du troisième jour, nous sommes entrés dans le port d'une ville nommée Eurêka, au fond d'une profonde baie. L'arrêt n'était pas prévu, des marins nous ont dit que le *California* avait des problèmes et qu'il devait être réparé. Nous avons attendu deux jours (j'étais content de pouvoir descendre à terre ; j'avais l'impression que le sol bougeait sous mes pieds), puis le capitaine a réuni tout le monde sur le pont et a dit que le voyage s'arrêtait là, qu'il était impossible de continuer jusqu'à San Francisco, que, sans des réparations sérieuses, qui allaient durer des semaines, nous risquions de couler. Des passagers étaient furieux, ils étaient attendus à San Francisco. L'un d'eux était tellement riche qu'il est allé à l'hôtel et a télégraphié pour commander une automobile à moteur de monsieur Ford pour venir le chercher. Pour les autres, la compagnie a payé des charrettes qui nous ont conduits à une gare. Les employés du chemin de fer nous ont dit que la voie avait été terminée six mois plus tôt.

Nous avons pris le train le lendemain. Dans la gare de San Rafael, nous attendions de repartir quand j'ai rencontré les Larsson. Ils étaient venus attendre leur famille qui arrivait de Suède. Je les ai entendus parler de charpente et de menuiserie, ils m'ont proposé du travail.

Il y a à Sausalito une dizaine de maisons flottantes comme la nôtre, et plusieurs en construction. Certaines servaient de maisons de vacances et de week-end à des familles de San Francisco venues s'y installer après avoir tout perdu dans le tremblement de terre. L'une d'elles est un saloon qui fait aussi salle de spectacle, avec un orchestre et des danseuses, connu dans la région. Nous pêchons depuis la fenêtre de la cuisine, il y a toujours une ligne dans l'eau. Nous attrapons de délicieux poissons, des espèces inconnues de ton côté du continent, qui sautent directement dans la poêle.

Monsieur Larsson vient de signer un contrat pour la construction d'un pont à dix kilomètres d'ici, ainsi que de trois entrepôts et des bâtiments d'une ferme. Il pense qu'il y en a pour un an de travail. Si tout se passe bien, mon salaire (huit dollars par semaine), quand je serai nommé chef d'équipe, devrait bientôt passer à dix. J'ai déjà une quarantaine de dollars d'économies. J'aurai bientôt de quoi payer ton billet pour Vancouver. Le courrier fonctionne bien maintenant entre ici et Québec (je me suis renseigné au bureau de poste). Si tu m'écris en donnant une date pour ton départ, je pourrai venir t'attendre à la gare.

Martine, mon trésor, je prie pour que tu ne m'aies pas oublié. La Californie est un pays merveilleux ; il y a des projets de ponts géants en métal dans la baie de San Francisco. Ceux qui ont l'expérience de ce genre de construction sont rares sur la côte Ouest ; je suis sûr qu'il va y avoir du travail bien payé pour des années.

Il y a des terrains à vendre pour une bouchée de pain sur les collines surplombant la baie. Avec des amis, je pourrai nous construire une maison en quelques semaines. J'espère que tu tiendras ta promesse et que tu viendras me rejoindre. S'il te plaît, réponds-moi à cette adresse, à Sausalito. Si tu es toujours d'accord, au printemps, nous pourrons nous retrouver et nous marier.

Je t'embrasse tendrement,

Manish Rochelle

19

New York City

octobre 2011

Les poutres sont en place, l'*ironworker* s'assied sur l'une d'elles, sort un boulon de la poche à sa ceinture. Figures géométriques dans le ciel de New York, l'homme se détache en ombre chinoise, le geste. Là, maintenant. Vite, changer d'optique, téléobjectif. La lumière de fin d'après-midi est parfaite.

Kathryn Martins a déjà raté trois fois le gros plan. Dans une heure, c'est la fin de son deuxième et dernier jour au sommet de la Liberty Tower. Elle a fait quelques cadrages serrés, mais pas celui qu'il faut. La main et l'outil. Elle est trop loin. Elle s'approche, enjambe un garde-corps, avance à petits pas sur une plate-forme. Le harnais la retient : la sangle s'est encore prise dans quelque chose. « Attendez, mademoiselle, je vous libère. »

Coup de chance, le charpentier de l'acier a glissé la vis dans le trou mais l'écrou lui échappe. « Attention dessous, ça descend ! » Le temps qu'il en prenne un autre, lui fasse mordre le filetage, trois tours, la photographe est prête, agenouillée à cinq mètres, objectif posé sur une poutrelle quand il attrape sa clef à mâchoire. Il finit de visser à la main, glisse l'outil sur la tête du boulon. Elle déclenche. Quatre prises. Puis une autre. Ça suffit. Sans avoir regardé sur l'écran arrière du Nikon, elle sait que la photo est bonne. Les muscles du bras, veines saillantes, l'inscription Knox-Fit 679 sur le gant, la *spudwrench*, les bottes de cuir, le bas du jeans, les boulons, l'acier. Noir et blanc, toutes les nuances du gris : l'image qui lui manquait pour boucler le sujet.

Elle fait quelques prises du Mohawk qui lève la tête, en sueur, regarde vers elle sans la voir. Elle a d'autres portraits, meilleurs que celui-ci. Elle se relève. Derrière elle, de l'autre côté de la tour, ils installent sur l'étage à peine terminé le filet de protection, cocon antichute. Ils sont trois, côte à côte sur une passerelle. Elle zoome, vise les silhouettes, descend, ne garde que les jambes et les sangles. La skyline de Manhattan en arrière-plan, l'Empire State Building se découpe dans le ciel. Elle appuie quatre fois, tourne la molette pour visionner : pas mal. On dirait qu'ils dansent.

« Bon, miss. S'il vous manque quelque chose, c'est le moment de demander parce que, dans trente minutes, il va falloir redescendre. »

John LaLiberté s'approche d'elle.

« Ah oui, ce que je voudrais, si c'est possible, c'est cinq minutes avec le grutier dans sa cabine. Vous croyez que j'ai le temps ?

– Le temps, sans doute, mais il faudra qu'il accepte. Il est très bon, un des meilleurs de la ville, mais il a un caractère, disons… spécial. Un peu rugueux, si vous voyez ce que je veux dire. Ne bougez pas, je vais lui demander. »

Kathryn suit des yeux le contremaître qui grimpe à l'échelle métallique, ouvre la porte de la cabine, la referme dix secondes plus tard.

« Je lui ai dit que vous étiez la plus jolie photographe qu'il verrait de sa vie, mais ça n'a pas suffi. Un ours, je vous dis. Désolé. Mais pour les vestiaires, tout à l'heure, ça marche. Les gars seront contents de montrer leurs muscles et leurs tatouages. De toute façon, ils ne sont jamais à poil. En attendant, descendons chez Subway, je vous offre un café. »

Ils sont seuls à l'une des tables de contreplaqué installées près de l'entrée du conteneur, posé sur la plateforme du soixante-quinzième étage. À cette heure, il ne reste qu'un ouvrier perdu dans ses pensées et un employé, un Mexicain souriant, à peine plus grand que le comptoir en inox qu'il essuie à coups de chiffon circulaires. John verse dans des tasses de polystyrène le café. « Lait, sucre ?

– Noir, merci. C'était formidable, aujourd'hui, merci encore. J'ai une dernière faveur à vous demander : pensez-vous que si c'est vous qui faites la demande ils pourraient m'autoriser à revenir demain ? J'ai fait de bonnes photos aujourd'hui, mais la lumière d'hier n'était pas terrible, trop de nuages. La météo pour demain est idéale, ce serait génial s'ils pouvaient prolonger de vingt-quatre heures mon accréditation. J'ai patienté des mois, j'ai fait six jours de stage pour avoir le droit d'être ici. Quarante-huit heures pour un sujet pareil, c'est vraiment trop court. C'est pour le *New York Times Magazine*, pleines pages, les clichés doivent être parfaits. Vous pourriez faire ça ?

– Vous savez, ce n'est pas moi qui décide de ce genre de choses. Mais je peux poser la question et dire que c'est OK pour nous sur le chantier. Je m'entends bien avec le patron chez DMC. Je ne vois pas pourquoi il refuserait. Je lui en parle tout à l'heure. »

Les gobelets sont à peine entamés que se glisse entre eux l'ombre des tours jumelles. Le 11 septembre 2001, Kathryn était encore graphiste dans le Queens, photographe amateur, bouleversée comme la ville et le monde par le drame. « Le lendemain, j'ai traversé à pied le pont de Brooklyn et tenté de m'approcher avec mes appareils, mais tout était fermé en dessous de Canal Street, partout des barrages de flics. J'ai fait quelques photos banales et suis retournée me coller devant la télé. Vous étiez à New York ?

– Oui, j'y étais. Je suis arrivé à Ground Zero avec mon chalumeau en début de soirée. J'en suis reparti neuf mois plus tard. Nous étions pas mal d'*ironworkers* là-dedans, à découper l'acier.

– C'est pas vrai, neuf mois ! Vous avez dû voir des choses terribles. Et votre santé ? Vous n'avez pas été traumatisé, intoxiqué ? J'ai lu un article sur les gaz et les fumées empoisonnés, tous ces flics et ces pompiers qui tombent malades.

– Pour l'instant, ça va. Visite médicale tous les ans, ils ne trouvent rien. Mais j'ai enterré mon meilleur ami en 2004. Nous ne savions pas à l'époque à quel point ces fumées étaient toxiques. C'était un boulot infaisable en combinaisons intégrales. La plupart des gars savaient que c'était mauvais, mais ils s'en foutaient. Certains mettaient même une fierté malsaine à ne pas porter leurs masques. Les premiers jours, il fallait aller vite pour retrouver des survivants qui, en fait, n'existaient pas, alors les précautions… Ici, cette tour est mon dernier job ; je prends ma retraite le lendemain du *topping-out*, la cérémonie que nous faisons pour la dernière poutre. J'aurais pu arrêter il y a au moins cinq ans, mais je suis resté pour la construire. Une affaire de famille. »

Sans la regarder, le regard perdu vers la côte du New Jersey, John raconte sa visite du chantier des *twin towers*, en 1968 (« j'avais douze ans »), la fierté puis la foudre, la chute de son père dans la cage d'ascenseur, la cérémonie secrète de Wild Bill, la ceinture wampum, la quête de sa clef à mâchoire dans les décombres.

« Vous vous souvenez, ils ont mis un temps fou à s'accorder sur ce qu'il fallait construire à la place. Ces procès, ces négociations sans fin, ces querelles d'architectes, ces manœuvres politiques, ça me rendait dingue. Je suis passé contremaître en 2003 ; je n'avais plus la condition physique pour grimper et connecter les poutres. Chaque année, j'ai repoussé mon départ à la retraite pour attendre le début des travaux. Tour de la Liberté, moi j'aimais bien ce nom, elle était encore plus à moi, à nous. *One World Trade Center* c'est un peu banal pour un ouvrage pareil, vous ne trouvez pas ? On n'est pas près d'en voir un autre comme ça dans le ciel de l'Amérique. C'est la première fois que vous prenez ce genre de photos ? »

« Non… Enfin oui. J'ai souvent tenté d'approcher les constructeurs d'immeubles à New York. C'est un bon sujet, très graphique. Mais pas facile à faire. C'est la première fois que j'ai l'autorisation de monter. Jusqu'ici, je me contentais de prises de vues depuis le sol, comme les touristes. Un jour, je me suis postée dans un immeuble voisin pour tenter de faire de meilleures photos, mais je ne suis pas parvenue à ouvrir une fenêtre, ni à monter sur le toit, donc ce n'était pas terrible. Quand les travaux de cette tour ont commencé je n'ai pas lâché l'Autorité portuaire jusqu'à ce que j'obtienne cette autorisation. Si les photos sont aussi bonnes que je le crois, si le *New York Times* est satisfait et les fait paraître dans le magazine, ça sera le reportage de ma vie.

– Vous aussi vous croyez la légende selon laquelle nous, les Mohawks, n'avons pas le vertige ?

– Je le croyais au début, comme tout le monde, mais un ami de ma mère qui a travaillé sur les chantiers m'a expliqué que ce n'était qu'une légende.

– Si vous voulez, je vous raconterai où elle est née, il y a longtemps, sur les rives du Saint-Laurent, à Montréal.

– Excusez-moi de poser la question, mais si vous êtes indien, comment se fait-il que vous ayez les yeux si clairs ? Ils sont bleus, non ? Presque gris…

– Ce sont les yeux de mon père, Jack. Les Mohawks ont toujours croisé leur sang, bien avant même la venue des Blancs sur nos terres. Je dois avoir un ancêtre viking quelque part. »

Au mur, la pendule publicitaire Avis indique quinze heures trente.

« Si vous voulez avoir un peu de temps dans les vestiaires, faut qu'on y aille. »

Il pose trois dollars sur la table : « Ciao Luis, à demain. »

Ils descendent quatre étages par les escaliers extérieurs. Sur le palier métallique, un seau de fer déborde de boulons neufs. Kathryn tend le bras, arrête John qui marchait à côté d'elle. « Attendez, excusez-moi deux secondes. » Elle fait glisser un appareil sous son aisselle, s'agenouille, prend trois photos de près au grand angle. « Merci, allons-y. »

La file d'attente commence à se former devant l'ascenseur. À cet étage, les électriciens et les installateurs des réseaux d'air conditionné ont remplacé les monteurs d'acier. Les parois vitrées suivront bientôt, puis les menuisiers. Au rez-de-chaussée, dans la zone technique, les vestiaires préfabriqués des monteurs d'acier sont marqués à la bombe noire *Local 40 – New York Ironworkers*, et par des autocollants. « Attendez ici, je vais les prévenir et voir s'ils sont présentables. »

Kathryn vérifie le niveau des batteries de l'appareil, la contenance de sa carte-mémoire.

« C'est bon, vous pouvez entrer. »

Elle fait le tour de la pièce, salue chacun et se présente.

« Je travaille pour le *New York Times*, un reportage sur les *ironworkers*. Vous permettez que je prenne quelques photos ? »

Sourires, un sifflet dans le fond, clin d'œil. La plupart des ouvriers ignorent sa présence, pressés de se changer et de rentrer chez eux. Un grand blond ouvre sa chemise, se tourne pour montrer dans son dos le sigle « US Marines » et l'aigle fonçant sur sa proie, serres en avant. Un petit homme d'une quarantaine d'années, torse nu, casque à l'envers, lunettes de soudeur autour du cou, assis sur le banc coudes sur les cuisses, lève la tête à son approche : « Attendez, que je passe un tee-shirt, George Clooney va être jaloux. »

Elle fait des gros plans sur les paires de chaussures, des caisses à outils, l'intérieur d'un casier où sont accrochées des photos d'enfants en tenue traditionnelle mohawk et une plume d'aigle. Devant les trois éviers, elle demande à un jeune rouquin d'attendre deux secondes avant de se débarbouiller, cadre sur son visage les sillons creusés par la sueur dans la poussière métallique.

« Je me change et on va tenter de mettre la main sur Milter, le gars de DMC, pour voir si vous pouvez revenir demain, dit John LaLiberté. Il enlève son vêtement à manches longues.

– Ce tatouage, sur votre épaule, c'est quoi ?

– Une patte d'ours. La marque de mon clan, le clan de l'Ours. Un des trois clans chez les Mohawks. »

20

New York City

novembre 2001

Au milieu de la baie, à mi-chemin de Staten Island, l'orage qui menaçait déchire les nuages. Les premières gouttes, des pièces de vingt-cinq cents, s'écrasent contre la cabine. Un rideau de brume et d'eau tombe sur l'horizon, avale les grues de Port Jersey. Le pilote tourne d'un quart de tour la manette des essuie-glaces, un seul répond – attention ça va bouger ! –, manœuvre pour prendre de face la risée qui court vers la proue de la barge. Les deux mille tonnes de décombres sont couvertes de bâches, des morceaux de poutres tordues dépassent à l'arrière.

« J'espère qu'on va pouvoir accoster. La semaine dernière, la houle m'a fait poireauter une matinée devant Fresh Kills. Désolé pour toi, mon gars. C'est comment ton nom, déjà ?

– John, John LaLiberté. Vous pensez que ça va être pareil ?

– Ça devrait aller. C'est un vent d'Est, dès qu'on entrera dans le chenal, derrière l'île, ça se calmera. Bon, je te dépose à terre, tu es un copain de Rob, mais après tu te démerdes. D'après ce qu'on dit, elle est mieux gardée que Fort Knox, cette décharge.

– Je sais, merci encore. »

Nous approchons de l'embouchure de la rivière, les vagues se changent en clapot. Une barge est à quai, des grues avalent son chargement, le recrachent dans des camions. Le pilote manœuvre pour se mettre derrière la barge.

« Rob m'a dit que tu étais venu pour chercher quelque chose. Tu as perdu ton portefeuille dans la pile ?

– Pas mon portefeuille. Un outil, une clef qui appartenait à mon père. Il a construit les tours. C'est une longue histoire. »

Devant nous, le bateau pousseur lâche un coup de sirène, se détache du quai, s'éloigne. Nous crachons des rots de fumée, avançons, écrasons les pare-battages en pneus de camions. Des adolescents noirs, dégoulinants de pluie, attrapent nos amarres.

« Bonne chance, l'ami. Quand je vois ce que je transporte toute la journée, je doute que tu puisses retrouver quoi que ce soit là-dedans, mais bon, c'est ton affaire.

– Je vais voir. Merci pour la balade en tout cas. C'est la première fois que je vois la ville depuis le port autrement que sur le ferry jaune. »

La pluie est froide, serrée. Je remonte le col de ma veste, saute sur le quai. Je fais signe au premier chauffeur, qui attend dans une mer de boue de se placer sous la grue.

« Vous voulez monter à Fresh Kills ? Je veux bien. Mais pas plus loin que la porte. Après, c'est interdit, on doit être seul dans la cabine. Vous avez une autorisation ?

– Non. Enfin, oui, je connais un flic, là-haut. Il m'attend, j'entrerai avec lui.

– Comme vous voulez. Il y en a pour une demi-heure environ. Ne restez pas sous la flotte, montez. »

Le Volvo tremble et ploie sur ses suspensions à chaque godet. En quelques passages, la benne est pleine d'un mélange de fer, de gravats et de poussière que l'eau transforme en magma brunâtre. À part les morceaux de poutres, certains découpés au chalumeau, aucune forme reconnaissable. Le chauffeur, un Latino à moustache et casquette, grimpe à l'échelle pour inspecter la cargaison, tire sur les tendeurs de la bâche. « C'est bon, allons-y. »

La piste se perd dans les marais, champs de roseaux, petits lacs boueux, rivières serpentines, avant d'attaquer les lacets sur les flancs d'une colline. Une colline étrange, plate au sommet, terre de bitume, sans un arbre sur ses flancs, tapissée d'une herbe gris-bleu, brillant sous la pluie. Montagne artificielle : cinquante ans d'ordures ménagères new-yorkaises, des millions de tonnes compactées, amas de déchets transformé en tertre géant. Le biogaz qui s'en dégage alimente des torchères aux flammes orangées. C'est la plus grande décharge de la région, fermée peu avant le 11 septembre. Je me souviens de la décision de la rouvrir pour servir de cimetière aux *twin towers*. Il fallait trouver près de New York une destination pour les camions qui emportaient les décombres. L'enceinte est grillagée, le poste de contrôle en vue. « C'est bon, laissez-moi là. Je ne veux pas vous attirer d'ennuis. »

Je rappelle le lieutenant du NYPD que j'ai eu hier soir. « Vous êtes là ? D'accord. Cinq minutes. »

Je marche jusqu'au portail. Sur un panneau : « New York City – Décharge publique de Kills – Accès réglementé ». Un autre a été ajouté à côté : « Scène de crime de la police de New York – Accès interdit ».

« Monsieur, faut pas rester là. Votre badge n'est pas valable ici.

– Je sais, on vient me chercher. »

Un 4×4 civil, Jeep Cherokee, boueux jusqu'au pare-brise, dévale la piste, fait demi-tour. « C'est bon il est avec moi. Montez. »

Le policier est en tenue de travail, salopette Carhartt, bottes en caoutchouc jaune. Sur sa veste de toile, il a épinglé son badge, « Inspecteur Michael DaPierra, 6e commissariat – Brooklyn ». La quarantaine, cou de taureau, sourire d'enfant. Il enlève un gant pour me tendre la main. « C'est vous l'*ironworker* mohawk ? Rob m'a raconté l'histoire de l'outil de votre père. J'ai passé un mois sur la pile, à Ground Zero, au début. C'est dingue ce que vous faites là-dedans. C'est ma façon de vous remercier. J'ai prévenu le boss, on va vous faire un pass pour la journée. Faudra le dire à personne. Et il y a des secteurs d'où il ne faut pas approcher, je vous montrerai. »

Je sors de l'étui à ma ceinture une clef à mâchoire.

« Ce que je cherche ressemble à ça. Peut-être un peu plus petit.

– Acier trempé. C'est costaud. Pas impossible. On a retrouvé pas mal d'armes, des revolvers et des fusils qui étaient dans les bureaux du FBI et du Secret Service. Certains presque intacts. Alors pourquoi pas ? On va commencer par les salles de stockage. »

En quatre virages, nous arrivons au sommet. Une autre porte gardée ; il ralentit, baisse sa vitre, fait un signe, se gare entre des cabanes de contreplaqué. Sur la droite de cette immense esplanade, de grandes tentes rectangulaires ont été montées, dans lesquelles pénètrent six tapis roulants. Plus loin, le cimetière des voitures : des dizaines de modèles, berlines pour la plupart, entassées les unes sur les autres, parfois les roues en l'air, ou sur le flanc. Certaines sont aplaties comme des crêpes. D'autres semblent intactes, couvertes seulement de la poussière de Ground Zero. D'autres encore morcelées. Toutes sont marquées de codes à la bombe de peinture. Les véhicules de police sont rassemblés à l'écart.

« Une Ford d'un commissariat du Queens s'est remise à fonctionner quand la grue l'a déposée au sol. Les phares se sont allumés, la radio a recommencé à émettre. Pendant plusieurs jours, elle a crachoté les messages à son unité. Personne n'a osé appuyer sur le bouton avant la mort de la batterie. »

À côté sont alignés les véhicules de pompiers. Les plus endommagés étaient garés sur l'esplanade, au pied de la tour Sud quand elle s'est effondrée. Cabines éventrées, arrières aplatis, roues éclatées, grandes échelles tordues comme par la main d'un géant cruel jouant avec des miniatures. Des kilomètres de tuyaux gris sont vomis des camions, entremêlés dans les tôles. Sur les flancs, dans des armoires métalliques ouvertes, des tenues de rechange, thermos de café, sacs de sport, bidons d'eau potable. Sur un 4×4 Silverado de commandement, la seule partie à ne pas avoir brûlé est le coffre sur lequel on peut lire en blanc sur rouge : « Pour signaler un feu, faites le 911 ». Une ambulance du FDNY a été coupée en deux au milieu comme par un couteau, y compris, à l'intérieur, les banquettes et les brancards.

« Souvent, des pompiers viennent les voir. Ils cherchent sur les portières le blason des unités de leurs potes. Ils posent la main dessus, pleurent ou leur parlent, immobiles ou agités. Certaines casernes ont perdu les deux tiers de leurs hommes. Avant, quand un d'entre eux mourait dans un incendie, c'était une catastrophe, alors là !... Viens, on va aller faire ton pass. »

Dans un bureau, une jeune femme en combinaison blanche, les mêmes bottes jaunes aux pieds, demande mon badge, en recopie les données dans un ordinateur, fait cracher par une machine une carte plastifiée. « Commençons par la pièce à côté. »

Derrière la porte marquée NYPD à la bombe noire, un guichet de planches. Dans des rayonnages, sur le sol, sur des bureaux, des boîtes et récipients de toutes tailles.

« Dès que quoi que ce soit d'identifiable est trouvé, ça arrive ici. On décontamine, nettoie et classe. » L'inspecteur met sur une table un seau à demi rempli de clefs, la plupart attachées à des porte-clefs WTC. « C'est ce qu'on trouve le plus, les clefs. Là, ce sont les plaques d'ascenseur, avec le numéro des étages. »

Dans une boîte en bois, des cartes plastifiées, accès aux parkings ou aux cantines. « On en a des tas. Les cartes de crédit, c'est plus rare et plus important : des milliers de disparus n'ont pas été identifiés, on n'a rien retrouvé, on ne retrouvera sans doute jamais rien. Quand on en sort une, on prévient la famille qui vient la chercher. C'est parfois tout ce qu'ils auront, la seule certitude que leur parent porté disparu était dans les tours quand elles sont tombées. Une preuve pour les assurances, aussi. Passez-moi votre clef. Joe, tu sais si on a quelque chose qui ressemble à ça ? C'est l'outil des *ironworkers*.

– Mike, tu te fous de moi ? Tu nous prends pour les objets trouvés ?

– Non, non, c'est pas un outil perdu pendant les travaux. Il était dans les tours au moment de l'effondrement, caché dans la structure, au sommet de la tour Nord, depuis sa construction. C'est son père qui l'avait mis là. La clef de son père. C'est important.

– Ah... Donne, je vais voir derrière. On a une caisse avec les trucs qui n'entrent dans aucune catégorie. »

Dans le fond je remarque des armoires, comme des frigos aux portes vitrées.

« Et ça c'est quoi ?

– Les sécheuses. On y met le papier, les photos, les passeports, les billets de banque, les lettres manuscrites quand on en trouve. On les montre aux familles. »

Sur une table sont posés des dizaines de clichés, photos de vacances ou de mariage, enfants riant dans des piscines gonflables, scènes de plage sur la côte du New Jersey, bébé dans son couffin, goûters d'anniversaires, ballons et nez rouges, adolescents endimanchés un soir de bal, étudiants en toges et coiffes carrées un jour de remise de diplôme, couple souriant devant une voiture neuve, papa en short tondant la pelouse, familles radieuses dans le hall d'un théâtre à Broadway, jeunes gens en maillots sur une plage des Caraïbes, cheveux gris sablant le champagne. Certaines sont froissées, recollées, d'autres intactes. Sur une étagère, une dizaine de portefeuilles, cuir noir ou marron.

« Ça c'est ce qu'on garde le moins longtemps, il y a toujours dedans de quoi identifier les proches. »

Joe revient, ma *spudwrench* à la main.

« On a quelques outils des services techniques du World Trade Center, mais rien qui ressemble à ça, désolé. Vous avez essayé au bureau du FBI ? Quelqu'un aura pu le confondre avec une matraque et le ranger avec les armes. »

Chez les fédéraux, où tout est classifié, deux mâchoires carrées nous laissent à peine entrer, affirment après m'avoir écouté vingt secondes n'avoir rien vu de la sorte. Désolé, les gars, pas le temps pour les requêtes personnelles.

« Allons voir les trieurs, sur les chaînes. Ton outil est sans doute encore dans la pile, s'il arrive jusqu'ici ils sauront quoi chercher. »

Nous courons entre les flaques, boue aux chevilles, jusqu'à la première tente. Il y en a six, installées en étoile au centre de l'esplanade. Dans chacune d'elles pénètre un long tapis roulant. Il est alimenté par une trieuse à rouleaux qui, avec des trous de grosseurs différentes, sépare les objets par taille. On y décharge le contenu des camions après avoir prélevé les plus grosses pièces.

Sur la toile de caoutchouc qui glisse à l'intérieur, les morceaux sont de formes différentes mais ont tous la même couleur : marron sale. L'odeur est âcre et doucereuse, avec un relent de terre à cause de la pluie. Six humains, trois de chaque côté, assis sur des tabourets ou des seaux renversés, scrutent ce qui défile et tentent de faire un tri. Hommes ou femmes, difficile à dire : ils portent des combinaisons intégrales blanches à capuches, masques couvrant le visage, casques antibruit, gants scotchés aux bras, bottes. À la main ou avec des crochets, des tournevis, ils attrapent au passage ce qui leur semble être quelque chose, arrêtent le défilement si nécessaire. Une femme appuie sur l'interrupteur, baisse son masque, renifle ce qui aurait pu être un doigt humain mais ne l'est pas, le jette, remet le tapis en marche. Sur le capot d'acier, à côté d'elle, deux trousseaux de clefs tordues, un rouleau de film plié, un badge d'identification froissé, cinq pièces de monnaie. Son voisin attrape au passage un morceau carré, donne des petits coups dessus avec son outil, le repose.

Au changement d'équipe, Mike DaPierra pose la main sur l'épaule d'un collègue en uniforme. « Tod, vous auriez vu passer quelque chose comme ça ?

– C'est l'outil des *ironworkers*. Qu'est-ce que tu veux que ça foute dans les décombres des tours ?

– Je t'expliquerai. Il se pourrait qu'il y en ait un, il est précieux, tu peux passer le mot ?

– OK, une forme comme ça, si elle arrive jusqu'ici, aucune chance qu'on la rate. Elle devrait même être repérée avant. »

Nous marchons jusqu'à la cantine ; la pluie se fait plus légère, au loin, sur l'océan, le ciel s'éclaircit. En attendant les gobelets de café – non merci, pas de tarte aux pommes –, je rapporte au lieutenant les rumeurs qui courent la ville et Ground Zero.

Non, aucun corps entier n'est arrivé à Fresh Kills. Seulement deux ou trois gros morceaux, une tête les premiers jours, puis un torse. Mais des milliers de restes humains, oui, certains de la taille d'un ongle. C'est le plus précieux et le plus difficile à repérer. Ils sont placés au frigo et envoyés en glacières à Manhattan pour en extraire l'ADN.

Non, il n'y a jamais eu de tas de bottes de pompiers avec ou sans pieds dedans. C'est sans doute un crétin qui a confondu avec un arrivage de bottes neuves, usées en trois jours.

Non, nous n'avons pas retrouvé les corans des pirates de l'air. Ils se sont volatilisés, comme le reste.

On essaie de faire venir les familles, il y a eu quelques journalistes, mais on ne pourra jamais ouvrir les portes. Des rumeurs, il y en aura d'autres.

Un grand type aux cheveux blancs entre dans la pièce, combinaison de toile gris et rouge marquée American Airlines. « Lui, c'est le technicien avion. On lui apporte tout ce qui ressemble à un morceau de Boeing. On cherche toujours les boîtes noires, mais il m'a expliqué qu'en fait ça ne servirait pas à grand-chose. On sait ce qui s'est passé, ce qu'ont fait ces fumiers. »

Un rayon de soleil troue les nuages.

« Bon, j'ai une réunion dans dix minutes. Désolé de n'avoir pas trouvé ton truc, John. Tu veux que je demande si une voiture va à Manhattan ? Je peux aussi te raccompagner à la porte : tu prends un camion jusqu'au port et sautes dans une barge. Je vais imprimer une photo de ta *spudwrench* et la faire passer sous les tentes.

– C'est gentil. Ramène-moi à l'entrée, je me débrouillerai. »

Nous passons par l'autre côté, où sont entassées les grosses pièces. Certaines, évacuées les premiers jours, sont pliées en deux en forme de fer à cheval ; d'autres, des centaines de tonnes, tordues et vrillées sur elles-mêmes comme des tresses de réglisse.

« On les inspecte, les décontamine, les marque à la peinture. Puis elles vont chez les ferrailleurs : on ne va pas tout garder. Il paraît que certains morceaux sont déjà en Chine. Hier, deux représentants du musée historique de l'État de New York sont venus, ils en choisissent certaines pour un mémorial.

– Et ces histoires de mafia ?

– Oui, ça c'est vrai. Mais ça n'a pas duré. Dans la pagaille des premiers jours, quand les camions qui quittaient Ground Zero n'étaient pas escortés, des chauffeurs ont filé avec leurs chargements chez des ferrailleurs de Long Island, des gars pas nets. Ils ont vendu les premières poutres des tours au poids. Les saligauds… Pas grand-chose, deux ou trois cents tonnes, quelques milliers de dollars. Ensuite ce n'était plus possible, il y avait une voiture de flic par camion, puis les barges. Les chauffeurs se sont fait choper. Une opération comme celle-là ne vaut rien pour Cosa Nostra : trop d'attention, trop de contrôles, de journalistes, d'agences fédérales dans le coup. Eux, ce qu'ils aiment, c'est la discrétion. »

Installés sur des palettes empilées, des hommes tirent vers le ciel des fusées éclairantes qui fusent et sifflent dans le ciel. « Ça, c'est pour chasser les mouettes, il y en avait beaucoup les premiers jours. On attend des faucons, aussi, je crois. Il fait demi-tour devant la grille. Bon courage dans la pile. J'y suis passé la semaine dernière, vous avancez vite. On a une idée du temps que ça va prendre encore ?

– Au début, certains disaient dix-huit mois ou deux ans mais, au rythme où ça avance, vingt-quatre heures sur vingt-quatre, je pense que l'été prochain Ground Zero sera devenu un grand trou. »

J'ouvre la portière. Salut et merci pour tout. Pas de camion redescendant à vide vers le port. Il fait bon, le soleil fait fumer les hautes herbes, le vent du large se lève, j'ouvre le col de ma veste et m'en vais à pied, sur le bas-côté pour éviter la boue. La *spudwrench* dans son étui bat sur ma cuisse. Je pose la main dessus, touche ses entailles. Je ne retrouverai jamais celle de mon père.

21

New York City

mai 2002

Demain, les officiels, les politiques, les familles, la télévision. Le monde entier sera là pour voir la dernière poutre sortir en grande pompe de Ground Zero, huit mois et demi après ce matin de septembre.

Mais ce soir elle est à nous. Ce soir, pas de cérémonie, pas de discours. C'est un soir pour les travailleurs, les sauveteurs, les ouvriers de l'enfer, ceux qui ont laissé une part de leur vie, leurs poumons, un morceau de leur âme dans ces hectares de ruines et de désolation. Cette dernière poutre, nous allons la découper et la poser sur un camion pour la nuit. Et ce sera la fin.

Depuis des semaines, la colonne d'acier B 1001, un des soutiens des cent dix étages de la tour Sud, se dresse sur le plancher de la fosse. Verticale comme un phare dans un océan de décombres et de métal tordu. Comment est-elle restée intacte ? Elle nous a servi de repère quand les haubans, ces morceaux de façade dont les photos ont fait le tour du monde, ont été abattus. C'est tout ce que touristes et visiteurs, sur la pointe des pieds, au-dessus des grillages opaques, pouvaient apercevoir. Très tôt, elle était encore à demi-prisonnière du chaos, nous savions qu'elle serait la dernière à rester debout, que c'est par elle que s'achèverait notre mission. Nous avons creusé autour, l'avons préservée, l'avons touchée. Je crois bien avoir vu certains lui parler à voix basse. Deux charpentiers du fer dans une nacelle ont soudé à son sommet un tube devenu hampe de drapeau. Une grue a soulevé des pompiers qui, à la bombe orange, ont écrit en capitales « FDNY 347 », en hommage à leurs morts. À la peinture bleu-roi, des flics ont ajouté « NYPD 23 » ; des policiers de l'autorité portuaire « PAPD 37 ».

C'est un *ironworker* de Milwaukee, un gars arrivé seul un soir d'octobre et jamais reparti, qui a rendu hommage aux victimes civiles, celles qui longtemps n'ont pas eu droit au drapeau quand des morceaux de corps étaient évacués. Le gars du Wisconsin a marqué en orange « CIVILS 2427 ». On s'est demandé d'où il sortait un chiffre aussi précis, mais ça n'avait pas d'importance.

Sur la poutre, à hauteur d'homme, le métal est couvert de graffitis, les noms de disparus, souvent avec leur unité ou leur caserne, les signatures avec dates de naissance et 9/11/2001. Les « Vous nous manquerez à jamais », les « Disparu mais pas oublié ». Des photos de pompiers souriants ou de policiers en uniformes de parade gondolent sous les feuilles de plastique scotchées sur le métal rouillé.

Le rendez-vous est à dix-neuf heures, à l'angle des rues Vesey et West. Depuis quinze jours, nous ne sommes plus qu'une poignée sur le site. Avant Noël, les effectifs fondaient de semaine en semaine. Au fur et à mesure que les décombres disparaissaient, la pile se rétractait, on s'enfonçait dans le sol. Pour permettre à ceux qui, dehors, ont trouvé du travail sur de nouveaux chantiers – pour quelques heures encore il y a dedans et dehors –, la découpe de la dernière poutre aura lieu à la nuit tombée. Ils sont tous là, parfois en tenues propres, parfois venus de loin, dans l'odeur âcre et douce des fumées de la pile, le souffle du dragon. Ce parfum de mort, de plastique en fusion, de poudre de béton, de papier calciné, de fer brûlé, de gazole, de terre sale, de trouille et de sueur qui a imprégné nos vêtements, nos cheveux et nos vies, qui nous a accompagnés, effrayés, empoisonnés, a fait place à celui de la boue humide et du tabac. Il nous manque presque.

Andy a reçu il y a quinze jours sa lettre de fin de mission. Il l'a apportée au chef d'équipe, a menacé de la lui faire manger s'il ne trouvait pas le moyen de prolonger son contrat jusqu'au dernier jour. Il a trouvé. Nous avons découpé les dernières pièces de métal, rangé le matériel, préparé la cérémonie de demain.

Il y avait ceux qui ne pouvaient partir, à qui il a fallu confisquer leurs badges, qui revenaient boire une bière dans les tavernes aux heures des relèves, qui baratinaient les gardes pour aller chercher un outil, un papier, un souvenir. Il y avait ceux qui faisaient traîner en longueur leur dernière tâche, qui avaient besoin de deux ou trois jours de plus, chef, pas davantage… Ceux qui s'étaient promis d'aller oublier ces horreurs pour une semaine de chasse au Canada ou de farniente en Floride et qu'on trouvait, au matin, assis, coudes sur les cuisses, les yeux dans le vide, dans le hall du syndicat. Ceux qui passaient leurs nuits les yeux ouverts.

Des hommes, des femmes tenant par la main des enfants ou des adolescents aux yeux rougis sont encore en train d'arriver qu'un porte-voix appelle « LaLiberté, Ironworker Local 40 ». Le syndicat a tiré au sort, parmi ceux qui sont restés le plus longtemps, les noms de ceux qui vont sectionner la B 1001.

Je descends la rampe de terre avec Andy. Il n'a pas été désigné mais je vais lui passer le chalumeau.

« Cat, je t'assure, c'est pas la peine. Je vais te regarder et prendre des photos pour les montrer là-haut, dans la réserve.

– Andy, ta gueule ! »

La nacelle d'un élévateur nous monte à neuf mètres, au sommet de la poutre pour y fixer les chaînes de la grue. Nous posons les mousquetons quand, de la rue, parvient le son des tambours et des cornemuses. Les musiciens sont en kilts verts et bérets noirs, feuille de trèfle irlandais sur la grosse caisse.

Les hommes, rassemblés en colonne, marchent à pas lourds, bottes de cuir dans la terre meuble, vers le fond de la fosse. Sur les lèvres de certains, l'esquisse d'un sourire. Au coin des yeux, une larme. J'actionne la commande du chariot pour redescendre. Nous laissons la place à deux gars qui montent découper la hampe du drapeau. Les étincelles tombent en pluie sur la petite troupe qui scande « USA ! USA ! »

La bannière étoilée est brandie puis pliée en triangle à la façon des militaires, remise à deux mains par un *ironworker* à Lou Mendes, un des patrons des opérations. Un soir bleuté tombe sur la ville, il fait doux, les projecteurs sont allumés. Art Leary, un boss du syndicat, me tend l'embout du chalumeau. « Cat, tu as du feu ? » Quand le gaz siffle je sors le Zippo de son étui à ma ceinture, réveille pour la dernière fois la flamme, tourne le casque sur ma tête, visière sur la nuque. Tous se sont tus et me regardent m'agenouiller sur la plaque de métal. Le feu mord l'acier qui rougit, coule en gouttes incandescentes. Je me relève et tend l'outil à Andy qui prolonge pendant quelques secondes la cicatrice écarlate, passe l'embout à un conducteur d'engin qui le donne à un représentant du syndicat des mécanos. Je recule, pose mon bras sur l'épaule d'Andy qui tousse dans ses mains. « Nom de Dieu ! Andy, tu vas aller la passer cette radio ? Comment faut-il te le dire ? »

Quand la moitié de la colonne est sectionnée, l'opérateur de la grue lève sa flèche pour commencer à tendre les chaînes. Le camion, cabine jaune et long plateau de bois, manœuvre en marche arrière. Ça y est, la flamme dévore les derniers centimètres. Le métallo se relève, ferme la molette d'arrivée du gaz, regarde mourir la flamme, lève sous les vivats l'outil au-dessus de sa tête. Les cinquante-huit tonnes se balancent sous les caresses de dizaines de gants de cuir. « Vas-y, Joe, commence à la descendre. » La B 1001 s'incline lentement, jusqu'à l'horizontale. Le grutier la pose en douceur sur quatre chevrons au sol. Le semi-remorque s'avance, les *ironworkers* glissent sous la poutre les câbles et les mousquetons. Le contremaître parle dans sa radio, fait des cercles de la main jusqu'à ce qu'elle s'élève au-dessus du plateau et s'y pose à plat. « C'est bon, Joe, coupe tout. »

Les feutres sortent des poches. Chaque centimètre est couvert de signatures, dates, maximes. Certains montent sur le camion et cherchent sur la poutre un espace libre pour y noter le nom d'un collègue, d'un parent, d'un ami disparu. Un capitaine des pompiers, qui a perdu un fils dont rien n'a été retrouvé, tapote le métal comme il caresserait la joue d'un enfant. Il essuie ses yeux d'un revers de manche. Sa femme lui tient la main, pose la tête sur son épaule.

« Cat, viens nous aider à placer le drapeau. » Une housse de tissu noir et une grande bannière étoilée ont été découpées aux mesures de la dernière poutre. Nous la couvrons de son linceul. Deux hommes apportent une gerbe offerte par le syndicat, qu'ils posent au centre. « Viens, Cat, allons boire un coup. Je ne suis pas sûr de vouloir être là demain pour leur cirque avec le maire, le gouverneur et les huiles. C'est fini. »

Une procession de bottes Timberland, salopettes ocres et casques de chantier remonte vers le monde des vivants. Tous se tiennent par les épaules, se tapent dans le dos, pleurent sans honte. Pendant que nous découpions, une garde d'honneur de la Navy en uniforme blanc s'est mise au garde-à-vous au sommet de la rampe, près d'une bannière « Nous n'oublierons jamais. » Les cornemuses jouent *Amazing Grace*. À la sortie, on nous tend à chacun un drapeau. On serre des mains, donne des accolades, note sur des morceaux de papier des numéros de téléphone qu'on n'appellera jamais. Puis chaque corporation part en petits groupes pour ses tavernes et ses bars préférés.

Pour les monteurs d'acier, c'est le Highlands Sports Bar, comme avant le 11 septembre, comme tous les soirs depuis qu'il a rouvert. Rick, le patron, nous attend sur le seuil, un torchon sur l'épaule.

« Sally, dégage un coin du bar pour ceux-là. Ce soir, pas un *ironworker*, un flic ou un pompier ne paie sa bière. Cat, Andy, bienvenue, entrez. Cat, tu te souviens le 11 au matin, avant que la première tour ne tombe. On ne lâchait pas la télé des yeux alors que ça se passait au bout de la rue. Venez, on va boire à la mémoire des morts et à la santé des nouvelles tours. Moi, si on me demandait, je serais pour rebâtir les *twin towers* à l'identique. Pour dire merde à ce Ben quelque chose et ses assassins. Leur montrer qu'ils peuvent nous blesser mais jamais nous abattre. »

La serveuse apporte deux tabourets qu'elle installe au bout du comptoir. Des pintes de Boréale rousse nous y attendent. Sur le mur du fond, entre jeu de fléchettes et carte des comtés d'Irlande, le drapeau au soleil jaune sur fond rouge frappé de la tête de Mohawk. Près des toilettes, l'affiche encadrée de *L'Homme tranquille*, John Wayne en casquette portant dans ses bras Maureen O'Hara. À côté, une reproduction de la couverture de *Men at work*, le livre de photos que Lewis Hine a consacré en 1931 aux *ironworkers* qui construisaient l'Empire State Building.

« Cat, ça fait des semaines qu'on n'en a pas parlé… La *spudwrench* de ton père ?

– J'ai reçu un coup de fil de Fresh Kills le mois dernier. Ils m'ont dit qu'ils avaient peut-être quelque chose, que je devrais venir voir. J'ai demandé qu'ils m'envoient une photo : c'était une clef anglaise, noire comme les nôtres.

Un peu tordue mais entière, elle venait sans doute des ateliers du World Trade Center, d'une caisse à outils. Je les ai remerciés, leur ai rappelé que nos clefs à mâchoire ont une extrémité effilée. Ils disent qu'ils en ont encore pour un bon mois, là-bas, qu'ils continuent à la chercher. Elle est perdue, Andy. Je sais qu'elle est perdue. Je ne peux pas croire qu'elle ait été détruite. Elle a résisté à la chute. Quelqu'un l'aura peut-être trouvée et emportée en souvenir. Ou alors elle est partie pour Staten Island et elle est passée entre les mailles, au début, avant qu'ils installent les tapis roulants, qu'ils inspectent tout en détail. J'espère qu'elle est là-bas, enterrée avec le reste. Au moins elle serait dans le port de New York et pas vendue avec la ferraille, envoyée en Chine pour être fondue et nous revenir sous forme de casserole chez Wall Mart. »

À la demande d'un ponte du syndicat venu de Washington, un grand brun à rouflaquettes que je ne connais pas, Rick baisse le son des téléviseurs branchés sur un match de baseball. Le vice-président de l'union des charpentiers de l'acier lève sa pinte. « À la télé et dans la presse, il n'y en a que pour les pompiers et les flics. Mais nous tous ici savons ce que vous avez fait à Ground Zero. Sans vous, les sauveteurs auraient tourné pendant des jours autour de cette monstrueuse pile sans savoir comment l'attaquer. Les premières poutres ont été découpées ce 11 septembre avant que le jour tombe. Les vies qui ont été sauvées l'ont été grâce à vous. On a trop parlé de héros. On a galvaudé ce mot. Mais, ce soir, je vous le dis : ce bar en est rempli. Merci à tous. Vous allez pouvoir vous reposer. Et pour ceux qui ont arrêté au World Trade Center depuis quelque temps ou qui voudraient enchaîner de suite sur un autre job, passez voir Art Leary à la table près de la porte. »

« Tu en dis quoi Cat, on va voir ?

– Je voudrais monter voir ma fille à Kahnawake, mais après pourquoi pas ? »

En sortant du bar, nous trouvons Art penché sur un grand cahier à spirales.

« John, Andy. Le chantier des deux tours du centre AOL Time Warner à Columbus Circle, ça vous dit ? Ils passent à la deuxième phase et cherchent des connecteurs.

– Je monte quelques jours au Canada, si ça peut attendre le 5 ou 6 juin, ça marche pour moi. Je ne veux plus toucher un chalumeau avant un an ou deux. En fait, je ne veux plus jamais mettre les pieds sur un chantier de démolition. Ce sera bon de construire, de marcher à nouveau dans le ciel. Art, tu as une idée de combien de temps il va falloir pour commencer à reconstruire à Ground Zero ?

– Alors là… Entre les politiques, les propriétaires, les locataires, les assureurs et les avocats, va falloir compter en années, Cat. Ils ne sont pas près de se mettre d'accord. C'est New York City…

– Peu importe. Le jour où la nouvelle tour, les nouvelles tours, un monument, quoi qu'ils décident, commenceront à monter, nous serons là. »

22
Chapel Hill (Caroline du Nord)

octobre 2002

À peine plus d'une heure de vol depuis New York. Pourtant, sur la piste, au pied de l'avion, malgré les relents de kérosène, ça sent déjà le Sud. Aéroport de Raleigh-Durham, Caroline du Nord. Il fait doux en cette fin d'automne, une pluie froide tombait sur JFK quand j'ai décollé.

Mary s'est installée près d'ici, à Chapel Hill, depuis la rentrée universitaire. Selon elle, une offre d'emploi impossible à refuser : responsable des collections scolaires de la maison d'édition de l'université Duke. « Duke, le Harvard du Sud, disait-elle en souriant ; je n'osais même pas en rêver. Et ils doublent presque mon salaire. »

Elle m'a montré leur site internet : bâtiments de pierre de style collège anglais, lierre sur les murs, pelouses, stade digne d'une capitale, bibliothèque aux millions de livres, scolarité en dizaines de milliers de dollars. Impressionnant, surtout pour quelqu'un issu du programme d'apprentissage pour jeunes Indiens monteurs de fer.

Le jour de son départ, je l'ai accompagnée à l'aéroport. Elle a promis de revenir vite : « Une heure d'avion, en lowcost, c'est rien ; ils me prennent à l'essai. Si ça se trouve, dans un mois je suis de retour. Tu pourras venir me voir souvent, moi aussi je viendrai. Je te le promets, ce n'est pas la fin de notre histoire. »

Elle est revenue, trois semaines plus tard, pour un week-end. Nous avons pique-niqué dans le parc, sommes allés au cinéma voir un film français auquel je n'ai rien compris, et au restaurant, le dimanche après-midi, après la matinée au lit. Quand elle m'a annoncé qu'elle quittait New York, un an après le 11 septembre, je pensais ne jamais la revoir. Une romance de Ground Zero, comme il y en eut tant. L'infirmière et le col bleu, l'éditrice et l'ouvrier. Mais elle est remontée une fois, à mon tour d'aller la voir.

Les portes automatiques du hall d'arrivée s'ouvrent. La voilà. Elle a raccourci ses boucles rousses, chemisier rose et pantalon blanc, sourire de cinéma, belle comme une actrice. Sur la pointe des pieds elle me fait signe, ouvre les bras.

« John ! C'est bon de te voir. Le vol s'est bien passé ? Tu n'as pas de bagage ?

– Sans problème. Non, tout est là. »

– Viens, j'ai acheté une voiture il y a deux jours. Nous allons déjeuner dans un petit port sur l'océan. Partons directement, nous passerons à l'appartement après. »

Sur le parking, qui se décapote à distance en appuyant sur la télécommande, une Volkswagen Coccinelle jaune.

« Qu'en dis-tu ? Pas mal, non ? Nous avons de la chance, c'est la fin de l'été indien. Tu vas voir, la côte de Caroline du Nord est merveilleuse en cette saison ! »

En rien de temps, nous arrivons à Beaufort. Ce port, sur une langue de terre entre estuaires de rivières, îles sableuses et baies découpées, fut, proclame un panneau à l'entrée, une des bases secrètes du pirate Barbe Noire au XVIIIe siècle.

« Des chasseurs de trésors écument les eaux de la région à la recherche de son bateau, qui s'appelait *La Revanche de la reine Anne*. Il l'a coulé lui-même ; il recèlerait une fortune », dit Mary en souriant, sans quitter la route des yeux.

Plus loin, une pancarte : « Laboratoire marin de l'université de Duke ».

« J'ai été invitée par les chercheurs du labo, la semaine dernière. C'est comme ça que j'ai découvert ce coin, dit Mary. Il y a un restaurant de poissons délicieux un peu plus loin, sur le quai. »

Elle gare sa décapotable près des 4×4, sur un parking, entre remorques à bateaux, hors-bords, jet skis.

C'est un ancien hangar à bateaux repeint en gris bleu. Un espadon de bois sculpté se balance au-dessus de l'entrée, des étoiles de mer sont clouées sur la porte. À l'intérieur, photos de parties de pêche, bec à bière en cuivre, trophées empaillés, drapeaux nautiques, maquettes de voiliers et de hors-bords en acajou. La terrasse sur pilotis avance sur la baie. Derrière un large chenal qu'empruntent des voiliers, de longues îles sauvages ; au loin, le ressac de l'Atlantique. Elle commande un plateau d'huîtres et un verre de vin blanc, moi une bière. Elle relève sur ses cheveux ses lunettes de soleil, me sourit.

« Comment trouves-tu l'endroit ?

– Splendide. Alors, dis-moi, comment ça se passe pour toi ici ?

– Formidable. J'ai plus de responsabilités que je n'avais espéré : nous allons lancer de nouvelles collections, nous développer sur internet. J'aurais dû attendre dix ans pour être chargée de ça à New York. Mes collègues sont charmants, le chef de service est une star. Tu ne peux pas savoir à quel point c'est stimulant de travailler dans un environnement comme celui de Duke. Un concentré d'intelligence et d'érudition. Je suis sûre qu'il faut aller à Princeton ou Harvard pour trouver l'équivalent. Je suis ravie. Bon, et toi ? Comment ça se passe à New York ?

– Bien, bien. Le chantier du siège Time Warner avance. Nous allons bientôt terminer le squelette de la première tour. J'ai entamé les démarches pour devenir chef d'équipe, je vais suivre des cours, passer des examens… À propos de Harvard, l'université de Dartmouth, ça te dit quelque chose ?

– Dartmouth ? Bien sûr. New Hampshire. Elle fait partie de l'Ivy League. Le club des plus prestigieuses du pays. Pourquoi ?

– Ma fille, Tami. Tu te souviens ? Elle y a été acceptée en licence d'études autochtones. Elle va étudier les sociétés des Indiens Cree du Canada et Pequots du Connecticut. Tout sauf les Mohawks.

– Dartmouth College. C'est génial ! Mais ça va te coûter une fortune…

– Pas du tout. Elle a remporté une bourse canadienne, un accord avec les États-Unis, réservée aux Indiens, aux filles en particulier. Je lui envoie trois cents dollars par mois, tout le reste est payé. Je ne sais pas par qui, d'ailleurs. Elle est logée sur place, gratuitement. Elle veut devenir chercheuse. Elle a toujours été bonne élève.

– Tu la vois souvent ?

– Pas vraiment. Je ne suis pas remonté dans la réserve depuis des mois. La dernière fois, c'était pour signer les papiers du divorce. Je dois reconnaître que je n'ai pas été un très bon père. J'ai peur qu'elle m'en veuille, toutes ces absences.

– John, tu as fait ce que tu as pu, avec ton travail. »

Sur la terrasse, deux couples s'avancent en bavardant vers une table voisine.

« Mary… Mary Sullivan, c'est bien ça ? », dit l'un des hommes, grand barbu souriant à casquette frappée du D de Duke. « Vous êtes venue au labo la semaine dernière, vous vous souvenez ? Je suis Robert Dobson, le directeur, et voici ma femme, Jeanne.

– Mais oui, bien sûr. Bonjour, professeur Dobson, bonjour, madame. Nous avions parlé d'un projet de livre pour enfants sur la biodiversité marine, non ?

– C'est tout à fait ça. Je tiens beaucoup à cette idée. J'ai mis des étudiants sur le projet, ils vont vous appeler. Enchanté de vous revoir. Bonjour, monsieur, vous êtes un collègue de Mary à Duke ?

– Bonjour. Non, pas du tout. Mon nom est John LaLiberté. Je suis ouvrier, à New York, je construis des immeubles.

– Ah… Comme c'est intéressant… Bon, nous n'allons pas vous déranger davantage. Bon appétit.

– Bon appétit à vous. »

Plus tard, dans la voiture, en longeant la baie.

« John, pourquoi as-tu dis que tu étais ouvrier ? Tu n'es pas ouvrier, tu es *ironworker*, monteur d'acier. Et tu es un héros du 11 septembre.

– Mary, les *ironworkers* sont des ouvriers. Mon père, mon grand-père étaient des ouvriers. Moi aussi. Tu as un problème avec ça ?

– Mais non, enfin, pas du tout ! Je suis très fière de ce que tu as fait à Ground Zero. Tu aurais pu le leur dire…

– Non. Et s'il te plaît, arrête avec ce truc de héros. »

À Chapel Hill, elle loue un deux-pièces dans une résidence, construite en bois en bordure de forêt. « Les employés de Duke ont des tarifs préférentiels, ce n'est vraiment pas cher. Cela dit, s'ils me gardent après ma période d'essai, je vais sans doute acheter quelque chose. Mes collègues ont de jolies maisons, par ici, et vraiment abordables quand on vient du Nord. Tu verras, nous sommes invités à dîner demain soir. »

Nous avons passé une nuit blanche, dormi jusqu'à midi.

« Chéri, ça te dirait d'aller bruncher ? Il y a un café-librairie que j'adore près de l'entrée principale de l'université. Comme ça, ensuite, je pourrai te faire visiter, si tu veux…

– Allons-y. »

Le parking est bondé : Subarus Outback, Volvos break, une européenne qui tiendrait dans la cabine de mon pickup – je ne savais pas qu'il existait des voitures aussi petites. Deux Coccinelles comme celle de Mary, de couleurs différentes.

Nous patientons vingt minutes dans l'entrée, encerclés par une bande de gamins hurlants et mal élevés. Ça ressemble à une librairie, avec quelques tables en planches et, au milieu, un comptoir plein de salades colorées et un four d'où sortent des gâteaux et des quiches aux légumes. Les murs sont décorés d'affiches de films récents, dont je n'ai jamais entendu parler. Je ne comprends pas grand-chose à la carte, écrite moitié en italien, moitié en français.

« Je vais prendre le cabillaud au boulgour, avec du thé vert. Et toi John ?

– Je ne sais pas. Je vais voir avec la serveuse. »

Quand je demande à l'adolescente aux cheveux roses si je peux avoir un hamburger, elle marque un temps d'arrêt, lève les sourcils : « Ah non, pas de viande, ici, monsieur !

– Bon, alors un sandwich au jambon et fromage fondu. Et une Budweiser.

– Pas d'alcool non plus. »

L'après-midi, Mary m'emmène dans son bureau, de grandes fenêtres dans une ancienne usine de briques rouges restaurée. Je l'attire vers moi, l'embrasse, passe les mains sous sa jupe, descend sa culotte sur ses cuisses. « Attends, je vais fermer la porte. » Elle baisse les stores de bois, nous faisons l'amour sur la table. Elle rattrape d'une main, en s'étouffant de rire, l'écran d'un ordinateur à deux doigts de tomber.

« Quand j'ai dit à ma collègue Suzy – c'est elle qui partage la pièce, ça, c'est son bureau – que mon boyfriend descendait de New York, elle a insisté pour faire ta connaissance. Ça ne te dérange pas ? Tu vas voir, elle est charmante. Je ne connais pas encore son mari. Il est professeur à l'université de Caroline du Nord, à Chapel Hill. Sociologie, je crois. »

Nous arrivons à dix-huit heures trente, après un arrêt dans un centre commercial pour acheter des fleurs et une bouteille de vin.

Grande maison de bois, peinte en blanc et vert, sous des arbres centenaires, jardin broussailleux. Deux voitures dans le garage, une moto allemande.

Dans le salon, les bibliothèques montent jusqu'au plafond, avec une échelle de bois pour atteindre les derniers rayonnages. Des diplômes universitaires et des distinctions académiques décorent les murs et la cheminée. Sur une photo, un couple radieux pose au côté du président Clinton.

« Bonsoir, bienvenue. Todd, voici Mary, la collègue venue de New York dont je t'ai parlé. Mary, mon époux Todd. Et vous êtes son ami de New York, John, c'est bien ça ?

– Oui, bonsoir.

– Mary m'a dit que vous aviez participé pendant des mois aux recherches à Ground Zero. Oh, mon dieu, vous êtes un héros ! Vous allez nous raconter ça, c'est passionnant. »

Ils ont invité un couple de voisins, lui ingénieur en informatique, elle s'occupe des quatre enfants.

« Vous savez, je n'ai fait que mon devoir. Les pompiers avaient besoin qu'on découpe les poutres tordues pour pouvoir avancer. Découper l'acier, c'est ce que nous faisons. Alors nous avons découpé, c'est tout.

– Vous avez dû voir des choses affreuses…

– Parfois, oui.

– Pourquoi n'a-t-on pas retrouvé davantage de blessés ?

– Les étages se sont aplatis les uns sur les autres. Avec la pression, la chaleur des incendies, les corps se sont vaporisés. Ils étaient dans les gros nuages que vous avez vus à la télé. Il a fallu des mois pour le comprendre.

– Et j'ai entendu dire que, vous, les Indiens, ne connaissiez pas le vertige. C'est vrai ?

– C'est une légende. Certains en souffrent, d'autres pas. Moi, par exemple, j'ai toujours eu le vertige.

– Alors comment vous faites ?

– Je me suis habitué. »

Puis la conversation a dévié sur la dérive sécuritaire de l'administration Bush – ils sont contre ; sa politique étrangère agressive – ils condamnent ; les perspectives de paix au Proche-Orient, un film israélien que Mary a vu au ciné-club de Duke, le palmarès d'un festival de cinéma dans les Rocheuses, quelque chose comme *Sunrise* ou *Sundance*, le dernier roman d'un certain John Irving, un changement de rédacteur en chef au *New York Times* ou au *Washington Post*, je ne sais plus ; la mort d'une actrice que je ne connaissais pas, l'affaire d'un écrivain des environs accusé d'avoir tué sa femme en la poussant dans l'escalier.

Quand ils ont commencé à commenter la programmation de la saison théâtrale à venir à Chapel Hill, j'ai demandé où étaient les toilettes. Après m'être lavé les mains, je suis sorti par une porte-fenêtre sur la véranda, à l'arrière de la maison. J'ai écouté les oiseaux dans les sapins, regardé un mulot courir d'un terrier à l'autre entre les arbres, respiré le souffle de la terre, fermé les yeux quelques secondes.

Le lendemain matin, j'ai menti à Mary. Je lui ai dit que j'avais reçu un message du chef de chantier, qu'il y avait une urgence, que je devais repartir par le premier avion, en fin de matinée. Elle m'a accompagné à l'aéroport, m'a embrassé en disant : « À bientôt à New York, chéri. »

Je n'ai plus répondu à ses appels, à ses messages. Quand elle a annoncé sa venue à Brooklyn, je suis monté trois jours à Kahnawake. En rentrant j'ai trouvé un mot glissé sous ma porte. J'ai rédigé un courriel. Au moment de l'envoyer, je l'ai recopié à la main dans une lettre. « Je suis désolé, Mary. Je crois que tu comprendras. Sois heureuse. »

Je ne l'ai jamais revue.

23
New York City

décembre 2003

« Allô, John, John LaLiberté ? Bonjour, c'est Karen, l'amie d'Andy, à Bay Ridge. Je ne te dérange pas ?

– Jamais, Karen. Comment vas-tu ?

– Moi ça va bien, merci. Mais c'est Andy… Voilà, il ne voulait pas que j'en parle, il va être en colère, mais tant pis. Ça ne va pas du tout. Il tousse ; il tousse de plus en plus. Il ne dort plus. Il ne passe plus la nuit chez moi parce qu'il tousse sans arrêt. Allongé, il n'arrive pas à respirer, il ne peut s'endormir que dans un fauteuil. Il crache du sang depuis des mois. Il a tenté de me le cacher. Et, tu as remarqué sans doute, il a beaucoup maigri… John, je t'appelle parce que je suis parvenue à le persuader d'aller à l'hôpital du Mont Sinaï, là où ils ont mis en place le programme médical pour les volontaires du World Trade Center.

– Enfin ! Bravo, Karen. Je lui en parle depuis longtemps, depuis la fin des travaux, en fait. Il a commencé à tousser salement alors que nous étions encore dans la fosse. Il disait qu'il avait attrapé froid en bossant la nuit sous la pluie, mais ce n'est pas ça. Ce sont les poussières, Karen, ces saloperies de poussières que nous avons avalées à Ground Zero. Il a déjà trop attendu… »

– Je sais, j'ai lu les articles. John, je suis folle d'inquiétude. Il prétend que ça va passer, mais je vois bien que ça empire. Je t'appelle parce qu'il a rendez-vous cet après-midi. Il ne veut pas que je l'accompagne, et j'aurais du mal à me libérer avec mon travail, alors je me suis dit que tu pourrais peut-être y passer… Tu comprends, pour qu'il ne soit pas seul en cas de mauvaise nouvelle.

– Tu as raison. À quelle heure a-t-il rendez-vous ?

– Il m'a dit après déjeuner, mais je crois qu'il y a pas mal d'attente.

– Écoute, demain, je suis en stage de formation au syndicat, mais nous terminons tôt, vers quinze heures. C'est au siège, sur Park. Je peux presque y aller à pied. Je l'appelle avant, tu crois ?

– Non, surtout pas. Tu le connais, il va te dissuader de venir. Tu peux peut-être faire croire que tu passais par hasard, pour te renseigner sur le programme de santé.

– OK, Karen. On va faire ça. Je ne l'ai pas vu depuis dix jours. Il parlait d'un petit chantier, l'extension d'un supermarché dans le Queens, qu'il devait faire pendant que j'étais en stage.

– Il n'y est pas allé. En fait, je doute que ce job ait jamais existé. La vérité, c'est qu'il n'est plus capable de travailler. Il s'essouffle dans l'escalier pour monter chez moi. Tu te rends compte, il a fallu qu'il en arrive là pour accepter de voir un docteur. John, j'ai peur que ce soit très grave, comme ces maladies pulmonaires qu'ils décrivent dans les journaux. Des centaines de pompiers, d'*ironworkers* tombent malade. Vous avez été empoisonnés sur ce maudit chantier.

– Ce n'était pas un chantier, Karen. C'était notre devoir. Je sais, je comprends. Je passe à Mont Sinaï, je tombe sur Andy dans un couloir, je t'appelle demain soir. Merci d'avoir téléphoné. Tout va bien se passer, ne t'inquiète pas.

– Merci à toi, John. Je t'embrasse. »

Nom de Dieu ! je le savais. Cette toux qui ne le lâche plus. Quand le premier papier sur ces symptômes a été publié, dans le *Daily News*, au début de 2002, ils ont appelé ça la toux du World Trade Center. Je l'ai montré à Andy et lui ai dit : « Tu vois ce qui t'attend si tu ne portes pas ton masque en permanence ? » Il a répondu par une boutade, sans doute, je ne sais plus. Maintenant on y est.

Le lendemain, vers quinze heures, je vais voir le conférencier – j'ai entamé en début d'année une formation pour passer chef de chantier –, et lui demande à partir plus tôt.

Trois stations de métro plus tard, je sors sur le trottoir de Central Park, à cent mètres de l'hôpital Mont Sinaï. Dans la verrière de l'entrée, un panneau indique « World Trade Center – Programme de surveillance médicale ». Long couloir sur la droite, porte à double battants, salle d'attente : il est là. Il a encore maigri, ses yeux se sont enfoncés dans son visage, sa peau est grise et cireuse.

« Mais John, qu'est-ce que tu fous là ?

– Andy ! Ça alors ! Tu aurais pu m'en parler. C'est la première fois que tu viens ? Depuis le temps que je te tanne pour que tu fasses des radios du poumon. Moi, c'est le syndicat qui m'envoie, dans le cadre du stage, tu sais. Pour tous les volontaires du 11 septembre, visite à Mont Sinaï obligatoire. J'avais l'intention de le faire, de toute façon. Comment va ta toux ?

Il baisse les yeux, fixe ses chaussures.

– Ben, justement, pas très bien. Elle a empiré depuis quelque temps. J'ai du mal à respirer, surtout la nuit. Alors je me suis dit…

– Bien sûr ! Tête de mule, tu te souviens combien de fois je t'ai dit de ne pas enlever ton masque, de changer les cartouches toutes les deux heures ? Et de voir un médecin ? Combien de fois ?

– Ouais, ouais, ça va, Cat, je sais. J'ai essayé, je te jure j'ai essayé de garder le masque mais je n'arrivais pas à respirer avec. À part peut-être le dernier qu'ils nous ont donné, sur la fin, le grand.

– Bon, maintenant, tu vas faire cette radio, tu en parles au docteur, tout va bien se passer. Il doit bien y avoir des traitements pour soigner ça. »

Une infirmière arrive, un dossier à la main. « Andrew Conners, le docteur Mudd va vous recevoir, porte 4 ».

« À tout à l'heure, Andy. Je reste là, j'ai des formulaires à remplir pour le stage. Je t'attends si tu veux.

– D'accord, Cat. »

Dans la salle, quatre sièges sont occupés par trois hommes et une femme. Les vêtements, les chaussures, leurs mains : ils sont là pour la même raison. L'un d'eux me reconnaît, fait un signe de tête, baisse les yeux sur son *Sports Illustrated*.

Sur une table basse, des imprimés décrivent le programme : financé par des fondations privées, rien à payer, même si l'on n'a pas d'assurance santé ; premier examen complet, suivi médical annuel, traitement par les meilleurs spécialistes. Les premières lignes : l'effondrement des tours jumelles a provoqué un nuage de débris contenant 1,8 million de tonnes de polluants, dont certains hautement toxiques.

Je m'approche d'une secrétaire derrière son guichet.

« Excusez-moi, mademoiselle, j'ai passé neuf mois à Ground Zero, je suis *ironworker*. Je suis venu accompagner un ami. Vous croyez que je peux m'inscrire pour le programme ? Passer la visite ?

– Pour vous inscrire, aucun problème. Je vous donne les formulaires. Ensuite, il faut prendre rendez-vous. Entre trois et quatre semaines d'attente, en fonction de vos disponibilités.

– Ah… Aujourd'hui ?

– Aujourd'hui, impossible. »

Je commence à remplir les quatre pages. Arrivée sur les lieux : 11 septembre 2001 au soir. Fin de mission : 28 mai 2002. Il va falloir que je fasse des photocopies, retrouve mes fiches de paie, copie de mes badges d'accès.

À la ligne « Consommation d'alcool » je coche la case « Modérée ». À la première prise de sang, ils risquent de s'apercevoir de quelque chose, il sera toujours temps de m'expliquer.

Je regarde ma montre. Une demi-heure. Je lis les fascicules, les témoignages de pompiers, de flics qui chantent les louanges du programme. Des histoires pleines d'espoir, de sourires, de guérisons. Une heure. Je me lève.

« Excusez-moi à nouveau. J'attends Andrew Conners. Vous pensez qu'il en a encore pour longtemps ?

– Conners… Conners… C'est terminé, je crois. Ah oui, il est parti.

– Comment, parti ? Je ne l'ai pas vu passer.

– Il a dû prendre l'autre sortie, qui donne sur l'avenue Madison. Elle est proche du bureau du docteur Mudd.

– L'autre sortie… Bon. Merci, mademoiselle. Je passe demain apporter mon dossier complet. »

Sur le trottoir, j'appelle le portable d'Andy. Messagerie. Karen, qui travaille dans une boulangerie, ne répond pas non plus. Je presse le pas jusqu'à la station de métro. Un peu moins d'une heure pour arriver à Bay Ridge. Andy habite à deux rues de chez moi. Je sonne. Rien. Touche « bis » pour rappeler son portable : j'entends la sonnerie derrière la porte.

« Andy, fais pas le con. Je sais que tu es là. Ouvre-moi. Pourquoi as-tu filé comme ça ? On avait dit que je t'attendais. »

Je tape quatre coups. « Andy, merde, c'est moi. Ouvre ! »

Des pas dans l'appartement, la serrure qui tourne, la porte reste fermée. J'entre. Andy est assis dans le fauteuil de cuir du salon, le menton dans les mains.

« Qu'est-ce que tu fous ? Tu as oublié que je t'attendais ?

– Désolé, Cat. Pas eu la force. C'est mauvais. Je m'en doutais, mais c'est encore plus mauvais.

– C'est quoi ?

– Le docteur a appelé ça fibrose pulmonaire. Pas de médicament, pas de traitement. Stade avancé. J'en ai pour six mois, un an au plus.

– Putain ! C'est pas vrai !

– Tu avais raison, pour le masque. C'est la première question qu'il m'a posée. J'ai dit que je le mettais parfois, pas tout le temps. Je ne suis pas le premier. Le doc a été direct, en fait, j'aime mieux… Il m'a dit que j'étais un des cas les plus graves qu'il ait vus, que j'avais avalé tout un tas de saloperies, pas mal d'amiante. Mes poumons sont en train de se fermer, de se cicatriser à l'intérieur, si j'ai bien compris. Je vais étouffer.

– Merde, Andy, il doit y avoir quelque chose à faire, un traitement. Il faut un second avis.

– Tu sais comme moi que ce programme à Mont Sinaï réunit les meilleurs dans ce domaine. Tu as lu les papiers, les premiers morts datent de l'an dernier. Ils vont me faire un scanner, prélever un morceau de poumon avec un petit tuyau, mais le doc a dit : je ne veux pas vous donner de faux espoirs. C'est cuit, Cat. Je vais mourir. Ce fumier de Ben Laden va faire une victime de plus.

– Tu as eu Karen ? Elle est au courant ?

– Elle a appelé, trois fois. Tu veux bien lui parler ? Je n'ai pas la force. Dis-lui que je la verrai demain, si elle veut. Mais, là, je voudrais être seul.

– Ah non, tu ne vas pas rester seul un soir comme celui-là. Je vais rester avec toi, je vais te préparer…

– Cat, s'il te plaît. Je vais essayer de dormir. Je n'en peux plus. Merci d'être venu, mais je n'en peux plus. »

Le lendemain et les jours suivants, je suis passé le voir matin et soir. Son état s'est dégradé, comme si le fait de savoir avait renforcé la maladie, affaibli ses défenses. Une semaine après, le scanner confirmait le diagnostic. Les médecins ont renoncé à la biopsie, la fibrose à un stade avancé ne faisant plus de doute. Il n'a jamais repris le travail, s'est enfermé chez lui, ne voyant plus personne à l'exception de Karen et moi.

Le 12 janvier, je suis convoqué à Mont Sinaï pour mon premier rendez-vous : la radio des poumons.

Derrière son bureau, le docteur Raymond Mudd, cheveux en brosse, moustache de morse grise sur un large sourire, a accroché les clichés sur une armoire lumineuse.

« Bon, jeune homme. Ce n'est pas mal du tout. Je vois dans votre dossier que vous avez travaillé à Ground Zero du premier au dernier jour. Policier ? Pompier ?

– *Ironworker.*

– Ah... En principe, c'est encore pire, les chalumeaux... Eh bien je dois avouer que je n'avais pas encore vu quelqu'un resté aussi longtemps sur place dont les poumons sont en aussi bon état. De petites traces dans un coin, mais rien de grave. Comment avez-vous fait ?

– Le masque. J'ai porté un masque en permanence, changé les cartouches sans arrêt. J'ai compris dès le premier soir qu'on respirait du poison.

– Bravo. C'est exactement ça, un poison violent. Un mélange comme je n'en ai encore jamais vu en trente ans de carrière. Pour commencer, il y a le ciment, ces milliers de tonnes de ciment pulvérisé. À elle seule, cette poudre a un PH compris entre 10 et 11. En clair, ça équivaut à respirer du Destop déshydraté. Vous ajoutez de l'amiante en quantité industrielle, des particules de verre microscopiques, pendant les premiers jours les résidus de combustion du kérosène, de la dioxine, des solvants, une centaine de produits chimiques, des métaux lourds, des résidus de corps humains vaporisés, et vous obtenez un bouillon de sorcière d'une effarante toxicité. Ça va être une hécatombe. Vous avez eu le bon réflexe, mais vous n'êtes pas nombreux à l'avoir eu. Les masques n'étaient pas obligatoires ? Pas disponibles ?

– Plus ou moins. Les premiers jours, c'était du bricolage, du papier, qui se bouchait en trois minutes. Ensuite on a eu des trucs plus sérieux, mais il fallait en prendre soin, changer les cartouches, ne pas les enlever pour parler dans les radios. Par moments, c'était presque impossible. Certains ne s'y sont jamais fait. Vous avez vu mon ami Andy Conners, je crois…

– Vous connaissez Andrew Conners ?

– Andy est comme un frère. Nous sommes indiens, Mohawks du Nord de l'État, nous travaillons ensemble depuis vingt ans. C'est grave ?

– Je ne vais pas vous mentir. Désespéré. Il est condamné, je ne le lui ai pas caché. J'ai gardé ses analyses et ses radios pour les montrer à mes internes, à mes collègues. C'est le cas le plus critique que nous ayons vu depuis le lancement du programme. Ses poumons sont plus encrassés que ceux d'un mineur de charbon en fin de carrière. Face aux agressions massives qu'ils ont subies, ils réagissent en se cicatrisant sur eux-mêmes. C'est définitif. Il va bientôt lui falloir une assistance respiratoire permanente, mais l'oxygène ne le sauvera pas. Puis il ne pourra plus marcher, plus manger, et ce sera la fin.

– Pas de traitement ? De médicament ?

– Aucun, hélas ! Dans des cas moins avancés, nous pouvons parfois ralentir l'évolution, jamais la stopper ni l'inverser. Mais, là, il n'y a rien à faire. Seulement soulager la douleur.

– Ils nous disaient de porter les masques ; par endroits, il y avait des panneaux pour le rappeler, mais personne ne nous a prévenus de l'importance du risque, de la toxicité de l'air. Si nous avions su…

– Il y a plus grave, mon ami. Au début du programme, parce que je me posais cette question, j'ai fait des recherches. Je suis tombé sur une déclaration officielle de la patronne de l'agence fédérale de l'Environnement qui déclare, le 18 septembre, une semaine après l'attaque que… attendez, je l'ai là… je cite : "Je suis heureuse de confirmer aux New-Yorkais que l'air qu'ils respirent est sain. Ils ne doivent pas s'inquiéter des questions environnementales au moment de retourner chez eux et sur leurs lieux de travail." »

– Ahurissant, non ?

– Ahurissant, irresponsable, criminel, mais surtout politique. Souvenez-vous : une semaine après le 11, la priorité de l'administration était surtout de rouvrir Wall Street, à cent mètres de ce que vous appeliez la pile, où fumaient encore les incendies.

– Les feux souterrains ont persisté jusqu'à fin novembre.

– Oui, il fallait montrer coûte que coûte que l'Amérique était blessée mais que ce n'était pas grave. À mon avis, ce communiqué de l'EPA a été dicté par la Maison Blanche. Je prends le pari que nous sommes partis pour des années de procédures judiciaires, plaintes en cascades et actions en noms collectifs. Vous devriez vous renseigner. Pour votre ami, ce sera sans doute trop tard, mais il est loin d'être le seul.

– Oui, je vais en parler avec les gars du syndicat.

– Je vous prescris un scanner, pour voir de plus près ces petites taches ici, et là. Mais ne vous inquiétez pas, je suis formel, c'est bénin. En revanche, il y a autre chose que je voudrais voir avec vous. J'ai vos analyses. Avez-vous un problème d'alcool ? »

Je tente de minimiser, de dire que je bois parfois une bière ou deux en fin d'après-midi, avec les copains en sortant du chantier. Je lis dans ses yeux que ça ne marche pas. Il a compris. Alors je lui dis tout.

La première gorgée de bourbon à quinze ans, pour franchir le Vieux Pont à Kahnawake. La bouteille cachée dans le vestiaire au centre d'apprentissage. Le vertige paralysant que seul l'alcool permet d'apprivoiser. La trouille. La honte. La petite flasque toujours dans la poche. Les stratagèmes pour se cacher. La porte des toilettes. Les regards de ceux qui ont compris. Le mépris des veinards pour lesquels c'est facile. Le courage de mon père, sa mort foudroyé. La légende des cowboys du ciel, les *skywalkers*, valeureux guerriers mohawks qui ignorent la peur, équilibristes des gratte-ciel, héros de leur peuple, bâtisseurs de l'Amérique.

« Vous voyez, docteur, malgré les horreurs de Ground Zero, les corps humains en morceaux, les feux et les fumées, les visions de l'enfer, pour la première fois je n'ai pas eu à me cacher, à l'aube, pour avaler deux rasades avant de prendre l'ascenseur. Je ne sais pas pourquoi mais, même quand il fallait s'élever au-dessus des décombres, dans les nacelles, pour découper l'acier en hauteur, je n'ai jamais eu le vertige.

– Et depuis, avez-vous repris le travail sur un chantier ordinaire ?

– Pas vraiment. J'ai été embauché juste après sur la construction des tours Time Warner, à Central Park Ouest, mais j'ai demandé à ne plus connecter. Connecter, chez nous, ça veut dire évoluer tout en haut, assembler les poutres au sommet, dans le ciel. Et ça, même avec l'alcool, je n'y arrive plus. C'est peut-être l'âge. Il faut faire place aux jeunes. Je suis en train de passer les examens pour devenir contremaître, diriger les opérations sans avoir à monter au sommet. Je veux travailler à la construction de ce qu'ils vont édifier à la place des tours. Ensuite, je pourrai prendre ma retraite.

– Vos analyses montrent que vous buvez toujours, monsieur... LaLiberté. C'est canadien-français, ce nom-là, non ?

– Canadien, mais pas français, docteur. Canadien-Mohawk. Je voudrais arrêter, j'arrive maintenant à limiter ma consommation... Mais ça fait si longtemps, ce n'est pas facile !

– Écoutez, vous avez eu de la chance. Vous avez pris les bonnes précautions, vous allez vous sortir sans dommages d'une aventure où de nombreux braves, tous ces héros du 11 septembre, vont laisser leur vie ou leur santé. Mais si vous continuez, c'est l'alcool qui vous tuera. D'une façon ou d'une autre, il vous tuera.

– Je sais, docteur, merci. Je vais essayer. C'est la première fois que j'en parle à quelqu'un. Et pour Andy, qu'est-ce qu'on peut faire ?

– Pas grand-chose, hélas. Rester à ses côtés. Il va devenir de moins en moins autonome. Il faut prévoir un fauteuil roulant, dans quelques semaines, quelques mois au maximum. Je vais lui prescrire un médicament en inhalation, avec une machine, mais je n'en attends rien. Votre ami est trop gravement atteint. Il va mourir. »

Au printemps, Andy n'avait plus la force de se lever de son fauteuil. Il y est resté assis six semaines, les yeux dans le vague, branché en permanence à un compresseur électrique qui ronronnait dans le salon. Il ne mangeait presque plus, aspirait l'air dans de longs sifflements rauques. S'éteignait. Un matin, quand Karen est entrée dans l'appartement, il ne respirait plus.

24

New York City

27 avril 2005

Sur la photo agrandie Joe Regis, Mohawk de Kahnawake, est à califourchon sur une poutre, de dos, torse nu, casque rouge. De son bras droit ganté jusqu'au coude, il appuie de toutes ses forces sur la clef à mâchoire qui enserre un boulon. Il connecte l'acier au sommet de l'immeuble de la Chase Manhattan Bank en construction, en 1960. Devant lui, le toit de cuivre vert du Manhattan Company Building, édifié trente ans plus tôt. Les sommets de Manhattan. En arrière-plan, la baie, l'océan, puis l'horizon. Il règne sur la ville. L'affiche d'un mètre sur deux marque l'entrée de l'exposition «*Booming out, les ironworkers mohawks construisent New York*».

Elle va rester six mois au musée des Indiens d'Amérique, dans l'ancienne maison des douanes, derrière les colonnes de pierre monumentales, à la pointe Sud de Manhattan.

À l'intérieur, une photo agrandie sur un panneau de bois montre deux des frères Diabo fixant, en 1916, une poutre sur le pont des Portes de l'Enfer, dans le port de New York. À côté, sur un cliché couleur, des charpentiers du ciel encadrent, en 2000, lors du *topping-out* de la tour Bear Stearns, à Manhattan, un arbre de Noël posé sur la plus haute poutre, au-dessus d'une bannière étoilée.

Dans la deuxième salle, un panneau présente une vue aérienne de la tour Sud du World Trade Center en construction en 1970. Le texte qui l'accompagne est signé « Jack LaLiberté – Mohawk de Kahnawake – Interview sur le chantier ».

« Pour nous, les monteurs d'acier indiens, ces gratte-ciel seront nos pyramides d'Égypte, notre Empire State Building, nos chefs-d'œuvre. Nos pères, nos grands-pères, et leurs ancêtres avant eux, ont bâti les ponts, les villes, les monuments de l'Homme blanc. Les passerelles, les montagnes de fer, les cités de l'Amérique. Avant l'invasion de nos terres, nous étions des charpentiers, des bâtisseurs de longues maisons. Quand les anciens ont compris qu'ils ne pourraient pas vaincre les envahisseurs venus de l'Est, ils ont gagné par leur travail, leur sueur, leur courage et leur sang leur place dans ce nouveau monde. Nous en sommes fiers. Nous n'avons que faire de leur sentiment de culpabilité qu'ils rachètent par des allocations, des détaxes sur les cigarettes ou des licences pour l'ouverture de casinos. Un *ironworker* ne vit pas de charité. Quand j'avance sur ma poutre, au-dessus de Manhattan, quand j'assemble à la main les pièces de leurs cathédrales d'acier, je ne suis pas dans leur univers mais dans le mien. Je marche où personne n'a marché avant moi. Dans le ciel. Avec les aigles. »

25
New York City

1er septembre 2012

Je l'ai cherchée des semaines, des mois, jusqu'à la fin, partout dans les décombres. J'ai creusé pendant des heures, cru dix fois la trouver. J'en rêvais la nuit. Je suis retourné au cimetière des tours jumelles, sur Staten Island. En vain. Elle a disparu dans cet enfer, comme les meubles réduits en poudre, comme les carlingues des avions, comme les corps évaporés dont pas un atome n'a été retrouvé. Ce soir, j'aurais tant aimé l'avoir.

Assis sur une caisse marquée « Pièces d'ascenseur » au sommet de la structure nue de la tour de la Liberté, au cœur d'une nuit d'été, je ferme les yeux et imagine l'odyssée de la clef à mâchoire de mon père, Jack LaLiberté, dit Tool.

Achetée par mon arrière-grand-père au Canada dans les années 1920, usée sur le Chrysler Building, les ponts et les gratte-ciel de New York et d'ailleurs. Pendue à la ceinture, battant sur les cuisses de trois générations. Leur outil, leur emblème, leur tomahawk. Passagère clandestine au sommet des *twin towers*, engloutie dans le naufrage du 11 septembre. Perdue. Où est-elle aujourd'hui ? Je ne peux pas croire qu'elle ait été détruite. Elle est là, quelque part, peut-être tout près.

Je suis arrivé tard à la grille principale du chantier, mon sac de toile à la main. Premier contremaître, j'ai salué les vigiles qui me connaissent.

« Salut, les gars. Un truc à préparer pour demain matin. Vous me débloquez l'ascenseur B ? Merci, bonne nuit. »

La cérémonie du *topping-out* a eu lieu avant-hier. Le promoteur, Larry Silverstein, l'État de New York, le gouverneur, la ville ont fait les choses en grand, appuyant lourdement sur le symbole de la renaissance. Le plus haut bâtiment de l'hémisphère Nord. Un nouveau phare pour la démocratie. Hommage aux héros, au courage de l'Amérique. Quand l'antenne sera posée, il atteindra 1 776 pieds, pour rappeler l'année de la Déclaration d'indépendance. Tout le monde défile devant la signature apposée sur une poutre par le président Obama, qui a écrit : « *We remember, we rebuild, we come back stronger.* »

En souvenir de mon père, seul mort dans la construction des tours jumelles, ils m'ont proposé de serrer à la main, sous les applaudissements, le dernier boulon. Un cameraman a tout filmé, promis de m'envoyer le fichier sur mon adresse électronique. La photographe Kathryn Martins était là, aussi. Elle m'a dédicacé le premier exemplaire de son livre de photos, *Là-haut – Les héros de la Liberty Tower*. Chaque invité en a reçu un, elle a signé le mien d'un mot de remerciements.

Une heure du matin, quatre cents mètres au-dessus de Manhattan.

La ville s'assoupit, son rythme ralentit, sa respiration s'apaise. La lune se couche sur l'horizon. La brise marine monte de la baie, se mêle aux courants aériens, rafraîchit la nuit. À l'Ouest, sur l'autre rive, l'immensité du continent américain. Des avions alignés en approche des pistes de l'aéroport de Newark. La lueur bleue d'un gyrophare filant sur le New Jersey Turnpike. Trop loin pour entendre la sirène. Les guirlandes du pont de Verrazano. Une vedette des gardes-côtes, ligne fluorescente entre les ombres des pachydermes endormis devant Port Elizabeth. Le battement d'ailes d'une mouette. Un ferry jaune approche de la gare maritime de Whitehall.

Le halo lumineux de la ville révèle l'or du flambeau de la statue de la Liberté, sa silhouette à peine visible sur l'argent des flots.

Je pense à Wild Bill Cooper, l'ami de mon père, qui a caché sa *spudwrench* au sommet de la tour en 1970. Il est mort l'an dernier à Kahnawake. La dernière fois que je l'ai vu, il m'a raconté l'histoire du pont de Bayonne, cette arche monumentale en forme de dôme, que j'aperçois, au loin, comme un compas géant éclairé par ses lampadaires. Il a été dessiné par l'ingénieur qui avait enquêté et rédigé le rapport sur le désastre du pont de Québec en 1907.

Wild Bill se souvenait que, dans son enfance, ses parents lui interdisaient de jouer avec les garçons du clan LaLiberté, ces traîtres, dont un ancêtre avait vendu les siens et s'était sauvé, seul, comme un lâche, quand il avait compris que le pont allait s'écrouler. De génération en génération, nous avons dû nous défendre, refuser cette malédiction, affirmer que notre aïeul n'avait pas trahi, avait tenté de donner l'alarme mais n'avait pas été écouté.

Je passe sur mon front la sangle de la lampe frontale. Du sac kaki, je sors une boîte de tabac en bois. Sur le couvercle, l'inscription Rocky Ford, et le dessin d'un guerrier sioux ou cheyenne, accroupi au sommet d'un rocher, peintures de guerre, arc à la main. Je l'ai retrouvée à la maison, dans un tiroir. J'y rangeais mes billes et mes soldats de plastique quand j'allais à l'école. Je l'ouvre sur mes genoux. De la poche de mon blouson, je sors une griffe d'ours. Puis un rouleau de tissu : une ceinture wampum, cousue et brodée par ma mère pour un anniversaire. Je la déroule, éclaire les motifs de couleurs, du bleu et du noir, et de perles. Le Saint-Laurent, les maisons de Kahnawake, la skyline de New York, deux ours marchant dans la forêt. Je porte la griffe à mes lèvres, la pose sur la ceinture à histoires, l'enroule, serre les lacets de cuir, referme la boîte.

J'y ajoute une photo de Jack, si petite et si floue qu'il est méconnaissable. Mais je sais que c'est lui, au sommet d'un immeuble que je ne reconnais pas. Je joins mon badge d'accès au chantier du One World Trade Center. « John LaLiberté – Chef de travaux ».

Je sors du sac une boîte métallique, y dépose ma clef à mâchoire. Je ne m'en suis pas servi depuis des années, depuis que je suis passé contremaître. Et je n'ai pas de fils. J'étale sur la caisse des feuilles de tabac rapportées par un ami du jardin de la longue maison d'Akwesasne. Je pose à l'intérieur les trois plus grandes. Je referme la boîte, longue et rectangulaire comme un petit cercueil, la scelle de plusieurs tours de scotch toilé noir.

Au point de jonction de deux poutres en I, dans un angle, surplombant les fontaines du souvenir construites là où s'élevaient les tours jumelles, j'ai trouvé l'emplacement. Je tire du sac les morceaux de métal découpés, les boîtes de pâte à souder. Je prépare le mélange, enduis la tranche de l'une des plaques métalliques, la mets en place, maintiens fermement pour laisser durcir.

Je pose une coupelle de terre à mes pieds, émiette les feuilles de tabac. Je porte la boîte de fer au niveau de mon front, la fais glisser, fixe le couvercle.

Voilà. Invisible. Demain, je passerai m'assurer que personne n'a rien remarqué. Je m'agenouille sur les planches, sort mon briquet, enflamme une feuille de tabac que je pose dans la coupelle. Je l'abrite du vent à deux mains. Je me penche, souffle sur les flammes aux reflets jaunes, bleus, puis verts. Je me relève, esquisse des pas de danse, murmure les premières mesures d'un chant de mort, puis le début de la prière Thanksgiving : *Ohenten Kariwatekwen* – j'ai oublié la suite.

Les volutes de fumée s'élèvent, enveloppent la boîte d'acier, s'évanouissent dans le ciel.

Table

« LES GRANDS ROMANS » DE POINTS
DES ROMANS QUI TRAVERSENT L'HISTOIRE

L'Empereur aux mille conquêtes
Javier Moro

Pedro, l'héritier de la dynastie des Bragance, doit faire un choix qui bouleversera l'avenir du Brésil. Rejoindre son père, le roi João, au Portugal, où il affronte la révolution ou rester pour assurer l'unité de son pays d'adoption ? Impulsif et idéaliste, Pedro se décide à embrasser le destin du Brésil, qu'il mènera vers l'indépendance et la modernité.

« Un ouvrage fascinant, exaltant et remarquablement écrit. »

Le Parisien

« LES GRANDS ROMANS » DE POINTS
DES ROMANS QUI TRAVERSENT L'HISTOIRE

La Confrérie des moines volants
Metin Arditi

Dans un cimetière abandonné, Nikodime creuse une cache pour y enfouir les richesses de l'Église russe. Rescapé des massacres de religieux commis par Staline en 1937, l'inflexible ermite, hanté par un obscur péché de jeunesse, a formé la confrérie des moines volants. Douze hommes qui éprouvent leur foi lors de périlleuses missions de sauvetage des plus beaux trésors de l'art sacré orthodoxe.

« Metin Arditi nous raconte avec talent l'histoire de cette troupe disparate de religieux errants et les tribulations des œuvres d'art qu'ils essayèrent de sauver au péril de leur vie. »

Le Figaro Magazine

«LES GRANDS ROMANS» DE POINTS
DES ROMANS QUI TRAVERSENT L'HISTOIRE

Pietra Viva
Léonor de Récondo

Michelangelo s'est réfugié dans les carrières de Carrare. Loin de Rome et du corps mort d'Andrea, moine dont la beauté le fascinait. En ce printemps 1505, le célèbre artiste doit choisir les marbres du futur tombeau du pape. Arrogant et tourmenté, il s'étourdit de travail. Au fil des jours et des rencontres, le sculpteur comprend que toutes les réponses ne se trouvent pas au cœur de la pierre…

«Tout n'est que finesse et retenue dans cette Pietra viva. *Léonor de Récondo interroge le mystère de la création, les noces singulières de l'art et de la mémoire.»*

ELLE

« LES GRANDS ROMANS » DE POINTS
DES ROMANS QUI TRAVERSENT L'HISTOIRE

L'Italienne
Adriana Trigiani

1905. À la mort de leur père, Ciro, dix ans, et son frère aîné sont placés dans un couvent des Alpes italiennes. L'austérité de la vie chez les sœurs n'étouffe pas en Ciro le goût de l'aventure. Sa rencontre avec Enza bouleverse son existence. Le destin les sépare puis les réunit à Little Italy, quartier des immigrés italiens de New York. Mais la Première Guerre mondiale éclate et Ciro s'engage…

« Le tourbillon de la vie ne cesse de les séparer. Une saga passionnelle étourdissante. »

Madame Figaro

« LES GRANDS ROMANS » DE POINTS

DES ROMANS QUI TRAVERSENT L'HISTOIRE

Les Adieux à la reine

Chantal Thomas

Dans Vienne ruinée et humiliée par la victoire de Napoléon, Agathe-Sidonie, ancienne lectrice de Marie-Antoinette, se souvient. De l'année 1789. Du faste de la Cour, bien sûr. Et particulièrement, au lendemain de la prise de la Bastille, des derniers jours à Versailles auprès de cette reine si controversée, qui continue de la fasciner. Agathe-Sidonie s'est enfuie dans la nuit du 16 juillet 1789…

« Un pur régal pour les amoureux du siècle des Lumières et de Versailles. »

Historia

RÉALISATION : IGS-CP À L'ISLE-D'ESPAGNAC
IMPRESSION : CPI FRANCE
DÉPÔT LÉGAL : AVRIL 2016. N° 131215-3 (3020128)
IMPRIMÉ EN FRANCE

Éditions Points

Collection Points Les Grands Romans

P1733. Bleu de Sèvres, *Jean-Paul Desprat*
P1765. L'Œuvre des mers, *Eugène Nicole*
P1805. L'Amante du pharaon, *Naguib Mahfouz*
P1808. Fleurs de Chine, *Wei-Wei*
P1851. Rescapée, *Fiona Kidman*
P1900. Tango, *Elsa Osorio*
P1901. Julien, *Gore Vidal*
P1917. La Religieuse de Madrigal, *Michel del Castillo*
P1918. Les Princes de Francalanza, *Federico de Roberto*
P1919. Le Conte du ventriloque, *Pauline Melville*
P1936. Les Rescapés du Styx, *Jane Urquhart*
P1968. Pampa, *Pierre Kalfon*
P1973. La Statue du commandeur, *Patrick Besson*
P1983. Toutes ces vies qu'on abandonne, *Virginie Ollagnier*
P2034. La Méridienne, *Denis Guedj*
P2048. La Pension Eva, *Andrea Camilleri*
P2049. Le Cousin de Fragonard, *Patrick Roegiers*
P2090. Même le mal se fait bien, *Michel Folco*
P2091. Samba Triste, *Jean-Paul Delfino*
P2104. Les Pays lointains, *Julien Green*
P2131. Jubilee, *Margaret Walker*
P2150. Treize Lunes, *Charles Frazier*
P2180. Corsaires du Levant, A*rturo Pérez-Reverte*
P2191. L'homme qui voulait voir Mahona, *Henri Gougaud*
P2198. Ambre, vol. 1, *Kathleen Winsor*
P2199. Ambre, vol. 2, *Kathleen Winsor*
P2206. La Beauté du monde, *Michel Le Bris*
P2213. L'Enfant pain, *Agustin Gomez-Arcos*
P2220. Une année dans la vie de Tolstoï, *Jay Parini*
P2230. J'ai vécu 1 000 ans, *Mariolina Venezia*
P2231. La Conquistadora, *Eduardo Manet*
P2232. La Sagesse des fous, *Einar Karason*

P2259. La Montagne en sucre, *Wallace Stegner*
P2260. Un jour de colère, *Arturo Pérez-Reverte*
P2261. Le Roi transparent, *Rosa Montero*
P2285. Tarabas, *Joseph Roth*
P2287. Récit des temps perdus, *Aris Fakinos*
P2315. Luz ou le temps sauvage, *Elsa Osorio*
P2316. Le Voyage des grands hommes, *François Vallejo*
P2338. La Servante insoumise, *Jane Harris*
P2366. La Couleur du bonheur, *Wei-Wei*
P2370. Le Sang des Dalton, *Ron Hansen*
P2373. L'Agent indien, *Dan O'Brien*
P2383. Robin des bois, prince des voleurs
Alexandre Dumas
P2388. L'Ile du lézard vert, *Eduardo Manet*
P2402. Si loin de vous, *Nina Revoyr*
P2403. Les Eaux mortes du Mékong, *Kim Lefèvre*
P2423. La Couturière, *Frances de Pontes Peebles*
P2424. Le Scandale de la saison, *Sophie Gee*
P2425. Ursúa, *William Ospina*
P2453. Baptiste, *Vincent Borel*
P2458. Le Voyage de l'éléphant, *José Saramago*
P2507. Villa des hommes, *Denis Guedj*
P2520. Nord et Sud, *Elizabeth Gaskell*
P2552. Un monde d'amour, *Elizabeth Bowen*
P2568. Les Amants papillons, *Alison Wong*
P2569. Dix mille guitares, *Catherine Clément*
P2619. L'Histoire très ordinaire de Rachel Dupree
Ann Weisgarber
P2639. Le Roman de Bergen. 1900 L'Aube – tome I
Gunnar Staalesen
P2640. Aurora, Kentucky, *Carolyn D. Wall*
P2643. Le Ruban rouge, *Carmen Posadas*
P2652. Le Sari rose, *Javier Moro*
P2653. Le Roman de Bergen. 1900 L'Aube – tome II
Gunnar Staalesen
P2654. Jaune de Naples, *Jean-Paul Desprat*
P2656. Qui a tué Arlozoroff ?, *Tobie Nathan*
P2662. L'Incertain, *Virginie Ollagnier*
P2674. Le Testament d'Olympe, *Chantal Thomas*
P2675. Antoine et Isabelle, *Vincent Borel*
P2712. Mon patient Sigmund Freud, *Tobie Nathan*
P2713. Trois explications du monde, *Tom Keve*
P2715. Shim Chong, fille vendue, *Hwang Sok Yong*
P2716. La Princesse effacée, *Alexandra de Broca*
P2737. La Jeunesse mélancolique et très désabusée d'Adolf Hitler
Michel Folco

P2738. L'Enfant des livres, *François Foll*
P2739. Karitas, livre I – L'esquisse d'un rêve
Kristín Marja Baldursdóttir
P2761. Caravansérail, *Charif Majdalani*
P2762. Les Confessions de Constanze Mozart
Isabelle Duquesnoy
P2801. Le Marquis des Éperviers, *Jean-Paul Desprat*
P2822. Le Roman de Bergen. 1950 Le Zénith – tome III
Gunnar Staalesen
P2850. Le Roman de Bergen. 1950 Le Zénith – tome IV
Gunnar Staalesen
P2851. Pour tout l'or du Brésil, *Jean-Paul Delfino*
P2864. Rêves de Russie, *Yasushi Inoué*
P2865. Des garçons d'avenir, *Nathalie Bauer*
P2903. Cadix, ou la diagonale du fou, *Arturo Pérez-Reverte*
P2904. Cranford, *Elizabeth Gaskell*
P2905. Les Confessions de Mr Harrison, *Elizabeth Gaskell*
P2906. Jón l'Islandais, *Bruno d'Halluin*
P2948. Les Mille Automnes de Jacob de Zoet, *David Mitchell*
P2949. La Tuile de Tenpyô, *Yasushi Inoué*
P2981. Karitas, livre II – L'art de la vie
Kristín Marja Baldursdóttir
P3003. Pour l'amour de Rio, *Jean-Paul Delfino*
P3004. Les Traîtres, *Giancarlo de Cataldo*
P3016. La Reine des Cipayes, *Catherine Clément*
P3017. Job. Roman d'un homme simple, *Joseph Roth*
P3037. Doña Isabel (ou la véridique et très mystérieuse histoire d'une Créole perdue dans la forêt des Amazones)
Christel Mouchard
P3057. Les Sœurs Brelan, *François Vallejo*
P3058. L'Espionne de Tanger, *María Dueñas*
P3071. Les Amoureux de Sylvia, *Elizabeth Gaskell*
P3072. Cet été-là, *William Trevor*
P3085. Quel trésor !, *Gaspard-Marie Janvier*
P3086. Rêves oubliés, *Léonor de Récondo*
P3087. Le Valet de peinture, *Jean-Daniel Baltassat*
P3102. Relevé de terre, *José Saramago*
P3145. Le Pont des assassins, *Arturo Pérez-Reverte*
P3146. La Dactylographe de Mr James, *Michiel Heyns*
P3147. Télex de Cuba, *Rachel Kushner*
P3154. Au pays du Cerf blanc, *Chen Zhongshi*
P3155. Juste pour le plaisir, *Mercedes Deambrosis*
P3179. Richard W., *Vincent Borel*
P3180. Moi, Clea Shine, *Carolyn D. Wall*
P3210. Le Roman de Bergen. 1999 Le crépuscule – tome V
Gunnar Staalesen

P3211. Le Roman de Bergen. 1999 Le crépuscule – tome VI *Gunnar Staalesen*
P3246. Un homme loyal, *Glenn Taylor*
P3247. Rouge de Paris, *Jean-Paul Desprat*
P3275. L'Excellence de nos aînés, *Ivy Compton-Burnett*
P3276. Le Docteur Thorne, *Anthony Trollope*
P3282. Moi, Giuseppina Verdi, *Karine Micard*
P3283. Les oies sauvages meurent à Mexico, *Patrick Mahé*
P3284. Le Pont invisible, *Julie Orringer*
P3324. Le Dictionnaire de Lemprière, *Lawrence Norfolk*
P3325. Le Divan de Staline, *Jean-Daniel Baltassat*
P3326. La Confrérie des moines volants, *Metin Arditi*
P3327. L'Échange des princesses, *Chantal Thomas*
P3328. Le Dernier Arbre, *Tim Gautreaux*
P3355. Le Tango de la Vieille Garde, *Arturo Pérez-Reverte*
P3356. Blitz, et autres histoires, *Esther Kreitman*
P3398. L'homme qui aimait les chiens, *Leonardo Padura*
P4012. Pietra viva, *Léonor de Récondo*
P4013. L'Égaré de Lisbonne, *Bruno d'Halluin*
P4048. La Clandestine du voyage de Bougainville *Michèle Kahn*
P4049. L'Italienne, *Adriani Trigiani*
P4060. Dans le Pavillon rouge, *Pauline Chen*
P4061. La Petite Copiste de Diderot, *Danielle Digne*
P4094. Demain à Santa Cecilia, *María Dueñas*
P4104. L'Empereur aux mille conquêtes, *Javier Moro*
P4126. Le Livre des secrets, *Fiona Kidman*
P4134. Le Printemps des enfants perdus, *Béatrice Égémar*
P4135. Les Enfants du duc, *Anthony Trollope*
P4155. Les Indomptées, *Nathalie Bauer*
P4156. Nos disparus, *Tim Gautreaux*
P4157. Sarah Thornhill, *Kate Grenville*
P4175. Suzon, *Louise Bachellerie*
P4176. La Maîtresse du commandant Castro *Eduardo Manet*
P4190. Passent les heures, *Justin Gakuto Go*
P4203. Le Festin de John Saturnal, *Lawrence Norfolk*
P4204. Aimons-nous les uns les autres, *Catherine Clément*
P4242. Westwood, *Stella Gibbons*
P4243. Hérétiques, *Leonardo Padura*
P4255. Bienvenue à Big Stone Gap, *Adriana Trigiani*
P4274. Les Silences de la guerre, *Claire Fourier*
P4275. Louise, *Louise Bachellerie*
P4288. Les Premiers de leur siècle, *Christophe Bigot*
P4289. Mary Barton, *Elizabeth Gaskell*
P4317. Ciel d'acier, *Michel Moutot*